ATLAS

GÉOPOLITIQUE ET CULTUREL

ATLAS
GÉOPOLITIQUE ET CULTUREL

DYNAMIQUES DU MONDE CONTEMPORAIN

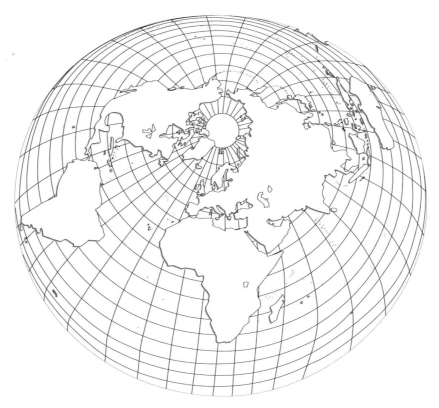

R DICTIONNAIRES LE ROBERT - 27, RUE DE LA GLACIÈRE 75013 PARIS

PRINCIPAUX
COLLABORATEURS

direction générale
Pierre VARROD

direction éditoriale
Laurence LAPORTE

rédaction
Première et deuxième parties
Philippe MOREAU DEFARGES

*Troisième partie et
conception des graphiques*
Pierre VARROD
avec la contribution de Laurent NICOLAS

révision des textes et cartes
Bruno CABANES
Marc NOUSCHI

lecture-correction
Annick VALADE
Brigitte ORCEL
Muriel ZARKA-RICHARD

cartographie
Jean-Pierre CRIVELLARI

iconographie
Nadine GUDIMARD

direction artistique
Gonzague RAYNAUD
Maud LAHEURTE (mise en page)

couverture
CAUMON

maquette
Olivier BARAUD

Textes établis à partir de *L'Atlas géopolitique et culturel du Petit Robert des noms propres*.
Remerciements à Carl ADERHOLD, directeur éditorial de la première édition.

Liste des abréviations

A.	Arménie	EAU	Émirats arabes unis	Otase	Organisation du traité de l'Asie du Sud-Est
A-ÉF	Afrique-Équatoriale française	Fr.	France		
AFG.	Afghanistan	FRANÇ	française	OUZ.	Ouzbékistan
ALB.	Albanie	G.	Géorgie	P.-B.	Pays-Bas
Alena	Accord de libre-échange nord-américain	G.-É.	Guinée-Équatoriale	PNB	Produit national brut
ALL.	Allemagne ; allemande	GA.	Gambie	PORT.	portugaise
AND.	Andorre	GU.-BISSAU	Guinée-Bissau	R.	Rwanda
Ansea	Association des nations du Sud-Est asiatique	H.	Hongrie	R.F.Y.	République fédérale de Yougoslavie
		HA.	Haïti	R.-U.	Royaume-Uni
Anzus	Conseil du Pacifique	hab.	habitant	RDA	République démocratique allemande
A-OF	Afrique-Occidentale française	HOLL.	hollandaise	RÉP.	République
APEC	Coopération économique Asie-Pacifique	J.	Jamaïque	RÉP. DÉM.	République démocratique
AUT.	Autriche	JORD.	Jordanie	RÉP. TCH.	République tchèque
AZERB.	Azerbaïdjan	KIRG.	Kirghizstan	RFA	République fédérale d'Allemagne
B.	Burundi	L.	Luxembourg	S.	Slovénie
B.F.	Burkina Faso	LI.	Liechtenstein	S.L.	Sierra Leone
B.-H.	Bosnie-Herzégovine	M	million	SACD	Communauté de développement de l'Afrique australe
BANGL.	Bangladesh	M.	Malawi		
BEL.	Belgique	MA.	Macédoine	SACU	Union douanière de l'Afrique australe
BÉN.	Bénin	MCCA	Marché commun Centre-américain	SLOV.	Slovaquie
BRIT.	britannique	MO.	Monaco	S.-M.	Union de Serbie-et-Monténégro
C.	Croatie	Nlle	Nouvelle	St	Saint
Caricom	Communauté des Caraïbes	OCC.	occidentale	Ste	Sainte
CEDEAO	Communauté économique pour le développement des États de l'Afrique de l'Ouest	OCDE	Organisation de coopération et de développement économiques	ST-M.	Saint-Marin
				T.	Togo
		OMC	Organisation mondiale du commerce	TADJIK.	Tadjikistan
CEI	Communauté des États indépendants	ONU	Organisation des Nations unies	TURK.	Turkménistan
CEMAC	Communauté économique et monétaire d'Afrique centrale	Opep	Organisation des pays exportateurs de pétrole	UEMOA	Union économique et monétaire de l'Afrique de l'Ouest
CENTRAFR.	République centrafricaine	ORIENT.	orientale	UMA	Union du Maghreb
Dan.	Danemark	Otan	Organisation du traité de l'Atlantique Nord	Visegrad	Accord centre-européen de libre-échange
É.-U.	États-Unis				

Pour les cartes « … dans le monde » – La valeur des importations est recensée CAF (coût, assurance, fret) compris, celle des exportations est recensée FAB (franco à bord). En conséquence, la valeur des importations d'une zone est supérieure à la valeur des exportations de la zone partenaire. Par exemple, les importations africaines en provenance d'Amérique du Nord sont comptabilisées pour 14 milliards de dollars, mais l'Amérique du Nord compte 13 milliards de dollars d'exportation à destination de l'Afrique.

Préface

Cet atlas offre un tour du monde en cent cartes, détaillant les grands enjeux, mondiaux dans la première partie, régionaux dans la deuxième. Il s'agit de montrer les évolutions à l'échelle planétaire, tant climatiques ou démographiques que politiques et culturelles.

Ces cartes ont été conçues sous un angle évolutif. Le planisphère qui ouvre l'ouvrage, en recensant tous les États, présente également une localisation de l'essor de la démocratie au XXᵉ siècle. Un peu plus loin, sous le chapitre « Les grands enjeux », la carte des grandes puissances coloniales met en évidence les impérialismes dont l'héritage continue de peser sur le devenir de nombreux pays d'Afrique ou d'Asie.

L'aspect culturel est également représenté. L'expansion des télécommunications (Internet, le téléphone…) est mise en parallèle avec le taux d'alphabétisation et la production de livres, afin d'esquisser une géographie de la culture. De même, le problème de la famine en Afrique est mis en relation avec les avancées de la désertification.

Le lecteur voyageant parmi ces cartes pourra voir s'opposer les zones en crise (corne de l'Afrique, Afrique subsaharienne, Caucase, Asie sèche) et les zones prospères. La géographie physique n'a pas été oubliée dans ses effets sur la géographie humaine, et les ressources en eau ou les zones d'accidents climatiques ont été cartographiées.

Une attention particulière a été accordée aux sources d'information. Les rapports les plus récents de l'ONU et de ses divers organismes (FAO, OMS, HCR…) ainsi que ceux de l'Organisation mondiale du commerce ont été utilisés pour établir les cartes. De même, les zones de pauvreté en Grande-Bretagne ont été répertoriées à partir du rapport du ministère britannique de l'Économie et des Finances paru en mars 1999.

Des graphiques ont été ajoutés afin de fournir des éléments quantifiables.

Nous avons choisi d'utiliser deux types de projection, selon la nature du sujet traité. La projection « équivalente elliptique », qui conserve les rapports de surface de la Terre, a été retenue pour traiter les sujets d'échelle mondiale (les grandes religions, par exemple). La projection de type polaire, centrée sur le pôle Nord, a été choisie pour représenter les échanges et les relations économiques (les flux migratoires…). La carte des principales places boursières est centrée sur le pôle afin de mieux faire percevoir l'extrême fluidité des capitaux d'une Bourse à l'autre, tandis que la projection équivalente elliptique a été retenue pour rendre compte du poids de l'endettement de chaque pays. Des anamorphoses ont été également utilisées, afin de visualiser des surfaces proportionnelles à des quantités statistiques et non plus aux réalités géographiques, ce qui permet de saisir immédiatement le thème traité (par exemple l'évolution de la population, le poids de la Chine et de l'Inde).

Nous espérons que l'ouvrage remplira sa fonction, qui n'est pas de coller à l'actualité immédiate, comme un journal, mais de créer des liens entre le temps bref de l'événement et le temps historique des évolutions lentes.

Comment expliquer le monde d'aujourd'hui sans fournir son indispensable arrière-plan et tenter de favoriser un continuel va-et-vient entre le connu et l'inconnu, le proche et le lointain.

L'atlas décrit les grands massifs géopolitiques qui structurent la vie de la planète – en matière économique, religieuse, culturelle, linguistique, idéologique – et la tectonique de leurs chevauchements. C'est l'objet des deux premières parties.

La troisième partie regroupe un ensemble de cartes historiques destinées à fournir un éclairage aux événements du 11 septembre 2001. Ces cartes regroupées sous le titre « Turbulences et permanences », sont consacrées tant aux acteurs majeurs qu'aux principaux territoires-enjeux. Les grandes puissances – leurs succès et leurs échecs – y sont tout d'abord décrites : États-Unis, Russie, Royaume-Uni. Puis les puissances moyennes – Allemagne, Japon – et leurs ambitions. Les futurs centres – Inde et Chine – émancipation et

réveil ; les périphéries – Afrique, Afghanistan –, aux destins profondément orientés de l'extérieur par les puissances impérialistes ; le recul de l'Empire ottoman – et ses effets – tant sur l'aire balkanique que moyen-orientale. La troisième guerre du Golfe (après celle qui opposa de 1980 à 1988 l'Irak à l'Iran, et celle qui opposa en 1990-1991 l'Irak à une large coalition internationale) est traitée à la fin du chapitre « L'échec des monismes », qui décrit les principales visions géopolitiques au centre des débats actuels.

Deux absents, dans ce parcours : l'Union européenne, géant économique mais nain diplomatique et militaire ; l'Amérique du Sud, nain géoéconomique et géopolitique de l'«extrême-Occident », dont l'histoire n'a pas pesé dans l'avant ou l'après – même pris au sens le plus large – des événements de l'automne 2001. Quant à Israël, une double page lui est déjà consacrée depuis la première édition.

Nous tenons à remercier tout spécialement pour leur aide et leurs conseils Messieurs Marc NOUSCHI, professeur de Chaire supérieure, et Bruno CABANES (de l'université d'Angers).

La perspective large s'est voulue synthétique, courte et d'accès facile, par le jeu d'écho organisé entre les cartes et les textes. Le lecteur curieux de prolonger la consultation pourrait se reporter au *Petit Robert des noms propres*, dont cet atlas fut initialement le complément.

L'ÉDITEUR

La Terre est désormais une. Les flux de toutes sortes, d'une densité très inégale selon les régions, se multiplient. L'innovation technique, la chute des coûts de production et de transports contractent massivement l'espace et le temps. Chaque événement se répercute dans l'ensemble du monde. Cette diffusion suit des trajets imprévisibles, déclenchant ici des conflits, là des élans de solidarité. La mondialisation de l'économie marchande et, dans son sillage, l'universalisation des idées occidentales n'entraînent en rien l'uniformisation de l'humanité, mais au contraire le remodelage à l'infini des mentalités et des civilisations. Toute grande question politique, de l'organisation des échanges économiques à la solidarité sociale, du maintien de la paix à la préservation de l'environnement, a une ou des dimensions planétaires.

Non pas la solution, mais l'un des niveaux de solution doit être mondial, tout exclu étant un perturbateur potentiel. Cette émergence d'une scène planétaire unique signifie-t-elle la constitution d'un État universel ? La mondialisation n'abolit ni les inégalités, ni les rivalités ; elle les mondialise. Un système institutionnel global est ébauché, avec l'Organisation des Nations Unies – ONU – et sa constellation d'institutions spécialisées, mais il doit s'accommoder des États, de leurs logiques propres, de leurs affrontements.

PREMIÈRE
PARTIE

Le monde
en questions

Le monde politique

« …*une multiplication par quatre du nombre d'États depuis 1945…* »

En 2004, l'Organisation des Nations Unies – ONU – compte 191 États. En 1945, à la Conférence fondatrice de San Francisco, les États participants sont 51. Cette multiplication par près de quatre du nombre d'États s'opère en deux vagues d'ampleur inégale. La plus considérable est la décolonisation des années 1950-1970 couvrant l'Asie, l'Afrique et le Pacifique de dizaines d'États, de toutes tailles. La deuxième vague déferle dans les années 1990, avec l'éclatement d'entités impériales ou ressenties comme artificielles : Yougoslavie, URSS, Tchécoslovaquie. Dans le sillage de cette universalisation de l'État à l'occidentale, apparaît souvent la démocratie pluraliste, mais sa diffusion est beaucoup plus aléatoire. Pour s'enraciner, la démocratie a besoin de temps. Or, parfois, durant cette maturation, surgit la tentation nationaliste : se constituer en peuple dans et par une lutte à mort contre l'Autre. Ainsi, dans les années 1990, la Yougoslavie se décompose-t-elle sous le choc du droit – démocratique – des peuples à disposer d'eux-mêmes, qui déchaîne les revendications ethniques...

État ayant établi une démocratie
parlementaire à fonctionnement régulier,
hors les périodes d'occupation étrangère.

Avant 1914

Entre 1918 et 1940
(Finlande)

Entre 1945 et 1989

Depuis 1989

OCÉAN GLACIAL ARCTIQUE

Spitzberg (Norv.)
Nlle-Sibérie

Groenland (Dan.)
Cercle polaire arctique
Cercle polaire arctique

Jan Mayen (Norv.)

Alaska (É.-U.)

CANADA

ISLANDE
Féroé (Dan.)
SUÈDE FINLANDE
NORVÈGE
ROYAUME-UNI
DANEMARK ESTONIE LETTONIE LITUANIE
RUSSIE

RUSSIE
IRLANDE
Iles Anglo-Normandes
P.-B. Russie POLOGNE BIÉLORUSSIE
BEL. ALL. RÉP. TCH. UKRAINE
FRANCE SUISSE L. AUT. SLOV. MOLDAVIE
ESPAGNE MO. S.M. H. ROUMANIE
AND. ITALIE MA. BULGARIE
PORTUGAL ALB. TURQUIE
GRÈCE
KAZAKHSTAN
MONGOLIE
CORÉE-DU-NORD
JAPON
CORÉE-DU-SUD

St-Pierre-et-Miquelon (Fr.)

ÉTATS-UNIS

Bermudes (R.-U.)

Açores (Port.)
Gibraltar (R.-U.)
Ceuta (Esp.)
Madère (Port.) Melilla (Esp.)
TUNISIE Malte
CHYPRE LIBAN SYRIE IRAN AFGHANISTAN
ISRAËL IRAK
JORD. KOWEIT PAKISTAN NÉPAL BHOUTAN
QATAR BAHREIN
ARABIE EAU INDE
SAOUDITE OMAN
CHINE
BHOUTAN
TAIWAN
Mariannes du Nord
Guam (É.-U.)
Marshall

Tropique du Cancer
Tropique du Cancer

Guadalupe (Mex.)
Hawaï (É.-U.)

MEXIQUE
Bahamas
CUBA
J. HA. République Dominicaine
Porto Rico (É.-U.)
Antigua-et-Barbuda
Dominique Guadeloupe (Fr.)
Martinique (Fr.)
Barbade
Grenade
Trinité-et-Tobago

Canaries (Esp.)
MAROC
LIBYE ÉGYPTE
ALGÉRIE
MAURITANIE MALI NIGER TCHAD SOUDAN ÉRYTHRÉE YÉMEN
Cap-Vert SÉNÉGAL DJIBOUTI Socotra (Yémen)
GAMBIE B.F. Laquedives (Inde)
GUINÉE-BISSAU GUINÉE CÔTE-D'IVOIRE BÉNIN NIGERIA RÉP. CENTRAFRICAINE ÉTHIOPIE
SIERRA LEONE LIBERIA GHANA TOGO CAMEROUN SOMALIE
G.É. OUGANDA KENYA
Maldives
Andaman et Nicobar (Inde)
SRI LANKA
BRUNEI
MALAYSIA
SINGAPOUR
Belau
États Fédérés de Micronésie

Revilla Gigedo (Mex.)

GUATEMALA BELIZE HONDURAS
SALVADOR NICARAGUA
COSTA RICA
PANAMÀ
VENEZUELA GUYANA SURINAM GUYANE (Fr.)
Clipperton (Fr.)

Galapagos (Éq.)
COLOMBIE
São Paulo (Brésil)

Équateur
OCÉAN
PACIFIQUE
ÉQUATEUR
Fernando de Noronha (Brésil)
Ascension (R.-U.)
OCÉAN
ATLANTIQUE
GABON CONGO RÉP. DÉMOCRATIQUE DU CONGO R. B. TANZANIE
Cabinda (Angola)
Seychelles
Chagos (R.-U.)
OCÉAN
PACIFIQUE
INDONÉSIE
PAPOUASIE-NOUVELLE-GUINÉE
Nauru Kiribati
Salomon Tuvalu

Kiribati

PÉROU
BRÉSIL
BOLIVIE

ANGOLA ZAMBIE M. MOZAMBIQUE
Mayotte (Fr.)
COMORES
MADAGASCAR
Maurice
OCÉAN
INDIEN
Cocos (Austr.)
Christmas (Austr.)
Vanuatu

Tokelau (N.-Z.)
Tuvalu Samoa (É.-U.)
Wallis-et-Futuna (Fr.) Samoa Cook (N.-Z.)
Tonga Niue (N.-Z.)
Polynésie-française (Fr.)

Sainte-Hélène (R.-U.)
ZIMBABWE
NAMIBIE
BOTSWANA
SWAZILAND
Réunion (Fr.)

Fidji
PARAGUAY
Pitcairn (R.-U.)
Sala y Gomez (Chili)
Pâques (Chili)
CHILI
URUGUAY
AFRIQUE DU SUD LESOTHO
Tristan da Cunha (R.-U.)
Nlle-Amsterdam (Fr.)
St-Paul (Fr.)
AUSTRALIE
Norfolk (Aus.)
Tropique du Capricorne
Tropique du Capricorne

Fidji

ARGENTINE
Gough (R.-U.)
Prince-Édouard (Af. du Sud)
Crozet (Fr.) Kerguelen (Fr.)
Mac Donald (Austr.)
NOUVELLE-ZÉLANDE

Malouines (R.-U.)
Géorgie du Sud (R.-U.)
Sandwich du Sud (R.-U.)
Bouvet (Norv.)

Orcades du Sud (R.-U.)

*Échelle à l'équateur,
centrée sur le 15°E.*

0   2 000 km

Projection © CART

(Chili - Argentine - Royaume-Uni)
(Norvège)
(Australie)
Cercle polaire antarctique
Cercle polaire antarctique
Terre Adélie (Fr.) (Australie) (Nouvelle-Zélande)

Le monde politique

« ...l'État souverain, entité politique fondamentale de l'ordre mondial, produit de l'occidentalisation du monde... »

L'ESPACE TERRESTRE est aujourd'hui partagé en près de deux cents États. L'État est l'un des produits de l'occidentalisation du monde, principalement par la colonisation.

L'État souverain est l'entité politique fondamentale de l'ordre mondial. L'État confère la nationalité, qui transforme l'individu en une personne dotée de droits (l'apatride, lui, est dépourvu d'une existence juridique pleine). C'est au sein de l'État que s'organise la vie citoyenne, notamment par les élections. L'État demeure, dans une large mesure, le maître de la force légitime. Il assure la police de son territoire. Et, jusqu'ici, les armées sont toujours nationales. Le système institutionnel mondial, autour de l'ONU, même s'il associe de plus en plus des organisations non-gouvernementales (ONG), est interétatique, les instances délibératives et décisionnelles étant composées d'États.

Ces États demeurent en rivalité les uns avec les autres. Les conflits de frontières sont toujours nombreux. Le territoire est l'assise de l'État et garde une valeur aussi bien réelle que symbolique. De la Palestine (conflit israélo-palestino-arabe) à la Chine (Taiwan), les États risquent toujours d'être engagés dans une guerre, prêts un jour à se mobiliser pour leur sol sacré.

Il existe une société des États. La quasi-totalité appartient à l'ONU, ébauche de pacte social interétatique mondial. Ses membres s'engagent à respecter les mêmes principes (égalité souveraine des États, non-ingérence dans les affaires intérieures, inviolabilité des frontières, règlement pacifique des différends...). Tous ces États, en dépit de leurs différences de taille, de développement, de puissance, se découvrent des intérêts communs : limiter les guerres, la plupart de ces États risquant d'être engloutis par elles ; défendre les petits contre les gros (en 1990, l'invasion du Koweït par l'Irak est condamnée par une très grande majorité d'États, qui redoutent d'être à leur tour victimes d'une agression analogue) ; demeurer les enceintes de la légitimité politique, alors que toutes sortes de mouvements (ONG, régionalismes...) réclament une part de cette légitimité.

Sous l'étiquette universelle d'État, les réalités sont des plus diverses. Certains bénéficient d'une longue existence historique (Europe occidentale, États-Unis, Japon, Iran), d'autres, plus récents, demeurent en quête d'équilibre économique et social (Amérique latine), d'autres, enfin, sont en construction ou en reconstruction (monde ex-communiste). Des États restent marqués par leur fragilité (régimes autoritaires du Moyen-Orient).

Enfin il en est qui paraissent ne pas parvenir à se constituer (Afrique au sud du Sahara).

Le mouvement d'étatisation de notre planète est suivi, de manière bien plus incertaine, par la diffusion de la démocratie à l'occidentale (protection des droits de l'individu, élections libres, pluralisme partisan). Jusque dans les années 1980, la démocratie libérale ou pluraliste reste « occidentale » (Europe occidentale, États-Unis, Canada, Japon). L'effondrement du camp soviétique donne un élan très puissant à l'élargissement géographique de la démocratie : les pays ex-communistes s'y rallient plus

ou moins ; l'Amérique latine, l'Asie-Pacifique et l'Afrique sont touchées. Or, l'expansion de la démocratie suscite, elle aussi, de graves difficultés : récupération de la démocratie par des mouvements autoritaires (ainsi en ex-Yougoslavie, dans les années 1990) ; explosion des revendications ethniques, susceptibles de provoquer de nouveaux éclatements d'États. Ainsi s'installent des abcès, conflits de longue durée, mi-civils, mi-internationaux : Balkans, Caucase, Grands Lacs africains .

Les États ne sont pas des totalités closes et cohérentes. « La France », « l'Italie », « la Russie », « la Chine »…, tout en continuant d'exister en tant que telles, se révèlent être des espaces conflictuels. Au sein de ces États, des groupes (mouvements divers, régions…) n'hésitent pas à mobiliser des solidarités transnationales. Des acteurs internationaux (organisations interétatiques, ONG…) ignorent la ligne de partage entre l'intérieur et l'extérieur et demandent des comptes aux États sur le respect des droits de l'homme, la prise en compte des minorités, l'application des règles

économiques et financières internationales. Ainsi s'ébauchent un ou des droits d'ingérence. La communauté internationale se reconnaît le droit et le devoir de sanctionner les États violant certaines obligations élémentaires (par exemple, répression de catégories de la population). Mais cette

communauté floue est loin d'être cohérente, se contentant souvent de blâmer, se précipitant parfois dans l'intervention armée. Les États, eux, demeurent souverains. La plupart, notamment ceux du Sud, se soutiennent les uns les autres pour s'opposer à ces interventions. ■

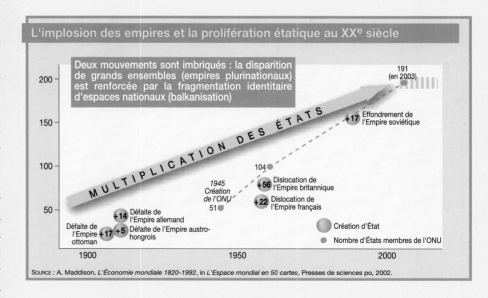

L'implosion des empires et la prolifération étatique au XXe siècle

Deux mouvements sont imbriqués : la disparition de grands ensembles (empires plurinationaux) est renforcée par la fragmentation identitaire d'espaces nationaux (balkanisation)

MULTIPLICATION DES ÉTATS

191 (en 2003)

+17 Effondrement de l'Empire soviétique

104

1945 Création de l'ONU

+56 Dislocation de l'Empire britannique

+22 Dislocation de l'Empire français

51

+14 Défaite de l'Empire allemand

Défaite de l'Empire ottoman +17 +5 Défaite de l'Empire austro-hongrois

Création d'État

Nombre d'États membres de l'ONU

1900   1950   2000

SOURCE : A. Maddison, *L'Économie mondiale 1820-1992*, in *L'Espace mondial en 50 cartes*, Presses de sciences po, 2002.

La Terre et l'homme forment un couple indissociable. Mais la nature est imprévisible. Éruptions de volcans, inondations, famines, désastres de toutes sortes hantent la mémoire des peuples. Or, depuis la fin du XVIIIᵉ siècle, trois évolutions en interaction bouleversent les relations entre la Terre et les hommes.

L'AUGMENTATION MASSIVE DE LA POPULATION. En 1800, notre planète compte un milliard d'hommes. En 2000, ils sont environ six milliards. Cette évolution démographique alourdit considérablement les demandes faites à la Terre : nourriture, chauffage, consommation d'eau…

L'INDUSTRIALISATION. La révolution industrielle s'amorce en Angleterre à la fin du XVIIIᵉ siècle. Elle se répand en Europe, aux États-Unis, au Japon, en Russie, sur les côtes de nombre de régions, tout au long du XIXᵉ siècle. Depuis la seconde moitié du XXᵉ siècle, elle pénètre l'Asie. L'exploitation systématique des ressources planétaires, peu soucieuse des effets décalés dans le temps ou dans l'espace, entraîne des pollutions d'une ampleur sans précédent.

LA PERCEPTION DE LA TERRE COMME UN ESPACE UNIQUE. La Terre a toujours constitué un système unique. Cependant trois données nouvelles interviennent : l'augmentation des flux de toutes sortes (marchandises et déchets, inoffensifs ou dangereux…) lie dans un même réseau des zones de plus en plus lointaines et diverses ; la mise en place d'instruments d'observation de plus en plus perfectionnés rend visibles les interactions climatiques ; enfin, les médias diffusent sans délai les événements les plus éloignés.

ASPECTS
PHYSIQUES

Risques naturels et accidents climatiques

« …des mouvements
de la nature qui sont
autant d'éléments
d'un vaste système… »

LES CATASTROPHES NATURELLES accompagnent la vie des hommes. La science saisit de mieux en mieux les moindres variations de notre planète. Tous les mouvements de la nature peuvent être analysés comme autant d'éléments d'un vaste système… La carte montre cette circulation des éléments (air et eau), en perpétuelle transformation.

De plus, cyclones, inondations, incendies sont ressentis par les populations comme autant d'indices de manipulations hasardeuses de la nature. Les sociétés demandent une protection croissante contre ces aléas naturels : prévention des désastres ; mise en cause des grands équipements (par exemple, barrages) modifiant la nature ; procès en responsabilité ; mécanismes d'assurance ou de réassurance.

Climatologie

Anomalies climatiques attribuées à El Niño

Précipitations supérieures à la normale

Précipitations inférieures à la normale

Températures supérieures à la normale

Températures inférieures à la normale

Catastrophes météorologiques

Inondations

Trajectoire des cyclones tropicaux

Cyclones

Tempêtes de glace

Incendies de forêt

Géologie

Principaux volcans actifs

Régions sismiques

Zones fortement peuplées

Risque de sécheresse

Risque d'inondation

Le monde en questions

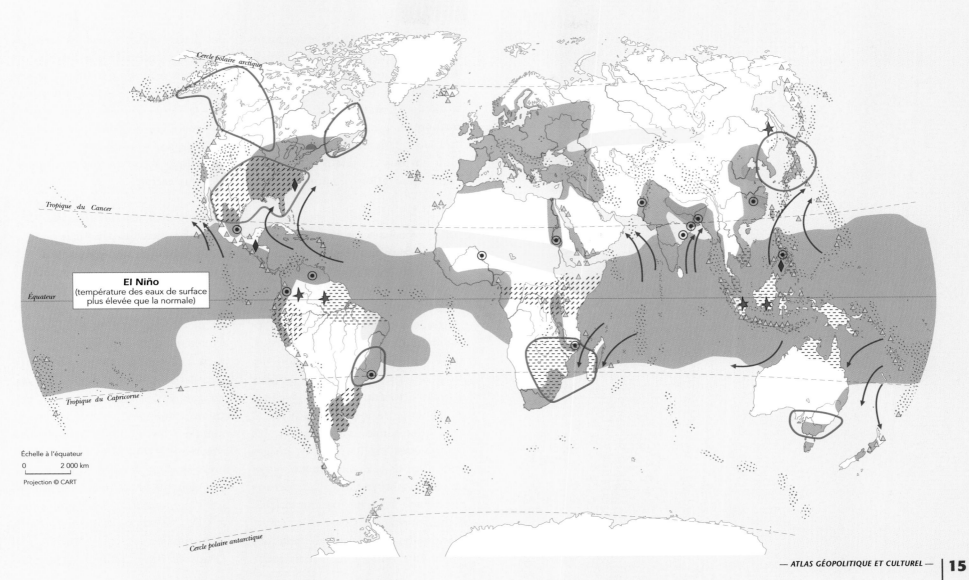

El Niño
(température des eaux de surface plus élevée que la normale)

Cercle polaire arctique

Tropique du Cancer

Équateur

Tropique du Capricorne

Cercle polaire antarctique

Échelle à l'équateur

0   2 000 km

Projection © CART

Risques naturels et accidents climatiques

« ...où tracer

la ligne de partage

entre ce qui est

le fait de la nature

et ce qui est

le fait de l'homme ?... »

LES RISQUES NATURELS et les accidents climatiques étaient considérés par l'homme comme l'expression de la fatalité. Ainsi, dans la Bible, le déluge anéantit une humanité corrompue, ayant trahi les desseins de Dieu... L'homme ne pouvait que subir quelque chose qui le dépassait. Cette perception change profondément.

L'approfondissement méthodique de la connaissance de phénomènes naturels.

Une science globale des variations des équilibres naturels se développe, par la combinaison d'innombrables instruments (satellites, réseaux d'appareils de mesure et d'ordinateurs...), ainsi que par la multiplication des coopérations. La Terre, organisme complexe, tourne sous la surveillance permanente de milliers d'experts. Si les connaissances s'accumulent, les controverses prolifèrent : les nuages renforcent-ils le rayonnement solaire ou le diminuent-ils ? Les océans ont-ils une capacité fixe ou variable d'absorption de CO_2 ? Les forêts équatoriales sont-elles vraiment des « poumons verts » ? La brutale fonte des glaces observée par les satellites aux pôles contredit-elle l'hypothèse d'un lent recul dû à l'effet de serre ? Ces débats contribuent à faire percevoir la Terre comme un corps dont il faut maintenir la santé. Les accidents climatiques sont autant de crises, décortiquées comme les symptômes de maux cachés.

L'imbrication, dans les désastres naturels, de causes spécifiquement naturelles et de causes humaines.

Aujourd'hui, tous ces accidents sont considérés comme dus au moins en partie à l'homme. Cette approche est dictée par la théorie du chaos, actuellement dominante : un battement d'ailes de papillon, à une extrémité de la Terre, peut déclencher un ouragan à une autre extrémité. Les activités humaines, omniprésentes, modifient les équilibres naturels. Les cyclones (El Niño), les incendies de forêts seraient des conséquences des changements du climat, provoqués par l'augmentation des molécules de CO_2 – d'origine humaine – dans l'atmosphère.

Dans les beaux jours de la révolution industrielle ou du système soviétique, la nature est traitée comme une manne inépuisable, pouvant servir également de poubelle. L'immensité du territoire russe est dégradée en de très nombreux endroits par la brutalité soviétique, tandis que les multinationales du monde capitaliste polluent sans scrupule le tiers-monde.

Depuis le début des années 1970, la responsabilité humaine dans les catastrophes naturelles devient un enjeu juridique, économique, politique. Mais où tracer la ligne de partage entre ce qui est le fait de la nature et ce qui est le fait de l'homme ? Désormais, le droit définit la notion de catastrophe naturelle, phénomène « d'intensité anormale d'un agent naturel », afin de bien fixer l'étendue possible des indemnisations. Ce que l'homme a perturbé, il doit pouvoir le remettre en l'état.

Le développement de litiges autour de ces désastres naturels.

La demande croissante de sécurité dans tous les domaines transforme les accidents climatiques en enjeux juridiques. Pourquoi tel ou tel accident n'a-t-il pas été mieux prévu ? L'une des nouvelles missions de l'État n'est-elle pas de prévenir ces catastrophes ? Mais alors comment répartir la charge des efforts, des équipements de prévention ? Dans un monde de plus en plus urbain, les citadins sont-ils prêts à payer pour faire face à des risques qui menacent d'abord les paysans ? Chacun cherche à identifier le ou les responsables tout en s'affirmant innocent.

Les dérèglements climatiques sont à l'origine d'un processus multiforme et permanent de négociations internationales (par exemple, fixation de plafonds pour les émissions de gaz à effet de serre : CO_2, méthane, CFC, oxydes d'azote). Le chantier est immense, car la consommation massive d'énergies fossiles (principalement hydrocarbures mais aussi charbon) constitue le premier facteur de perturbation des climats : quelles politiques de maîtrise de l'énergie impulser ? Quels modes de régulation ? Par le marché ? Par des mesures autoritaires ? Quelle répartition des efforts entre pays développés et pays en développement ? Chacune de ces questions est imbriquée dans d'autres. Ainsi les controverses actuelles entre l'Occident et le Sud en matière d'environnement reformulent-elles les affrontements des années 1970 autour de l'établissement d'un Ordre économique mondial juste.

Enfin, les risques naturels sont supportés par des dispositifs d'assurance et de réassurance. Ceux-ci existent parfois depuis des siècles, par exemple pour les transports maritimes. Or, le nombre accru de catastrophes graves déstabilise ces dispositifs. À travers les défis de l'environnement, la solidarité sociale se trouve une nouvelle fois mise en cause : quels risques la collectivité doit-elle prendre en charge ? Quelle collectivité : l'État, des syndicats d'entreprises… ? Quelle répartition du fardeau ? Jusqu'où doit aller l'indemnisation des victimes ? ■

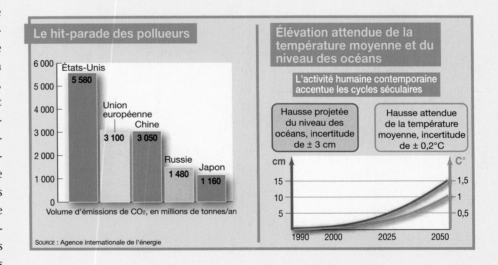

Le hit-parade des pollueurs

États-Unis 5 580
Union européenne 3 100
Chine 3 050
Russie 1 480
Japon 1 160

Volume d'émissions de CO_2, en millions de tonnes/an

Source : Agence internationale de l'énergie

Élévation attendue de la température moyenne et du niveau des océans

L'activité humaine contemporaine accentue les cycles séculaires

Hausse projetée du niveau des océans, incertitude de ± 3 cm

Hausse attendue de la température moyenne, incertitude de ± 0,2°C

cm — C°

15 — 1,5
10 — 1
5 — 0,5

1990 2000 2025 2050

Les ressources en eau

*« …une préoccupation
économique, mais aussi
une question politique… »*

S I L'EAU est une préoccupation constante des hommes – sans eau, pas de vie –, c'est récemment, à la fin du XXe siècle, qu'elle devient une question politique, toujours pour les mêmes raisons fondamentales : augmentation de la population, industrialisation, changement des mentalités (le souci d'économie de l'eau laissant la place à sa surconsommation). L'accès à l'eau potable pour tous fait désormais partie des devoirs essentiels de la collectivité. Les hommes les plus pauvres – un cinquième de l'humanité – sont aussi ceux qui n'ont pas accès à l'eau potable.

L'eau peut être à l'origine de problèmes économiques, voire de conflits. Ainsi, dans l'Afrique du Sud libérée de l'apartheid, la distribution d'eau saine à toute la population est une priorité, mais sa réalisation coûte très cher. Plus tragiquement, l'eau, sans être « la cause » de guerres, contribue à durcir, à amplifier des affrontements (ainsi au Moyen-Orient, zone de déserts). Comme le montre la carte, l'eau est d'abord une affaire locale : sa distribution géographique est aléatoire, et les dépendances sont très différentes selon les climats.

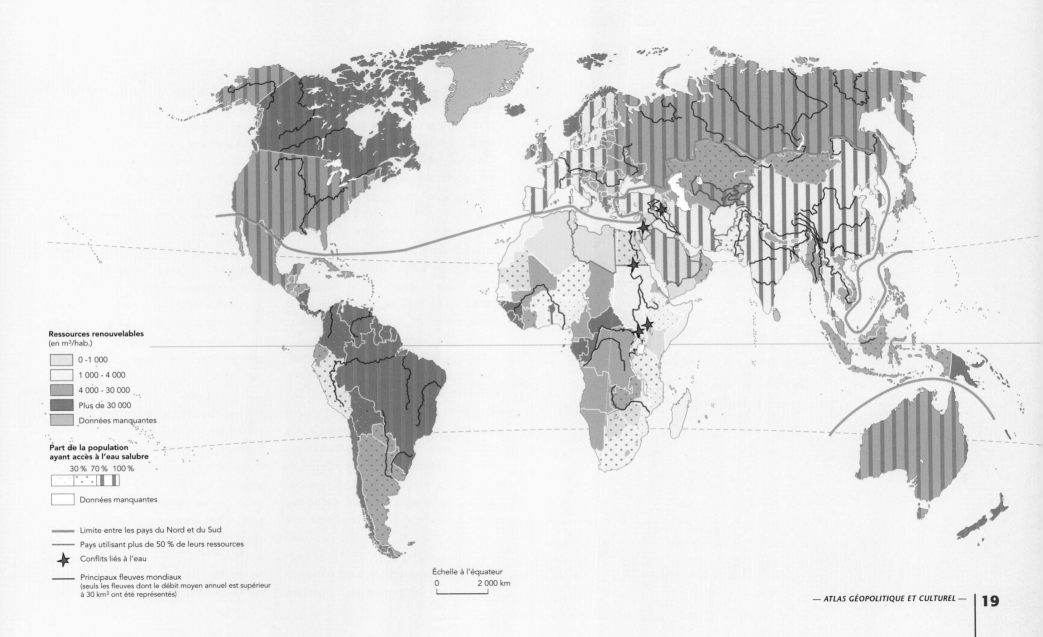

Ressources renouvelables
(en m³/hab.)

- 0 -1 000
- 1 000 - 4 000
- 4 000 - 30 000
- Plus de 30 000
- Données manquantes

**Part de la population
ayant accès à l'eau salubre**

30 % 70 % 100 %

Données manquantes

Limite entre les pays du Nord et du Sud

Pays utilisant plus de 50 % de leurs ressources

★ Conflits liés à l'eau

Principaux fleuves mondiaux
(seuls les fleuves dont le débit moyen annuel est supérieur
à 30 km³ ont été représentés)

Échelle à l'équateur

0   2 000 km

Les ressources en eau

« ...l'eau n'est plus un don du ciel,
mais une ressource réclamant
de l'imagination technique
et politique... »

LA MASSE D'EAU présente sur la planète est constituée d'eau salée à 97,4 %. L'eau douce (2,4 %) est stockée sous forme de glace pour l'essentiel (les 3/4). Le quart restant est composé de l'eau des nappes souterraines : 9 millions de milliards de litres. Les eaux de surface représentent une part très faible du stock total d'eau douce (0,01 %). Au total, l'eau ne manque pas. Sa répartition et son accès en revanche sont inégaux.

Pour quels usages ? L'alimentation humaine ne représente que 8 % de la consommation mondiale, beaucoup moins que l'irrigation : 70 %.

Depuis la fin du XXe siècle, l'eau devient un enjeu économique, social et politique majeur. L'eau est considérée par la majorité comme un « bien naturel » auquel chacun a droit. Or cette ressource vitale subit directement la croissance démographique, la course au développement économique, l'aspiration à une meilleure santé. L'eau peut-elle encore être une ressource gratuite, que l'on consomme sans limite, comme spontanément nous pouvons être tentés de le penser ? Les coûts croissants de son exploitation, de son recyclage imposent un prix pour son utilisation. L'accroissement de la demande fait de l'eau quelque chose de rare, qui ne peut être obtenu que par des installations de plus en plus sophistiquées.

Les scientifiques et les spécialistes débattent d'une gestion mondiale de l'eau, visant à mieux la distribuer, à mieux la recycler. Les États demeurent conscients de son importance et considèrent qu'elle leur appartient. L'eau, comme désormais toutes les grandes ressources, appelle des débats planétaires, des réflexions associant la diversité des expériences. Mais les perspectives juridiques, institutionnelles (mise en place de conventions internationales) apparaissent bien floues, les intérêts des États étant trop différents. Dans les pays en développement, l'eau est considérée comme inépuisable ; de ce fait, les pollutions lourdes tendent à être négligées, la prise de conscience est tardive et brutale : ainsi, en Chine en pleine industrialisation, le retraitement des eaux usées devient-il une urgence. Les pays riches, en raison même de leur niveau de vie, se résignent à accepter pour une eau saine un prix de plus en plus élevé.

La problématique de l'eau varie radicalement d'une région à une autre.

Dans l'Occident développé, situé dans des zones tempérées, tous ou presque ont accès à l'eau potable. L'eau, abondante, tend à être gaspillée. L'enjeu est de mettre sur pied un système de prix qui incite les populations à retrouver la prudence. Ici se manifestent les contradictions du consommateur riche : il est écologiste, soucieux de protéger la nature, mais renâcle à en assumer le prix. Les paramètres permettant de déclarer une eau « pure » se multiplient, requérant des contrôles de plus en plus sophistiqués. Jamais l'eau n'a été aussi surveillée. Or ces dispositifs coûtent cher.

L'eau n'est un enjeu politique immédiat que dans des zones bien précises : Moyen-Orient, Afrique des Grands Lacs... Dans ces régions, se cumulent les facteurs de tension : les réserves en eau sont faibles ; la population, avec la diffusion de la médecine, a crû considérablement durant les dernières décennies ; les agriculteurs trop nombreux se disputent une terre rare et surexploitée ; de grands projets d'industrialisation, visant parfois à satisfaire la mégalomanie des dirigeants, ignorent les contraintes naturelles ; enfin, couronnant l'ensemble, les rivalités politiques sont multiples... Au Moyen-Orient, l'eau est un facteur d'antagonisme parmi beaucoup d'autres. L'élément déterminant est la situation politique, la présence d'États ne s'acceptant pas les uns les autres. Demain, si la paix s'installe, l'eau, que l'on se dispute âprement, sera nécessairement l'un des domaines-clés de la coopération entre anciens belligérants : l'eau étant rare, la paix ne s'enracinera que si cette ressource fait l'objet d'une exploitation commune. Désormais tout processus de paix inclut l'eau, la réconciliation entre des peuples exigeant qu'ils reconnaissent comme communs des éléments qui les séparaient. Ce qui change ici, c'est moins la perception de l'eau – certes de plus en plus indispensable, puisque de plus en plus consommée – que l'approche de la paix. Celle-ci ne doit plus être une simple trêve entre deux guerres, mais une démarche construite, établissant une entente durable entre des peuples par des projets communs sur des enjeux vitaux. Eau et paix se retrouvent liées.

Comme toute ressource, l'eau ne porte ni la guerre, ni la paix. Elle est ce que les hommes en font. La Terre ne manque pas physiquement d'eau. Ce qui importe, c'est d'en établir une gestion intelligente. L'irrigation inconsidérée, facteur de salinisation des sols, laisse la place à des méthodes plus fines, qui économisent l'eau et préservent la Terre. Dans cette perspective, les solutions relèvent moins de grands schémas planétaires que d'opérations adaptées au terrain. Il faut donc beaucoup de temps pour que l'homme accepte que l'eau ne soit plus un don gratuit du ciel, mais une ressource réclamant de l'imagination technique et politique, ainsi que la prise en compte des données économiques. ■

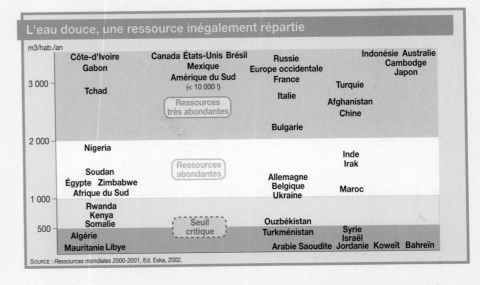

L'eau douce, une ressource inégalement répartie

m3/hab./an

	Ressources très abondantes			
Côte-d'Ivoire Gabon	Canada États-Unis Brésil Mexique Amérique du Sud (< 10 000 !)	Russie Europe occidentale France		Indonésie Australie Cambodge Japon
Tchad		Italie	Turquie	
			Afghanistan Chine	
		Bulgarie		

3 000

2 000

Nigeria	Ressources abondantes			Inde Irak
Soudan Égypte Zimbabwe Afrique du Sud		Allemagne Belgique Ukraine	Maroc	

1 000

Rwanda Kenya Somalie	Seuil critique		Ouzbékistan	
Algérie			Turkménistan	Syrie Israël
Mauritanie Libye			Arabie Saoudite Jordanie Koweït Bahreïn	

500

SOURCE : *Ressources mondiales 2000-2001*, Ed. Eska, 2002.

Accidents industriels et pollutions récurrentes

« ...la mondialisation de l'industrialisation amplifie la circulation des pollutions... »

LES POLLUTIONS ET ACCIDENTS INDUSTRIELS font désormais partie de la grande actualité. Au XIXᵉ siècle et dans la première moitié du XXᵉ, l'accident-type était le coup de grisou dans une mine de charbon. Le désastre pouvait être terrible, il était circonscrit. Aujourd'hui, l'industrialisation croissante de la planète, la mondialisation des réseaux de transports – surtout maritimes – confèrent aux problèmes industriels des dimensions nouvelles. Non seulement la catastrophe peut être très dure mais encore elle n'a pas de frontières précises et stables. Cette circulation des pollutions est amplifiée par le retentissement médiatique, chacun redoutant d'être touché.

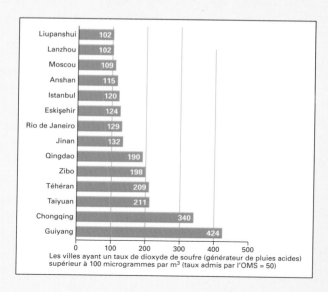

Les villes ayant un taux de dioxyde de soufre (générateur de pluies acides) supérieur à 100 microgrammes par m³ (taux admis par l'OMS = 50)

Exxon Valdez
1989

1979 - Mississauga
Explosion de chlore (accident sur rail),
220 000 évacués

1979 - Three Mile Island
Défaillance d'un réacteur
nucléaire, 200 000 évacués

1979-80 - Golfe du Mexique
Accident sur une plate-forme pétrolière,
écoulement de pétrole pendant 9 mois

1984 - Mexico
Explosion de réservoirs
de gaz, 500 morts

1992 - Guadalajara
Explosion de gaz,
250 morts

1982 - Caracas
Incendie d'un stockage
de pétrole, 101 morts

1983 - Tacoa
Incendie d'un stockage
d'essence, 153 morts

Galápagos
Jessica
2001

1984 - Cubatao
Explosion d'essence
dans un pipeline, 500 morts

Rio de Janeiro

Échelle à l'équateur
0   2 000 km

1986 - Bâle
Rejet d'herbicides
toxiques dans le Rhin

1976 - Seveso
Fuites de dioxine,
risque de contamination,
700 personnes évacuées

Torrey Canyon **1967**
Amoco-Cadiz **1978**
Erika **1999**
Ievoli Sun **2000**

2001 - Toulouse
Explosion usine AZF
30 morts, 2500 blessés

2002
Prestige

1978 - San Carlos
Accident lors du transport
de propylène, 200 morts

1992 - Sénégal
Explosion lors du transport
d'ammoniac, 80 morts

2002 - Lagos
Explosion d'un dépôt d'armes
600 morts, milliers de disparus

1983 - Égypte
Accident de transport
d'hydrocarbures sur
le Nil, 317 morts

2000 - Baia Mare
Pollution par le cyanure
du Danube, de la Tisa
et du Somes

Istanbul
Eskişehir

1989 - Kouïbychev
Explosion d'un gazoduc
lors du passage de deux
trains, 500 morts

1986 - Tchernobyl
Émission de produits
radioactifs : 31 morts

Moscou

1979 - Novossibirsk
Émission de produits chimiques,
300 morts

1958 - Kytchim
Explosion dans un centre
de déchets nucléaires,
plusieurs centaines de morts

Téhéran

Marée noire
de la guerre
du Golfe 1991

1982 - Salang
Explosion d'un réservoir
de pétrole dans un tunnel,
2 000 morts

1988 - Islamabad
Explosifs, 100 morts

1984 - Bhopal
Émission dans l'atmosphère
d'isocyanate de méthyle,
près de 4 000 morts

Anshan

Taiyuan
Zibo
Jinan   Qingdao

Lanzhou

Chongqing

Guiyang

Liupanshui

1981 - Tsuruga
Fuites radioactives,
278 irradiés

1953 à 1961 - Minamata
Pollution marine par le mercure
(due aux déchets de l'usine Chiso),
857 morts

Émission de CO_2 en 1997
(tonne par personne)

0   1   5   10   15

Données manquantes

Source : ONU, *Rapport mondial sur le*
développement humain, 2001.

Les principales catastrophes
écologiques

«Marée noire» provoquée
par un pétrolier

Accident d'origine industrielle
ou nucléaire

Le monde
en questions

Accidents industriels et pollutions récurrentes

« ...entre souci économique et discipline écologique... »

L'INDUSTRIALISATION, amorcée en Angleterre à la fin du XVIIIe siècle, tend aujourd'hui à être mondiale. Cette industrialisation est poussée par trois facteurs de fond : l'augmentation de la population humaine (multipliée par 3 en deux siècles) ; l'élévation de la production et de la consommation, surtout depuis les lendemains de la Deuxième Guerre mondiale (multipliée par 6 en cinquante ans) ; enfin, la conscience qu'il n'y a pour le moment pas d'alternative au progrès technique. Un monde sans pollutions appartient à un âge d'or qui n'a peut-être jamais existé. L'industrialisation consomme de l'énergie et des matières premières. Elle ne peut s'enfermer dans un territoire ; il lui faut des réseaux d'approvisionnement, qui la lient aux régions dotées en produits bruts. D'où la mondialisation des systèmes de transport – notamment maritime –, cette mondialisation étant favorisée tant par la baisse constante des prix des matières premières (par rapport à ceux des biens manufacturés) que par la diminution massive des coûts de transport.

La carte montre trois types principaux de pollutions ou d'accidents.

Des pollutions ou des accidents résultant de dysfonctionnements ou même d'explosions d'usines.

La tragédie qui a le plus fortement choqué les esprits demeure celle de Bhopal en Inde (1984) : l'usine, implantée par une multinationale américaine, *Union Carbide,* profitait à la fois des faibles salaires et des avantages multiples (financiers, réglementaires) offerts par les autorités indiennes ; l'explosion tua 4 000 personnes et laissa des traces indélébiles (en particulier, cas très nombreux de cécité) ; enfin, l'indemnisation des victimes donna lieu à d'interminables procédures juridiques, la compagnie américaine et l'administration indienne cherchant à se renvoyer l'une sur l'autre la responsabilité du drame. De tels accidents symbolisent l'ampleur des inégalités, le tiers-monde attirant les activités sales que les pays riches veulent éloigner. Un slogan américain résume fort bien ce phénomène : NIMBY – *Not-In-My-Backyard* « pas dans mon jardin ».

Des pollutions ou des accidents dus à l'acheminement des hydrocarbures.

Ce sont les marées noires. La plupart se produisent dans des régions très peuplées et d'intense circulation (ainsi les rivages européens de l'Atlantique). Ces marées noires révèlent l'envers sordide des sociétés industrielles : des bateaux utilisés jusqu'à l'usure extrême et se débarrassant le plus discrètement possible de leurs déchets. Ici aussi se heurtent toutes sortes d'intérêts : industriels privilégiant la rentabilité ; régions touristiques anxieuses de préserver leurs paysages ; États tiraillés entre le souci de ne pas entraver les activités économiques et l'exigence d'une discipline écologique. Les marées noires sont à l'origine de procès se déroulant dans plusieurs pays et s'étalant sur une dizaine ou une vingtaine d'années.

Enfin, les accidents nucléaires.

Ceux-ci forment une catégorie à part. Leurs conséquences, étendues dans le temps et dans l'espace, affectent les opinions et suscitent une « grande peur » analogue à celles qu'ont suscitées, tout au long de l'his-toire, les grandes catastrophes. Les explosions de centrales nucléaires, lâchant dans l'atmosphère des particules radioactives portées par les vents, paraissent pouvoir frapper n'importe où. Les industriels du nucléaire, conscients de l'hostilité qui les entoure, tentent de se protéger par le secret et excitent la colère des écologistes. Pour ces derniers, le nucléaire est remarquablement mobilisateur. Les mouvements verts se sont souvent édifiés contre lui. Tant, en 1979, l'accident de Three Mile Island aux États-Unis qu'en 1986 celui de Tchernobyl en URSS ont eu un immense retentissement, stimulant durablement la peur du nucléaire. Depuis 1979, aucune centrale n'a été construite aux États-Unis. Or les sociétés industrielles demeurent dévoreuses d'énergie, le nucléaire réduisant leur dépendance à l'égard du pétrole. Dans ces conditions, les responsables politiques oscillent entre le maintien obstiné du nucléaire (France) et son abandon programmé (Suède, Allemagne, États-Unis). Tandis que les émissions de CO_2 dans l'atmosphère perturbent le climat, le nucléaire offre un avantage rare pour une source d'énergie : il ne diffuse pas de particules dans l'atmosphère (sauf en cas d'accident). En revanche, ses déchets laissent aux générations futures un lourd fardeau : que faire de ces résidus qui demeureront radioactifs pendant des millions d'années ?

Tous ces accidents constituent des enjeux multiples. Toutes ces activités dangereuses représentent des millions d'emplois. Chaque pollution suscite des procès qui s'étalent sur des décennies et impliquent des sommes consi-dérables. Ces catastrophes nourrissent la cause écologiste – désormais présente partout – et parfois même contribuent à la chute d'un système politique : Tchernobyl est une étape majeure dans l'effondrement de la crédibilité de l'État soviétique et dans la chute de Mikhaïl Gorbatchev. Enfin, la préven-tion et la gestion de ces accidents requièrent des dispositifs complexes de coopération technique et régle-mentaire (par exemple, pour les fleu-ves internationaux et pour les mers utilisées comme poubelles). ∎

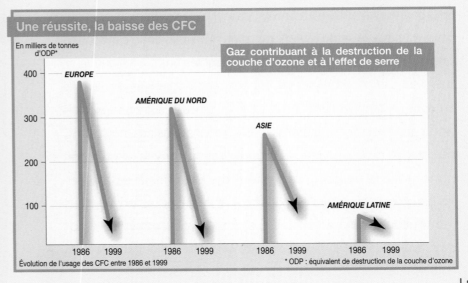

Une réussite, la baisse des CFC

En milliers de tonnes d'ODP*

Gaz contribuant à la destruction de la couche d'ozone et à l'effet de serre

EUROPE

AMÉRIQUE DU NORD

ASIE

AMÉRIQUE LATINE

400

300

200

100

1986 1999 1986 1999 1986 1999 1986 1999

Évolution de l'usage des CFC entre 1986 et 1999

* ODP : équivalent de destruction de la couche d'ozone

Au Néolithique, entre le xe et le ve millénaire avant notre ère, la population humaine se situe autour de cinq millions d'individus. Dans l'Antiquité romaine, grâce à une première révolution technique, celle de l'agriculture, le nombre de 100 millions est atteint. En 1800, les hommes sont un milliard. En l'an 2000, six milliards. Cet accroissement de la population humaine s'est accompagné du développement de la machine à produire. Si, en deux siècles, la population est multipliée par six, le produit planétaire brut l'est par douze. L'évolution démographique n'est pas une variable isolée, elle est une composante d'une dynamique globale : l'appropriation de la Terre par ses habitants. Partage des espaces terrestres entre des États souverains, diffusion du progrès technique, urbanisation, éducation de masse, allongement de la vie humaine, enfin démocratisation, tous ces phénomènes interagissent les uns sur les autres.

Il en résulte d'innombrables problèmes : encombrement de certains espaces (notamment côtiers) et désertification d'autres, surexploitation des ressources naturelles, proliférations urbaines, pollutions, persistance de la pauvreté. La mondialisation comme organisation d'une meilleure vie pour l'humanité demeure un immense chantier. Les hommes, aujourd'hui préoccupés par la surpopulation, vont très vite se heurter à un défi contraire, d'abord dans les pays développés : le vieillissement massif, du fait à la fois de l'allongement de la durée de la vie humaine et de la baisse de la natalité.

POPULATION

La densité de population

« ...la répartition

des hommes dans l'espace

obéit à des lois simples... »

L A CARTE confirme que la répartition des hommes dans l'espace obéit à des lois simples. Les humains s'installent d'abord au bord des cours d'eau, des lacs et sur les côtes. L'Asie des moussons, qui regroupe près de la moitié des six milliards d'hommes, offre des facilités agricoles importantes (cultures irriguées du riz). Depuis deux siècles, le principal facteur de cette répartition est le progrès technique : la rationalisation des productions puis la révolution industrielle chassent les hommes des campagnes et les entassent dans d'énormes agglomérations industrielles. Aujourd'hui, une dynamique analogue ébranle l'Asie, l'Afrique et le Moyen-Orient : les surplus de paysans se déversent dans les villes, celles-ci s'étendent à l'infini, incapables d'intégrer ces masses en quête d'emploi et de vie moins misérable. Un milliard d'hommes vit aujourd'hui dans des bidonvilles.

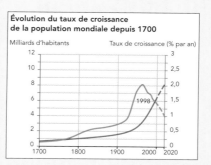

Évolution du taux de croissance
de la population mondiale depuis 1700

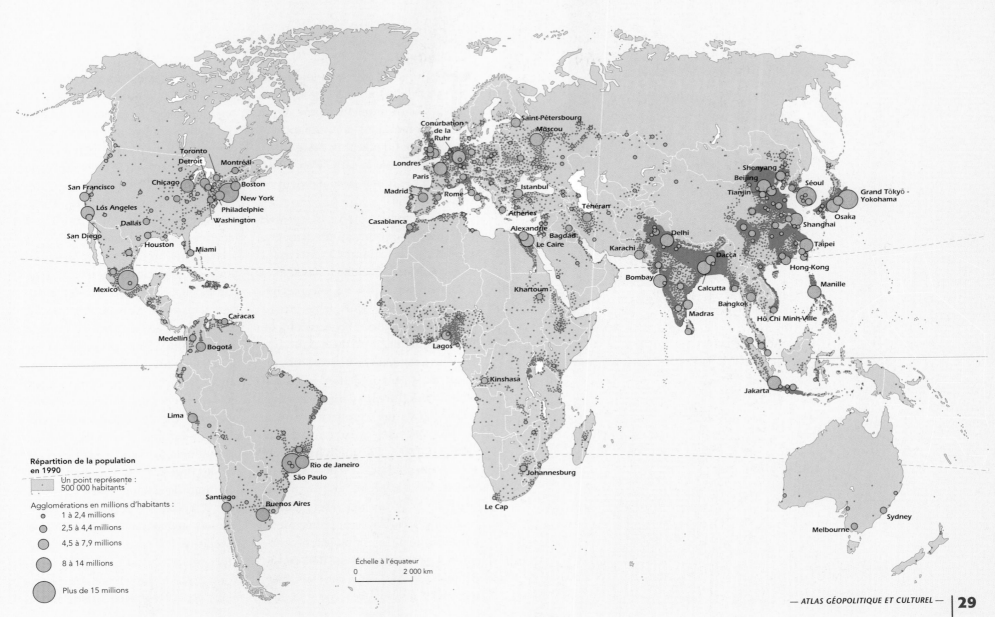

Répartition de la population en 1990

Un point représente : 500 000 habitants

Agglomérations en millions d'habitants :
- ○ 1 à 2,4 millions
- ○ 2,5 à 4,4 millions
- ○ 4,5 à 7,9 millions
- ○ 8 à 14 millions
- ○ Plus de 15 millions

Échelle à l'équateur
0   2 000 km

San Francisco
Toronto
Detroit
Montréal
Los Angeles
Chicago
Boston
New York
Dallas
Philadelphie
Washington
San Diego
Houston
Miami
Mexico
Caracas
Medellin
Bogotá
Lima
Santiago
Buenos Aires
Rio de Janeiro
São Paulo

Conurbation de la Ruhr
Saint-Pétersbourg
Moscou
Londres
Paris
Madrid
Rome
Istanbul
Athènes
Casablanca
Alexandrie
Le Caire
Bagdad
Téhéran
Khartoum
Lagos
Kinshasa
Johannesburg
Le Cap

Karachi
Delhi
Bombay
Dacca
Calcutta
Madras
Bangkok
Shenyang
Beijing
Tianjin
Séoul
Grand Tôkyô - Yokohama
Osaka
Shanghai
Taïpei
Hong-Kong
Manille
Hô Chi Minh-Ville
Jakarta
Sydney
Melbourne

La densité de population

« ...des zones de fortes concentrations contre de vastes espaces inoccupés... »

TOUTE CARTE est une photographie. Elle fournit l'état des choses à un moment donné. Or la vie des hommes est mouvement permanent. Tout bouge sans cesse.

Ce que montre la carte, c'est la distribution des hommes au moment où elle est établie.

L'Asie s'impose comme la zone des plus fortes concentrations démographiques. Les hommes cherchent d'abord l'eau et la chaleur, favorables à l'agriculture. L'Asie ou plus précisément ses fleuves et leurs deltas offrent ces deux éléments. Dès le début de l'ère chrétienne, il y a deux mille ans, le poids relatif de la population chinoise dans la population mondiale atteint déjà entre un cinquième et un sixième du total des hommes (soit environ 20 millions sur un total de 100 ; en 1800, 200 millions sur un total d'un milliard). L'Asie, très peuplée depuis des siècles, est pénétrée, à partir de la fin du XIXᵉ siècle, par la médecine occidentale, apportée par la colonisation. La population asiatique, à partir d'une masse déjà considérable, explose. Les Asiatiques, déjà regroupés le long des côtes et des fleuves, s'entassent encore plus dans ces zones. Du fait de la modernisation technique, des centaines de millions de paysans sont ou vont être chassés des campagnes, poussés vers les villes en quête de travail. D'où ces interminables proliférations urbaines, ces barres d'immeubles, dégradées par les pluies, entourées à l'infini de baraques en tôle ondulée.

Les autres très grandes concentrations de population se trouvent en Europe et aux États-Unis. Ici aussi, c'est d'abord le fruit de l'histoire. À partir du XVᵉ siècle, l'Europe invente la modernité. L'une des conséquences de cette mutation réside dans la croissance des populations européennes, alors que celles des autres continents stagnent. Ce dynamisme démographique contribue à faire de l'Europe un continent fiévreux, violent, déchiré par les guerres, et simultanément colonisant le monde. Jusqu'au début du XXᵉ siècle, les populations européennes augmentent, puis c'est, avec la maîtrise de la natalité, un long reflux, suspendu ou temporairement redressé par le *baby-boom* des lendemains de la Deuxième Guerre mondiale. Aujourd'hui, l'Europe demeure un continent de peuplement dense et très urbanisé, l'une des grandes évolutions démographiques du XXe siècle étant aussi un exode rural massif.

Les États-Unis à la fois obéissent aux lois générales et sont un cas particulier. Les populations se concentrent sur les côtes des océans ou des Grands Lacs. En même temps, les États-Unis se définissent comme une terre d'immigration, avec le déferlement des Européens et, dans une bien moindre mesure, des Asiatiques tout au long du XIXe siècle. Les États-Unis se ferment au début du XXe siècle, ils n'en restent pas moins un puissant pôle d'attraction pour tous les déshérités de la planète, les dernières décennies du XXe siècle se caractérisant par une très importante immigration clandestine et officielle.

D'autres zones connaissent à leur tour le poids de la démographie. Ce sont le Moyen-Orient et l'Afrique. Les concentrations du Proche-Orient (notamment Égypte, Palestine) provoquent ou alimentent les tensions économiques et politiques entre les populations (conflit toujours en cours entre Israéliens et Palestiniens). L'Afrique apparaît immense et vide sur l'essentiel de son territoire, malgré quelques zones de forte densité de population : en particulier, Nigeria, Grands Lacs, Afrique du Sud. Alors il suffit que, dans un endroit donné, se combinent un excès d'hommes et une insuffisance de terres pour que se durcissent les relations entre ethnies, ces dernières se transformant en machines de guerre, si intervient un engrenage politique : en 1994, le génocide du Rwanda est enclenché par une combinaison de difficultés économiques et de campagnes de haine exploitant des différences ethniques. Les densités de populations ne portent par elles-mêmes ni la paix, ni la guerre. Ce qui fait basculer une région d'un côté ou de l'autre, c'est l'existence, ou l'absence, de développement économique et d'organisation politique. L'Afrique reste le continent qui souffre très gravement de deux – la pauvreté, le sida – parmi les trois grands fléaux (voir cartes : *Les grands fléaux*).

Enfin, de vastes espaces demeurent inoccupés. Ce sont notamment la quasi-totalité du Canada, l'Amazonie, le Sahara, la Sibérie, l'essentiel de l'Australie. L'homme est arrêté par l'hostilité de la nature : désert ou végétation très dense, climat extrême. Les hommes – sauf quelques nomades irréductiblement attachés à leur mode de vie (voir carte : *Les nomades*) – ne sauraient s'installer dans ces zones trop difficiles, mais n'en convoitent pas moins leurs ressources : minerais, pétrole… Les environnements les plus rebelles n'échappent pas aux appétits de l'homme. ■

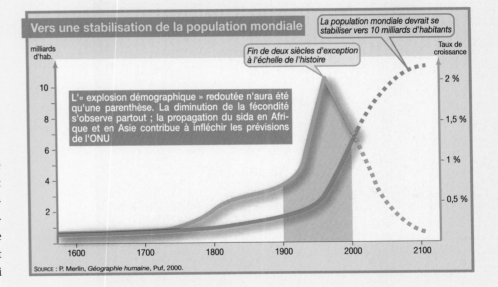

Vers une stabilisation de la population mondiale

La population mondiale devrait se stabiliser vers 10 milliards d'habitants

Fin de deux siècles d'exception à l'échelle de l'histoire

milliards d'hab.

Taux de croissance

L'« explosion démographique » redoutée n'aura été qu'une parenthèse. La diminution de la fécondité s'observe partout ; la propagation du sida en Afrique et en Asie contribue à infléchir les prévisions de l'ONU

SOURCE : P. Merlin, *Géographie humaine*, Puf, 2000.

L'évolution de la population

« …un monde à faible natalité et faible mortalité… »

CETTE CARTE, par la technique de l'anamorphose, met en lumière deux données essentielles : le poids relatif des populations ; leur rythme d'évolution. Au-delà des différences nationales, la tendance planétaire se caractérise par la « transition démographique », le passage d'un monde à forte natalité et forte mortalité vers un monde à faible natalité et faible mortalité. En vingt ans, la part des plus de soixante ans doublera : 15 % de la population totale en 2000 ; 30 % en 2020. Selon leur niveau de développement économique et le degré d'éducation de leur population, les pays apparaissent plus ou moins avancés sur cette voie, qu'ils sont tous appelés à suivre plus ou moins.

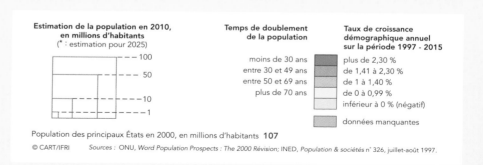

Estimation de la population en 2010, en millions d'habitants
(* : estimation pour 2025)

— 100
— 50
— 10
— 1

Temps de doublement de la population

moins de 30 ans
entre 30 et 49 ans
entre 50 et 69 ans
plus de 70 ans

Taux de croissance démographique annuel sur la période 1997 - 2015

plus de 2,30 %
de 1,41 à 2,30 %
de 1 à 1,40 %
de 0 à 0,99 %
inférieur à 0 % (négatif)

données manquantes

Population des principaux États en 2000, en millions d'habitants **107**

© CART/IFRI   Sources : ONU, *Word Population Prospects : The 2000 Révision*; INED, *Population & sociétés* n° 326, juillet-août 1997.

Le monde en questions

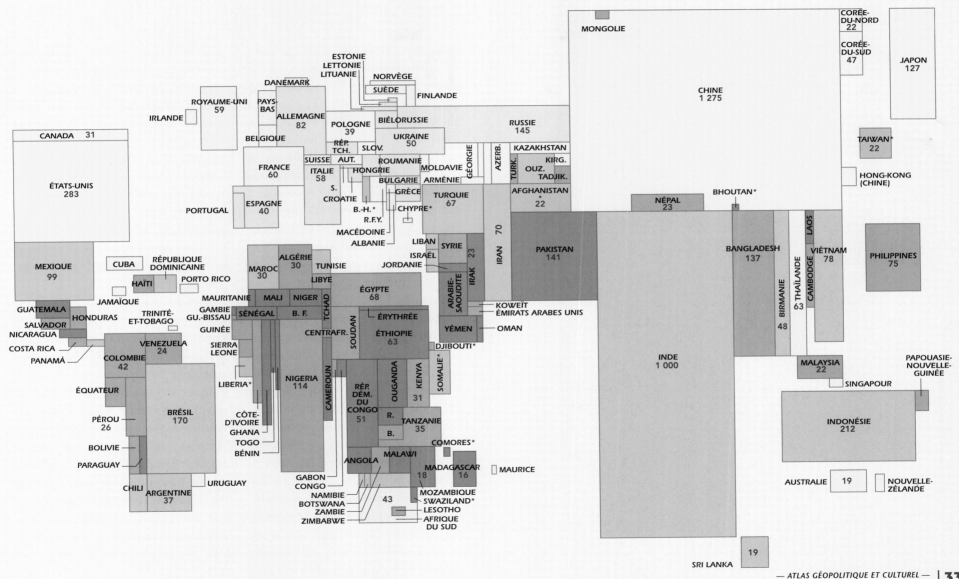

CANADA 31

ÉTATS-UNIS
283

MEXIQUE
99

CUBA

RÉPUBLIQUE
DOMINICAINE

HAÏTI

JAMAÏQUE

PORTO RICO

GUATEMALA

HONDURAS

TRINITÉ-
ET-TOBAGO

SALVADOR

NICARAGUA

COSTA RICA

PANAMÁ

VENEZUELA
24

COLOMBIE
42

ÉQUATEUR

PÉROU
26

BOLIVIE

PARAGUAY

BRÉSIL
170

CHILI

ARGENTINE
37

URUGUAY

IRLANDE

ROYAUME-UNI
59

PAYS-
BAS

DANEMARK

ALLEMAGNE
82

BELGIQUE

FRANCE
60

SUISSE

ITALIE
58

S.
CROATIE

ESPAGNE
40

PORTUGAL

ESTONIE
LETTONIE
LITUANIE

NORVÈGE

SUÈDE

FINLANDE

POLOGNE
39

BIÉLORUSSIE

UKRAINE
50

RÉP.
TCH.

SLOV.

AUT.

ROUMANIE

HONGRIE

MOLDAVIE

BULGARIE

GRÈCE

ARMÉNIE

B.-H.*

R.F.Y.

CHYPRE*

MACÉDOINE

ALBANIE

GÉORGIE

AZERB.

TURK.

RUSSIE
145

KAZAKHSTAN

KIRG.

OUZ.

TADJIK.

AFGHANISTAN
*
22

MONGOLIE

CHINE
1 275

CORÉE-
DU-NORD
22

CORÉE-
DU-SUD
47

JAPON
127

TAIWAN*
22

HONG-KONG
(CHINE)

NÉPAL
23

BHOUTAN*

LIBAN

SYRIE

ISRAËL

JORDANIE

TURQUIE
67

IRAN 70

IRAK

ARABIE-
SAOUDITE

KOWEÏT

ÉMIRATS ARABES UNIS

YÉMEN

OMAN

PAKISTAN
141

INDE
1 000

BANGLADESH
137

BIRMANIE
48

THAÏLANDE
63

LAOS

CAMBODGE

VIÊTNAM
78

PHILIPPINES
75

MALAYSIA
22

SINGAPOUR

PAPOUASIE-
NOUVELLE-
GUINÉE

INDONÉSIE
212

AUSTRALIE 19

NOUVELLE-
ZÉLANDE

SRI LANKA 19

MAROC
30

ALGÉRIE
30

TUNISIE

LIBYE

ÉGYPTE
68

MAURITANIE

MALI

NIGER

GAMBIE

GU.-BISSAU

SÉNÉGAL

B. F.

TCHAD

GUINÉE

SIERRA
LEONE

CENTRAFR.

SOUDAN

ÉRYTHRÉE

ÉTHIOPIE
63

DJIBOUTI*

SOMALIE*

LIBERIA*

NIGERIA
114

CAMEROUN

RÉP.
DÉM.
DU
CONGO
51

OUGANDA

KENYA
31

CÔTE-
D'IVOIRE

GHANA

TOGO

BÉNIN

R.

B.

TANZANIE
35

COMORES*

GABON

CONGO

NAMIBIE

BOTSWANA

ZAMBIE

ZIMBABWE

ANGOLA

MALAWI

43

MADAGASCAR
16

MOZAMBIQUE

SWAZILAND*

LESOTHO

AFRIQUE
DU SUD

18

MAURICE

L'évolution de la population

« ...vers le vieillissement rapide de l'humanité... »

DEUX GÉANTS, la Chine et l'Inde, rassemblent un tiers de la population mondiale. Ces géants démographiques entrent aujourd'hui dans le jeu économique mondial. Leur compétition dans la course à la modernisation est pleine de difficultés : leur cohésion étatique résistera-t-elle à cette évolution ? Autour de la Chine et de l'Inde, l'Asie est le continent des colosses démographiques : Indonésie, Pakistan, Japon, et même Viêtnam et, dans une moindre mesure, Corée, si elle se réunifie.

L'Europe est le continent des pays de taille moyenne. Trois États n'entrent pas dans ce schéma. L'Allemagne, pendant près d'un siècle (1870-1945), déséquilibre le continent ; aujourd'hui, du fait de la chute de sa natalité, elle s'aligne sur les autres. La Russie, notamment avec ses 150 millions d'habitants, demeure à part, même si sa natalité s'effondre. La Turquie se revendique européenne, mais sa démographie garde la vigueur d'un pays du tiers-monde. Il y a un ou deux siècles, la force de l'Europe résidait dans cette vigueur démogra-phique. Mais, avec les autres pays « blancs » (États-Unis, Canada, Australie, Nouvelle-Zélande), elle se situe à l'avant-garde de la transition démographique, l'Europe occidentale libérale et l'Europe orientale ex-communiste ne se distinguant pas dans ce domaine. Le facteur déterminant n'est pas la richesse de la population, mais son degré d'éducation et, plus précisément, la maîtrise de la fécon-dité par les femmes (schématique-ment, contraception à l'Ouest, avor-tement à l'Est).

Le Moyen-Orient se définit par une forte poussée démographique, facteur important de tensions dans une zone déjà lourde de conflits. L'Afrique frappe aussi par sa dynamique démogra-phique, indissociable de son grave retard économique. Mais l'Afrique est lourdement touchée par le sida, dont l'impact destructeur est d'une ampleur comparable à celui des gran-des épidémies du Moyen-Âge. À l'ex-trême sud du continent, l'Afrique du Sud est un cas à part, avec une démo-graphie mi-européenne, mi-africaine. Mais elle non plus n'échappe pas au sida.

Quant à l'Amérique, sa démographie confirme les autres traits de ce continent : l'opposition entre une Amérique du Nord, riche et engagée dans la transition démographique, et une Amérique du Sud, très inégalement développée et souvent encore en phase de croissance démographique, le Mexique étant l'État-charnière, à la fois du Nord et du Sud. La natalité est un phénomène complexe. Les États-Unis maintiennent une certaine vigueur démographique, du fait de la forte immigration « latino » que n'a pas empêchée la protection renforcée de la frontière entre les États-Unis et le Mexique.

La carte est aussi un film, car elle rappelle que la démographie est affaire d'hommes, ne manquant pas de démentir, ou au moins de nuancer les lois les mieux établies.

Ainsi le groupe des pays confrontés dès maintenant au vieillissement de leur population se révèle-t-il hétérogène… Ce groupe comprend toutes les démocraties riches : Europe occidentale, États-Unis, Japon, toutes suivant le même chemin, quelles que soient leurs traditions (ainsi l'effon-

drement de la natalité dans les pays les plus catholiques : Italie, Espagne). Ce groupe inclut des pays plus pauvres : Roumanie, Ukraine, Russie… Ici, le facteur spécifique, au-delà de la « transition démographique », est le poids de la faillite du socialisme, ces sociétés demeurant captives d'un traumatisme qui semble les décourager de se perpétuer. Enfin, il y a la Chine, soumise à une politique de l'enfant unique.

Plusieurs pays encore en développement (Inde, Indonésie, Mexique, Brésil…) connaissent une chute rapide de la fécondité. La démographie n'échappe pas à la loi d'accélération de l'histoire : la transition démographique que les pays occidentaux ont réalisée en un siècle, un siècle et demi, le tiers-monde l'accomplit en un demi-siècle, l'éducation et l'information se diffusant plus vite, quels que soient les régimes en place. Contrairement aux images dominantes, le défi démographique de l'avenir n'est pas la surpopulation mais le vieillissement rapide de l'humanité.

Enfin, viennent les zones qui semblent encore en poussée démogra-

phique – environ 15 % de la population mondiale : Moyen-Orient, Maghreb, quasi-totalité de l'Afrique « noire », Amérique andine. Le lien entre pauvreté, insuffisante éducation et forte natalité est évident dans les trois régions. Le Moyen-Orient souffre à la fois de l'absence d'un réel développement (en dépit de ses richesses pétrolières) et des traditions freinant l'émancipation des femmes. L'impact de l'islam, ou plutôt du statut de la femme dans les pays musul-

mans, sur la natalité est très difficile à apprécier. L'Iran et l'Algérie, très touchés par le courant islamiste, semblent déjà être engagés dans la transition démographique, comme si, malgré tout, les femmes se libéraient des contraintes traditionnelles. Dans ces zones-là également la décélération démographique ne saurait tarder.

Enfin, en Afrique et dans l'Amérique andine, tout converge pour bloquer la transition démographique. ■

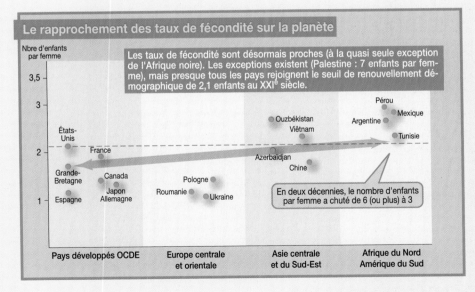

Le rapprochement des taux de fécondité sur la planète

Nbre d'enfants par femme

Les taux de fécondité sont désormais proches (à la quasi seule exception de l'Afrique noire). Les exceptions existent (Palestine : 7 enfants par femme), mais presque tous les pays rejoignent le seuil de renouvellement démographique de 2,1 enfants au XXIe siècle.

Pérou
Mexique
Ouzbékistan
Argentine
États-Unis
Viêtnam
Tunisie
France
Azerbaïdjan
Grande-Bretagne
Chine
Canada
Pologne
Japon
Roumanie
Espagne
Allemagne
Ukraine

En deux décennies, le nombre d'enfants par femme a chuté de 6 (ou plus) à 3

Pays développés OCDE | Europe centrale et orientale | Asie centrale et du Sud-Est | Afrique du Nord Amérique du Sud

La croissance des villes

« …l'urbanisation dessine le nouveau paysage des hommes… »

Tout au long des XIXE et XXE siècles, se développe l'une des plus grandes migrations de l'histoire. Pendant des millénaires, presque tous, sauf une mince catégorie de privilégiés, ont été des paysans. Les voici de plus en plus urbanisés. Près de 300 agglomérations de plus d'un million d'habitants, près de 30 mégalopoles, chacune approchant les 10 millions d'habitants, aujourd'hui. Cette urbanisation, bien avancée en Occident, est encore en cours dans le tiers-monde. Sous cette poussée, les villes prolifèrent et se décomposent, soulevant des problèmes d'aménagement sans précédent : circulation automobile, pollutions, logement… L'urbanisation dessine le nouveau paysage des hommes : chaotique, surencombré et pourtant porteur de solitude.

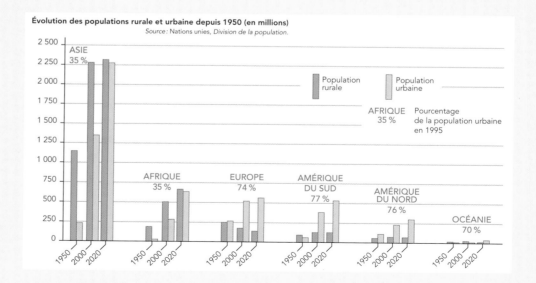

Évolution des populations rurale et urbaine depuis 1950 (en millions)
Source : Nations unies, Division de la population.

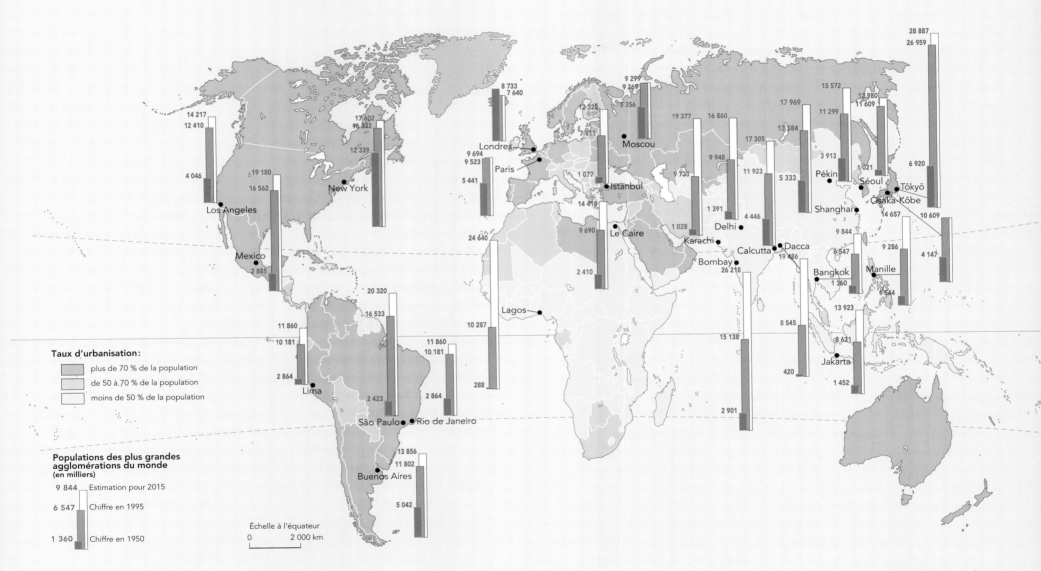

Taux d'urbanisation :

- plus de 70 % de la population
- de 50 à 70 % de la population
- moins de 50 % de la population

Populations des plus grandes agglomérations du monde (en milliers)

- 9 844 — Estimation pour 2015
- 6 547 — Chiffre en 1995
- 1 360 — Chiffre en 1950

Échelle à l'équateur
0   2 000 km

Los Angeles
14 217
12 410
4 046

Mexico
19 180
16 562
2 885

New York
17 602
16 332
12 339

Lima
11 860
10 181
2 864

São Paulo
20 320
16 533
2 423

Rio de Janeiro
11 860
10.181
2 864

Buenos Aires
13 856
11 802
5 042

Londres
12 328
7 911
9 694
9 523
5 441

Paris

Le Caire
14 418
9 690
2 410

Moscou
9 299
9 269
5 356

Istanbul
1 077

Lagos
24 640
10 287
288

Delhi
19 377
11 923
1 391

Karachi
1 028
4 446

Bombay
17 305
14 657
9 286
4 147

Calcutta
16 860
9 948
5 333

Dacca
19 486
26 218

Pékin
13 584
3 913
9 733

Shanghai
17 969
11 299

Séoul
15 572
1 021

Tōkyō
28 887
26 959

Osaka-Kōbe
12 980
11 609
6 920
10 609

Bangkok
8 547
6 920
1 360

Manille
15 138
9 844
8 621
1 544
420

Jakarta
13 923
8 545
1 452

2 901

La croissance des villes

« ...collectivité et individualisme... »

LA POPULATION DE LA TERRE s'organise aujourd'hui autour d'immenses constellations urbaines, entassant des dizaines de millions d'hommes. Avec la révolution du Néolithique, l'homme s'était fait cultivateur, paysan, habitant de villages ou de bourgs. Depuis la fin du XVIIIe siècle, la modernisation des campagnes, les révolutions industrielles à répétition (textiles et charbon, électricité et chimie, pétrole et plastiques, ordinateur et télécommunications) poussent l'humanité vers les villes. La ville pré-industrielle est encore à peu près organisée, le pouvoir politique la dessinant souvent (ainsi Paris, Berlin, Saint-Pétersbourg, Washington...).

Aujourd'hui, les villes sont comme décomposées dans des agglomérations sans fin. L'urbanisation est une dynamique complexe. Elle est due à des facteurs « objectifs » : industrialisation, besoin d'une main-d'œuvre aisément disponible, croissance des services de toutes sortes, développement des États. La ville du XXIe siècle est plutôt un tissu urbain sans limite visible, imbriquant quartiers d'affaires et quartiers résidentiels, lâchement tenu par des réseaux d'autoroutes. Ainsi cette zone-laboratoire qu'est Los Angeles. L'urbanisation est poussée également par des éléments « subjectifs ». Depuis, au moins, la Bible, avec Sodome et Gomorrhe, la ville est le lieu des libertés, des raffinements, des rêves, des aventures. Si urbanisation et industrialisation sont liées, urbanisation et individualisation le sont également : tandis que le villageois est pris dans un réseau dense de solidarités et de surveillances, le citadin est solitaire dans la foule. L'urbanisation de la planète crée l'individu, plus libre mais plus imprévisible, plus inventif mais plus instable, plus ouvert aux autres mais plus impatient.

Le XIXe siècle est l'époque des capitales bourgeoises en Europe, en Amérique du Nord : avenues ombragées, grands magasins, quartiers plus ou moins spécialisés (centres d'affaires, zones ouvrières, lieux de plaisir...). Puis vient au XXe siècle une urbanisation volontariste, planifiée, celle du monde communiste (URSS, Europe orientale, Chine), monumentale et monotone, dont, aujourd'hui,

subsistent des restes dégradés (carcasses d'usines) ou démodés (gratte-ciel staliniens). Enfin, arrive l'urbanisation du tiers-monde, massive, brutale, désordonnée et bariolée, comme si l'entassement des hommes échappait à toute rationalité. Ici aussi, l'histoire s'accélère. Les exodes ruraux ne s'étalent plus sur un ou deux siècles, mais se contractent sur quelques décennies. Les villes ont toujours été perçues comme dangereuses, excitant les appétits humains, et dissolvant les disciplines acquises. Mexico, Téhéran, Bombay, Shanghai, Lagos, Johannesburg, mais aussi Los Angeles, Londres, Berlin, Paris, autant de zones explosives où déferlent des millions d'hommes en quête d'une vie meilleure. Les villes sont les lieux révolutionnaires : Londres au XVIIe siècle, Paris au XIXe siècle, Saint-Pétersbourg et Berlin au XXe. Les agglomérations du tiers-monde sont des chaudrons. Tout comme Lénine n'aurait pas existé sans Petrograd et Hitler sans Vienne et Munich, Khomeiny a été en partie façonné par Téhéran, par les milliers d'étudiants chômeurs découvrant

dans l'islamisme un mysticisme révolutionnaire.

Quelles sont les conséquences politiques de cette urbanisation planétaire ? Pour le moment, les États dominent, mais ne risquent-ils pas d'être défiés ou submergés par ces mégalopoles ? Shanghai ne voudra-t-elle pas être l'égale de Pékin ? Bombay de New Delhi ? Los Angeles et New York de Washington ? Ces mégalopoles branchées sur tous les réseaux de la planète ne vont-elles pas vouloir s'émanciper, se débarrasser de tout arrière-pays qui pompe leur richesse, Singapour, l'île-État, s'imposant comme la métropole-modèle ? Le poids considérable de ces centres d'échanges et de richesse appelle sans doute d'intenses débats sur leur autonomie financière et politique par rapport à leur État.

Mais aussi quelle logique pour ces espaces urbains ? Un désordre plus ou moins maîtrisé ? Un totalitarisme uniformisateur ? Une démocratie supérieure ? L'histoire des hommes montre que la ville porte aussi bien la liberté (ainsi les municipalités de l'Europe occidentale) que la tyrannie

(ainsi Moscou, Pékin, métropoles impériales et dictatoriales). L'urbanisme doit relever d'immenses défis : organiser ces proliférations urbaines, y concevoir des équilibres fluides entre harmonie collective et créativité individuelle, articuler ces mégalopoles entre elles pour qu'elles ne deviennent pas des monstres amorphes ou

agressifs mais échangent aisément leurs dynamismes. Désormais se dessinent des agglomérations polycentriques. Les architectes-philosophes du XVIIIe siècle imaginaient des cités parfaites mais immobiles (ainsi Arc-et-Senans). Or les villes sont des monstres vivants, dont il faut tenter de guider l'effervescence créatrice. ■

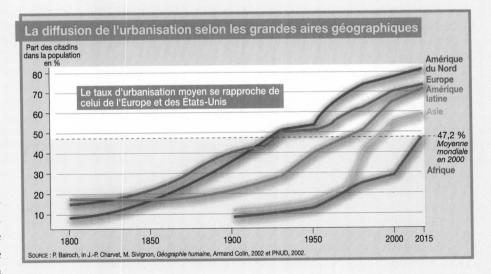

La diffusion de l'urbanisation selon les grandes aires géographiques

Part des citadins dans la population en %

Le taux d'urbanisation moyen se rapproche de celui de l'Europe et des États-Unis

Amérique du Nord
Europe
Amérique latine
Asie

47,2 %
Moyenne mondiale en 2000

Afrique

SOURCE : P. Bairoch, in J.-P. Charvet, M. Sivignon, *Géographie humaine*, Armand Colin, 2002 et PNUD, 2002.

Les nomades

*« …dix millions d'hommes
sur six milliards… »*

LES NOMADES ? Environ dix millions d'hommes sur six milliards. Leur mode de vie vient de la préhistoire, de ces temps où les hommes se déplaçaient sans cesse pour survivre par la cueillette et la chasse. Aujourd'hui, ces nomades sont maltraités, refoulés vers les espaces les plus hostiles : déserts, steppes, montagnes. Ainsi occupent-ils les zones extrêmes : Sahara, Sibérie, Arctique, Amazonie… Ces nomades fascinent, incarnant un mode de vie abandonné par la quasi-totalité de l'humanité. Alors que les derniers groupes de nomades semblent au bord de l'extinction, l'explosion des moyens de communication semble porteuse d'un nouveau « nomadisme », mais le terme est alors dévié de son sens propre.

Pasteurs nomades
subarctiques

Pasteurs nomades
des steppes froides

Pasteurs nomades
montagnards

Pasteurs nomades
des steppes chaudes

Pasteurs nomades
des savanes

Chasseurs-collecteurs

Nomades de la mer

Pygmées   Peuple nomade

200 000   Population estimée

LE NUNAVUT :
territoire autonome des Inuits

BOCHIMANS   Peuple semi-nomade ou
en voie de sédentarisation

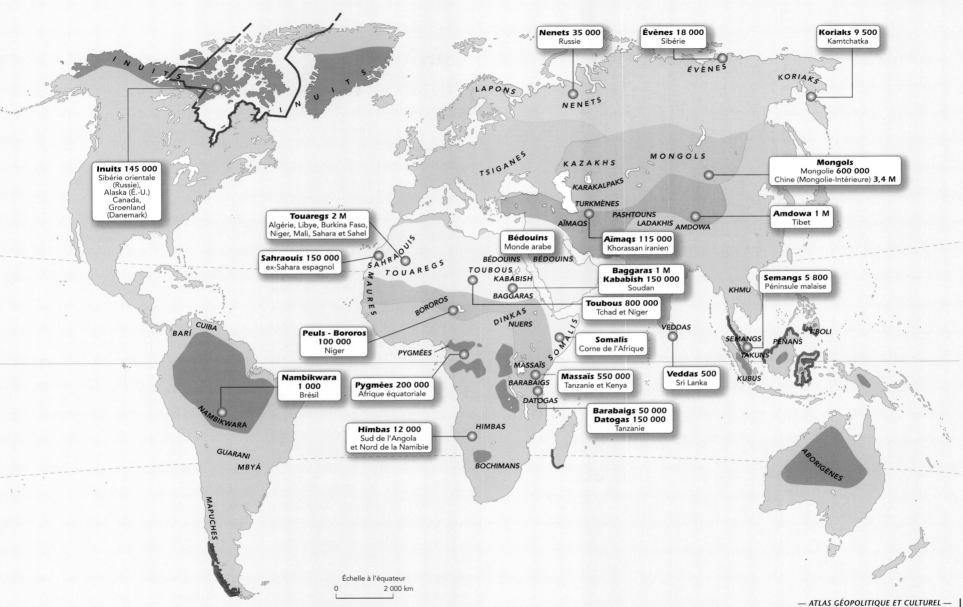

Nenets 35 000
Russie

Évènes 18 000
Sibérie

Koriaks 9 500
Kamtchatka

INUITS

INUITS

LAPONS

NENETS

ÉVÈNES

KORIAKS

TSIGANES

KAZAKHS

MONGOLS

Inuits 145 000
Sibérie orientale
(Russie),
Alaska (É.-U.)
Canada,
Groenland
(Danemark)

KARAKALPAKS

TURKMÈNES

AÏMAQS

PASHTOUNS

LADAKHIS

AMDOWA

Mongols
Mongolie **600 000**
Chine (Mongolie-Intérieure) **3,4 M**

Amdowa 1 M
Tibet

Touaregs 2 M
Algérie, Libye, Burkina Faso,
Niger, Mali, Sahara et Sahel

Sahraouis 150 000
ex-Sahara espagnol

SAHRAOUIS

MAURES

TOUAREGS

Bédouins
Monde arabe

BÉDOUINS

BÉDOUINS

TOUBOUS

KABABISH

BAGGARAS

Aïmaqs 115 000
Khorassan iranien

Baggaras 1 M
Kababish 150 000
Soudan

Toubous 800 000
Tchad et Niger

KHMU

Semangs 5 800
Péninsule malaise

BARÍ

CUIBA

BOROROS

DINKAS

NUERS

SOMALIS

VEDDAS

SEMANGS

T'BOLI

PENANS

Peuls - Bororos
100 000
Niger

PYGMÉES

Somalis
Corne de l'Afrique

TAKUNS

KUBUS

Nambikwara
1 000
Brésil

NAMBIKWARA

Pygmées 200 000
Afrique équatoriale

MASSAÏS

BARABAIGS

DATOGAS

Massaïs 550 000
Tanzanie et Kenya

Veddas 500
Sri Lanka

GUARANI

MBYÁ

Himbas 12 000
Sud de l'Angola
et Nord de la Namibie

HIMBAS

Barabaigs 50 000
Datogas 150 000
Tanzanie

ABORIGÈNES

BOCHIMANS

MAPUCHES

Échelle à l'équateur

0   2 000 km

Les nomades

« …comment survivre
en marge des lois
du monde actuel ?… »

L A CARTE présente la réalité des nomades : des communautés de quelques dizaines ou centaines de milliers d'êtres humains habitant des espaces immenses, vides, difficiles. Les nomades vont là où la majorité des hommes ne veulent pas aller.

La modernité étouffe les nomades. Les espaces terrestres sont partagés entre des États avec des frontières rigides et surveillées. Or les nomades vivent en circulant. Leurs communautés ont été modelées par les déserts ou les steppes. Les frontières immobilisent puis détruisent les nomades, les États n'appréciant guère ces va-nu-pieds sans passeport. De plus, la dure vie des nomades apparaît misérable, même par comparaison avec l'existence des citadins et des ruraux du tiers-monde. Face au scintillement de la société de consommation, les plaisirs du nomade – atteindre un puits, s'asseoir autour d'un feu, raconter ou écouter une très vieille légende – paraissent sans éclat. Enfin, la compassion même contribue à la dégradation des nomades : aidés, assistés, les nomades se sédentarisent, prennent goût aux richesses des villes – la nourriture abondante, l'alcool… – et se clochardisent.

Dans ces conditions, les nomades sont-ils voués à disparaître ? Le monde « civilisé », toujours bienveillant, est prêt à financer des réserves de nomades, afin de souligner les progrès que l'humanité a accomplis. De 1877 à 1893, le Jardin d'acclimatation, à Paris, exhibe des Somalis, permettant aux bourgeois d'observer la sauvagerie à laquelle ils ont échappé.

Certains nomades comprennent qu'ils ne peuvent survivre qu'en s'appropriant les moyens du vainqueur et en les retournant contre lui. Autochtones indiens d'Amérique du Nord, aborigènes d'Australie et de Nouvelle-Zélande découvrent les vertus du droit, déterrent les vieux traités du XIXe siècle, conclus entre eux et les colonisateurs, et demandent qu'ils soient respectés (notamment par la restitution de terres prises par les fermiers). Aux États-Unis, en Australie, en Nouvelle-Zélande, une longue marche est engagée, avec l'intervention d'avocats, afin d'obtenir excuses et réparations pour les crimes commis. En même temps, le nomade doit se sédentariser. Au Sahara occidental ex-espagnol, les Sahraouis sont contraints de se penser comme des sédentaires, enracinés dans un État, mais alors les voici revendiqués tant par le Maroc que par l'Algérie.

Les peuples indigènes ou autochtones (300 millions de personnes), parfois peuples nomades, souvent peuples sans territoire, s'affirment. Peu à peu le droit international reconnaît leurs différences, leur liberté de préserver et d'épanouir ces différences. En 1982, le Conseil économique et social (ECOSOC) des Nations Unies crée un groupe de travail sur les populations indigènes. De 1986 à 1989, l'Organisation internationale du travail révise sa convention de 1957 sur les peuples indigènes et tribaux afin de la rendre moins « assimilationniste », plus respectueuse de leurs spécificités. En 1995, les Nations Unies lancent la Décennie internationale des peuples autochtones. L'Union européenne, au moment de s'élargir à l'Europe centrale et orientale, s'inquiète de l'avenir des six millions de Gitans, parias des sociétés les plus pauvres (Roumanie, Bulgarie, Hongrie, Slovaquie...).

La victoire des nomades est-elle amère ? Reste-t-on soi-même en se glissant dans les habits de l'Autre, de l'Ennemi ? Un aborigène avocat ou sportif célèbre est-il toujours pleinement un aborigène ? En même temps, comment ces poignées d'hommes peuvent-elles survivre sans prendre en compte les lois du monde actuel ?

Ce qui, jusqu'à présent, assure la survie des nomades, c'est l'espace naturel. Le pôle Nord, l'épaisseur des forêts amazoniennes, la chaleur du Sahara, la dureté extrême du climat sibérien furent et demeurent les seules réelles protections des nomades. Par comparaison avec ces éléments, les moyens juridiques ne sont que de médiocres succédanés qui, de toute manière, attirent les nomades dans la logique moderne. Sur une planète surpeuplée et dotée de techniques de plus en plus puissantes, la nature est vouée à être occupée et exploitée. Aucune volonté politique, aucun dispositif policier n'empêchera des flots d'hommes en quête de terres ou de ressources de se déverser vers ces zones en principe impénétrables. Comment les Indiens d'Amazonie s'opposeraient-ils au déferlement des paysans brésiliens ?

Un système mondial de préservation des nomades s'esquisse incontestablement. Cette démarche louable et nécessaire transforme radicalement la condition des nomades. Finalement ils seront « encartés » pour leur survie même ! Par un contraste frappant, l'autre extrémité de la chaîne, là où s'épanouit la « super-classe » de la mondialisation, prend une forme entièrement différente du nomadisme, celui des gestionnaires, des financiers, des scientifiques, des universitaires pour lesquels existe un marché mondial. Cette « super-élite », réalisant l'un des rêves du XVIIIe siècle – vivre là où l'on peut s'épanouir le plus librement –, circule en fonction des propositions – notamment financières – qu'on lui fait. Ainsi le « nomadisme », dernier privilège des plus démunis d'entre les hommes, devient-il l'atout majeur des plus favorisés, au nom de la mondialisation. ■

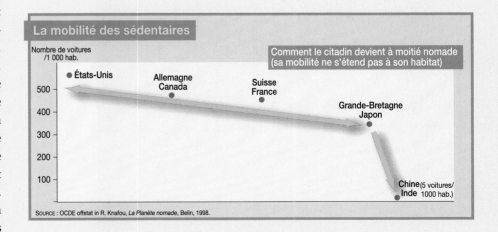

La mobilité des sédentaires

Nombre de voitures /1 000 hab.

Comment le citadin devient à moitié nomade (sa mobilité ne s'étend pas à son habitat)

● États-Unis
Allemagne Canada
Suisse France
Grande-Bretagne Japon
Chine (5 voitures/ Inde 1000 hab.)

500
400
300
200
100

SOURCE : OCDE offstat in R. Knafou, *La Planète nomade*, Belin, 1998.

Les flux migratoires
Les réfugiés

*« ...le droit au bonheur
se heurte aux entités
souveraines... »*

LES FLUX MIGRATOIRES sont dominés par deux exigences contradictoires. D'un côté, les hommes sont poussés à se déplacer, à rechercher le lieu où ils s'épanouiront le mieux. Ils disposent de multiples moyens de transport, ainsi que de techniques pour franchir les frontières les plus impénétrables. Les médias permettent à chacun de comparer sa situation avec celle des autres. Le droit de tout individu au bonheur, fondement de la philosophie démocratique, justifie que chacun s'installe là où il se sent le mieux. D'un autre côté, la Terre est partagée entre des entités souveraines. L'État-nation établit une barrière étanche entre « eux » – les étrangers – et « nous » – les nationaux –, liant nationalité et citoyenneté. L'immigré, pourtant indispensable – d'abord pour occuper les emplois « sales » – est perçu comme une source de perturbation, une menace pour la cohésion nationale. Pourtant le droit de circuler librement pourrait s'imposer comme l'une des libertés essentielles.

**Population réfugiée ou déplacée
par pays d'accueil au 1er janvier 1999** (en milliers)

0   50   200   500   1 000

Données manquantes

Source : Haut commissariat aux réfugiés

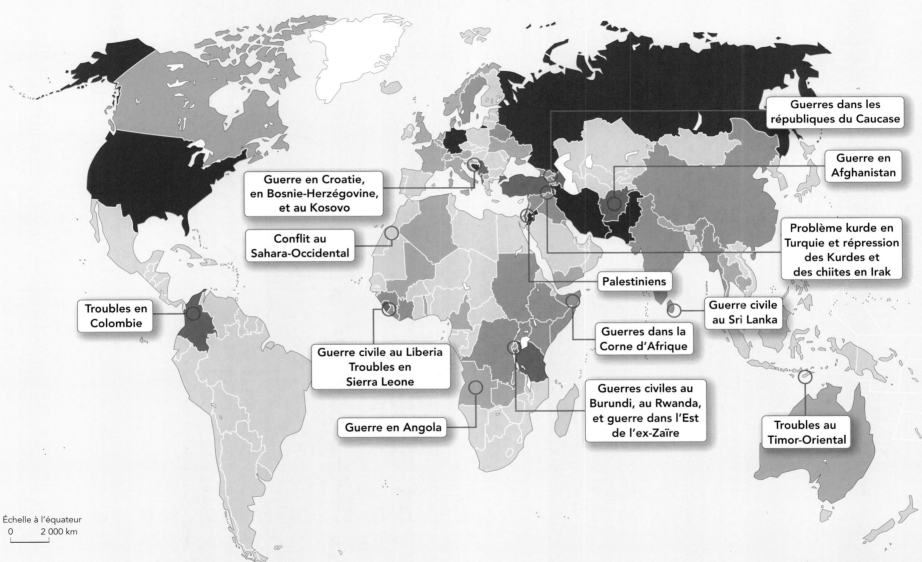

Guerres dans les républiques du Caucase

Guerre en Afghanistan

Guerre en Croatie, en Bosnie-Herzégovine, et au Kosovo

Conflit au Sahara-Occidental

Problème kurde en Turquie et répression des Kurdes et des chiites en Irak

Palestiniens

Troubles en Colombie

Guerre civile au Sri Lanka

Guerre civile au Liberia Troubles en Sierra Leone

Guerres dans la Corne d'Afrique

Guerres civiles au Burundi, au Rwanda, et guerre dans l'Est de l'ex-Zaïre

Guerre en Angola

Troubles au Timor-Oriental

Échelle à l'équateur
0   2 000 km

Les flux migratoires

Les migrations économiques

« ...la recherche d'un lieu

où s'épanouir... »

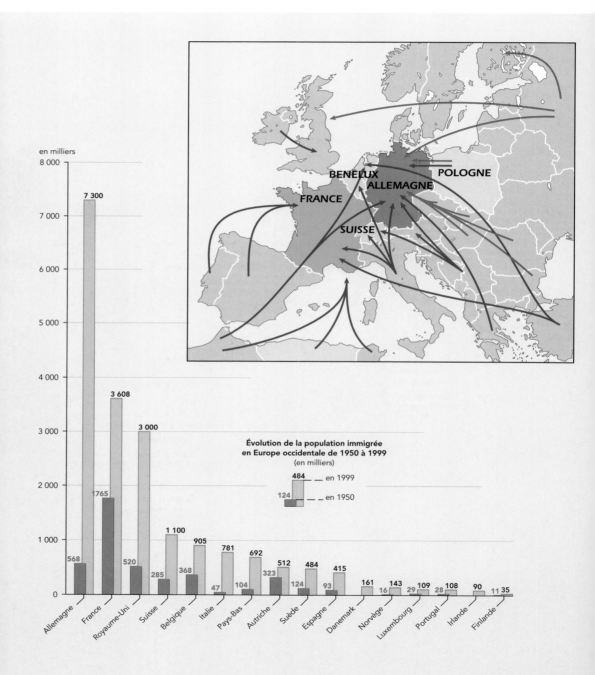

en milliers

Évolution de la population immigrée
en Europe occidentale de 1950 à 1999
(en milliers)

484 — en 1999

124 — en 1950

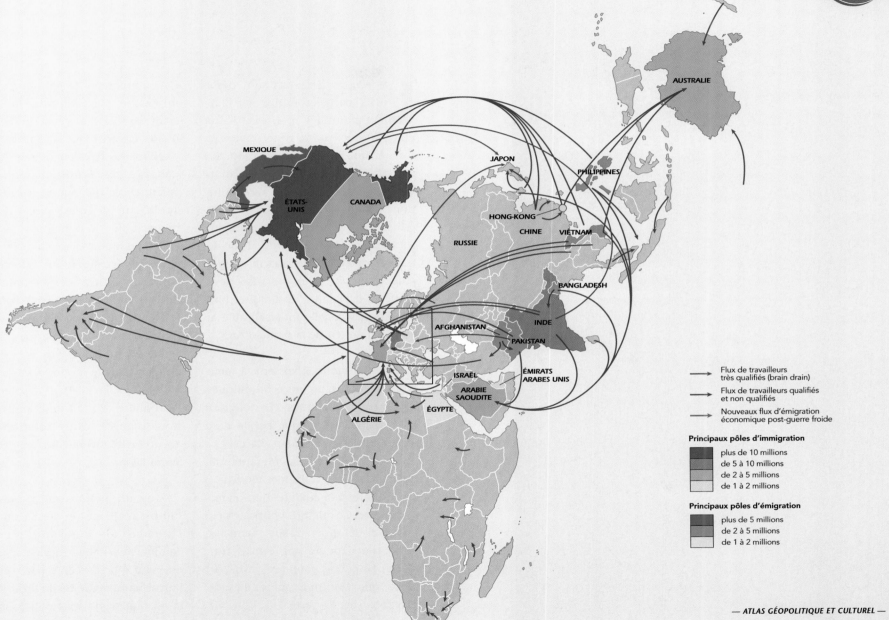

MEXIQUE

ÉTATS-
UNIS

CANADA

JAPON

PHILIPPINES

HONG-KONG

CHINE

VIÊTNAM

RUSSIE

BANGLADESH

INDE

AFGHANISTAN

PAKISTAN

ISRAËL

ÉMIRATS
ARABES UNIS

ARABIE
SAOUDITE

ÉGYPTE

ALGÉRIE

AUSTRALIE

Flux de travailleurs
très qualifiés (brain drain)

Flux de travailleurs qualifiés
et non qualifiés

Nouveaux flux d'émigration
économique post-guerre froide

Principaux pôles d'immigration

plus de 10 millions

de 5 à 10 millions

de 2 à 5 millions

de 1 à 2 millions

Principaux pôles d'émigration

plus de 5 millions

de 2 à 5 millions

de 1 à 2 millions

Les flux migratoires

« ...les quatre grandes migrations internationales... »

LES ESPACES TERRESTRES sont désormais partagés entre des États, aux frontières précises. Chaque État est soucieux de rester maître de son territoire, de sa population. Les migrations sont perçues d'abord comme des facteurs de déstabilisation. L'immigré est un voleur d'emplois, un profiteur des régimes sociaux ! En même temps, il fait les travaux que les nationaux ne veulent plus accomplir. Dans les pays développés à la natalité déclinante, l'immigration se révèle indispensable au renouvellement de la population.

Les migrations obéissent à deux types de motifs, les uns économiques, les autres politiques. Le migrant économique est motivé par le désir d'échapper à la misère et d'accéder à une vie meilleure. Le migrant politique persécuté, opprimé, cherche à se soustraire à la cruauté d'un régime autoritaire. Ce migrant politique peut invoquer le droit d'asile. Dans les faits, toute migration est le fruit d'une démarche complexe. On part parce que l'on n'a guère d'espoir d'avenir sur la terre où l'on vit.

L'économique et le politique s'entremêlent le plus souvent, le dosage étant variable d'une personne à l'autre, d'une circonstance à l'autre. Qu'il s'agisse de l'ex-Yougoslavie ou du Caucase, du Kurdistan ou de la Palestine, ce qui pousse les hommes au départ, ce n'est pas « l'économique » ou « le politique », mais un effort quasi désespéré pour s'en sortir. Il existe des situations encore plus confuses : ainsi, des centaines de milliers de personnes sont contraintes de migrer dans leur propre pays (Bosniaques chassés par les Serbes, Serbes fuyant le Kosovo). En 1990, les réfugiés dans le monde sont environ 15 millions. En 2000, ils dépassent les 22 millions, du fait de la multiplication d'abcès sans solution (ex-Yougoslavie, Afrique des Grands Lacs, Sierra Leone...).

Dans un monde où triomphent l'individualisme et les droits de l'homme, le migrant s'impose comme une figure emblématique. Il est celui qui n'accepte pas son sort, l'incarnation extrême du droit à vivre là où l'on peut s'épanouir le mieux.

En même temps, le migrant inquiète, porteur de valeurs différentes, de revendications dangereuses. Malgré tout, le droit à la migration paraît porté par la vague de fond démocratique. Ce n'est pas un hasard si ce droit est exprimé le plus fortement par les couches extrêmes des sociétés : les plus pauvres, n'ayant plus rien à perdre ; les plus doués, convaincus que la Terre est faite pour l'épanouissement de leurs talents.

Face aux pressions migratoires, les États d'accueil sont tiraillés entre, d'un côté, le souci de préserver leur cohésion contre les « barbares » et, de l'autre côté, la conscience que l'immigration est nécessaire et inévitable. Les frontières des démocraties développées sont à la fois verrouillées et poreuses. Les États-Unis, qui, pourtant, multiplient les dispositifs de surveillance le long de leur frontière avec le Mexique, laissent entrer, durant les dernières décennies, plus d'immigrés que lors de la grande vague d'immigration de la fin du XIXᵉ siècle. Ces arrivées contribuent incontestablement au dynamisme de

l'économie américaine. Les pays d'Europe occidentale arrêtent en principe toute immigration, au lendemain du premier choc pétrolier (1973). Mais ces pays ne peuvent échapper aux fortes pressions migratoires tant du Sud que de l'Est, la chute du rideau de fer ayant supprimé une barrière longtemps infranchissable. Comme l'illustre le graphique « *Évolution de la population immigrée en Europe occidentale de 1950 à 1999* », l'Allemagne, dans les années 1990, est de loin le premier pays d'accueil, trois facteurs se cumulant : la géographie (frontières avec l'Est, proximité des Balkans) ; l'attraction de la richesse allemande ; enfin, la législation la plus libérale possible sur le droit d'asile (quoique révisée en 1993 dans un sens restrictif).

Enfin, le migrant n'est pas seulement le pauvre fuyant son malheur, c'est aussi celui qui, doté d'une compétence recherchée, peut se vendre partout. D'où la concurrence de plus en plus vive entre les pays pour attirer et retenir les meilleurs. Derrière les migrations, se dessine un marché

mondial de la main-d'œuvre bien plus qu'une citoyenneté planétaire.

De plus en plus, les États seront partagés entre leur souci de cohésion et

Les quatre grandes migrations internationales

1 Le trafic des esclaves
Les migrations forcées d'esclaves sont à l'origine, notamment, de la population noire d'Amérique du Nord (40 millions) et d'Amérique latine (60 millions).

2 Les grandes migrations des Européens
La pression induite par la transition démographique, et l'appel de pays à construire : 60 millions d'Européens émigrent entre 1800 et 1930.

3 Les migrations volontaires contemporaines
Les « trente glorieuses » ; des immigrants aux postes déqualifiés des pays industrialisés : 20 millions de personnes vers l'Europe, autant vers l'Amérique et les pays arabes.

4 Les transferts de populations
- La création d'Israël attire 2 millions de Juifs et provoque le déplacement de 2 millions de Palestiniens.
- Les nouvelles frontières entre Allemagne et Pologne, le mur de Berlin et le regroupement de populations allemandes déplacent au total plus de 14 millions d'Allemands et 1,5 million de Polonais.
- Des guerres de décolonisation entraînent le rapatriement des anciens colonisateurs : Japonais en Asie de l'Est, Néerlandais d'Indonésie, Britanniques des Indes (puis du Pakistan après la partition en 1971), Français d'Afrique du Nord (plus les harkis).
- Conflits : Nigeria, Éthiopie, Somalie, Afghanistan, Rwanda et Burundi, ex-Yougoslavie.

Source : Pierre Merlin, Géographie humaine, Puf, 2000.

l'impératif d'adaptation, les poussant à faire appel aux travailleurs les mieux qualifiés (ainsi, en Allemagne, le débat sur « l'importation » d'informaticiens indiens, ces derniers préférant finalement les États-Unis). Les travailleurs utiliseront leur nouveau pouvoir, en allant vers le plus offrant, en réclamant des droits. La mondialisation appelle la circulation, la fluidité, la concurrence. Les États, d'entités souveraines, se transforment en morceaux d'un espace qui les dépasse, l'espace planétaire. Chacun – individus, entreprises, organisations de toutes sortes et États, évidemment – est comme un joueur parmi des milliards d'autres. Les frontières ne sont plus des limites absolues mais des obstacles à franchir. ■

Jamais la machine à produire des richesses n'a été aussi efficace, fournissant au moins (ou déjà) aux pays occidentaux une abondance que n'auraient pas imaginée les utopistes les plus optimistes. Si, en l'an 1000, la richesse produite est de 100, en 1800, elle n'atteint que 150. En 1850, elle grimpe à 200. En 1900, à 400. En 1950, à 800. En 2000, à 1700, soit un PIB mondial de plus de 30 000 milliards de dollars, les exportations de biens et de services dépassant 7 000 milliards de dollars. Une révolution aussi profonde dans la condition matérielle des sociétés ne saurait résulter d'un seul facteur. Il s'agit bien sûr d'une combinaison dynamique, au sein de laquelle la multiplication des échanges occupe une fonction centrale. L'enrichissement d'une partie des habitants de la planète crée des masses financières considérables, sans rapport avec celles du passé. Sur les marchés des changes, les transactions quotidiennes dépassent, en 2000, les 1 500 milliards de dollars (250 en 1985). Reste à réglementer et à gérer ce système économique et financier mondial. De grandes organisations (Fonds monétaire international, Organisation mondiale du commerce…) sont mises en place, afin de veiller à la stabilité du système. Mais comment imposer les mêmes règles à environ deux cents États de taille, de culture, de niveau de développement très différents ? La mondialisation économique et financière appelle la mondialisation politique, c'est-à-dire l'organisation d'un espace public planétaire parvenant à associer aux États les nouvelles expressions des opinions publiques, et notamment les Organisations non gouvernementales (ONG).

ÉCONOMIE

Les flux aériens

« ...le trafic intérieur américain, un tiers du trafic mondial... »

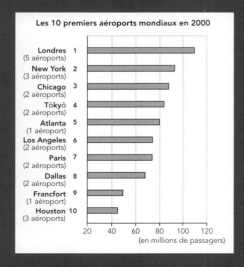

Les 10 premiers aéroports mondiaux en 2000

- **Londres** 1 (5 aéroports)
- **New York** 2 (3 aéroports)
- **Chicago** 3 (2 aéroports)
- **Tōkyō** 4 (2 aéroports)
- **Atlanta** 5 (1 aéroport)
- **Los Angeles** 6 (2 aéroports)
- **Paris** 7 (2 aéroports)
- **Dallas** 8 (2 aéroports)
- **Francfort** 9 (1 aéroport)
- **Houston** 10 (3 aéroports)

20 40 60 80 100 120
(en millions de passagers)

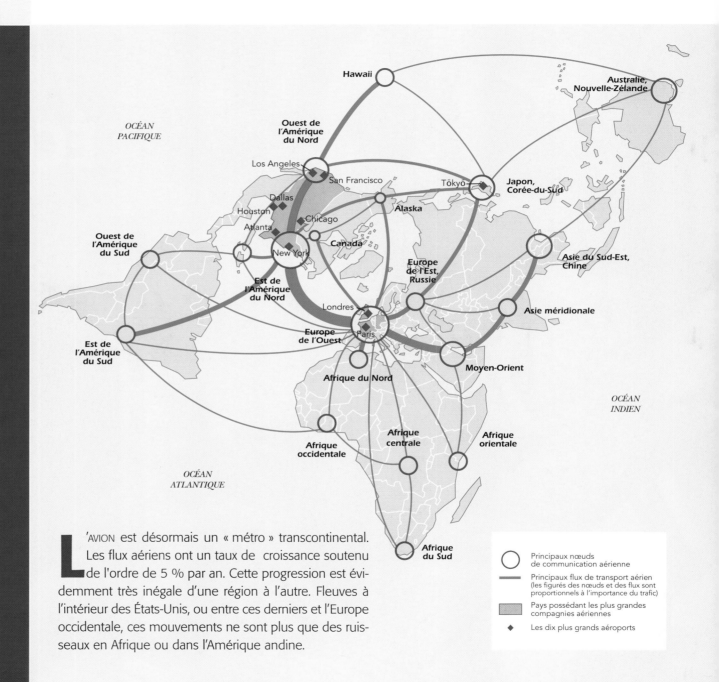

L'AVION est désormais un « métro » transcontinental. Les flux aériens ont un taux de croissance soutenu de l'ordre de 5 % par an. Cette progression est évidemment très inégale d'une région à l'autre. Fleuves à l'intérieur des États-Unis, ou entre ces derniers et l'Europe occidentale, ces mouvements ne sont plus que des ruisseaux en Afrique ou dans l'Amérique andine.

○ Principaux nœuds de communication aérienne

— Principaux flux de transport aérien (les figurés des nœuds et des flux sont proportionnels à l'importance du trafic)

▨ Pays possédant les plus grandes compagnies aériennes

◆ Les dix plus grands aéroports

Les flux maritimes

« ...des flux
de marchandises
qui relient les lieux
de production... »

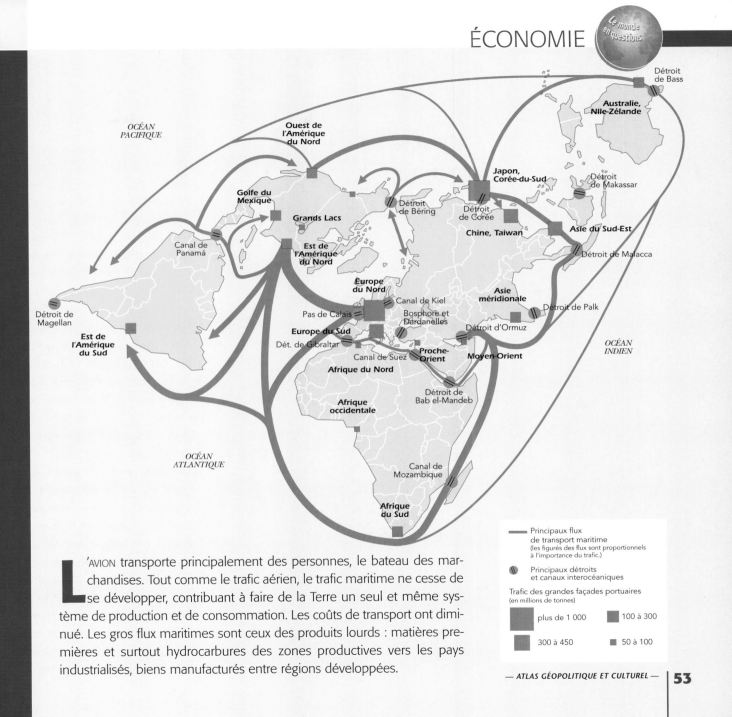

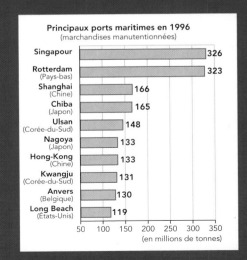

Principaux ports maritimes en 1996
(marchandises manutentionnées)

Port	Millions de tonnes
Singapour	326
Rotterdam (Pays-bas)	323
Shanghai (Chine)	166
Chiba (Japon)	165
Ulsan (Corée-du-Sud)	148
Nagoya (Japon)	133
Hong-Kong (Chine)	133
Kwangju (Corée-du-Sud)	131
Anvers (Belgique)	130
Long Beach (États-Unis)	119

(en millions de tonnes)

Principaux flux
de transport maritime
(les figurés des flux sont proportionnels
à l'importance du trafic.)

Principaux détroits
et canaux interocéaniques

Trafic des grandes façades portuaires
(en millions de tonnes)

plus de 1 000   100 à 300

300 à 450   50 à 100

L'AVION transporte principalement des personnes, le bateau des marchandises. Tout comme le trafic aérien, le trafic maritime ne cesse de se développer, contribuant à faire de la Terre un seul et même système de production et de consommation. Les coûts de transport ont diminué. Les gros flux maritimes sont ceux des produits lourds : matières premières et surtout hydrocarbures des zones productives vers les pays industrialisés, biens manufacturés entre régions développées.

Les flux aériens et maritimes

*« ...les hydrocarbures,
première marchandise (légale)
circulant sur le globe... »*

LA VIE ÉCONOMIQUE est indissociable de la circulation, de l'échange. D'où le lien dynamique entre l'enrichissement des sociétés et l'accroissement des flux. Ainsi se stimulent l'une l'autre l'augmentation massive des mouvements physiques – de biens, de personnes... – et la chute de leurs coûts. La mondialisation provient notamment de la contraction considérable de l'espace et du temps, cette contraction étant rendue possible par le progrès technique, source de la réduction continue des prix.

Des années 1930 aux années 1960, l'avion est réservé aux privilégiés. Puis en quelques décennies, l'avion devient un « super-métro », acheminant des centaines de passagers d'un point à un autre pour un prix souvent modique. Les nouvelles compagnies à bas prix élargissent le marché, bousculent les hiérarchies (la plus forte capitalisation boursière européenne est celle de Ryan Air, *low cost company*, devant Lufthansa, Air France et British Airway). Les flux aériens connaissent une croissance forte et régulière, qui va se prolonger pendant des décennies. Cette vague de fond est due au développement de toutes les formes de circulation : voyages d'affaires ; travailleurs allant et venant entre leur pays d'emploi et leur pays d'origine ; dizaines de millions de personnes aisées partant en vacances tant dans des lieux familiers que vers des endroits exotiques. Le nombre annuel de touristes devrait doubler en quinze ans (750 millions en 2003, peut-être 1,5 milliard en 2018 : 100 millions de Chinois sillonneront le monde).

Cette explosion des flux aériens a pour conséquence majeure l'encombrement du ciel. En 2000, près de deux milliards de passagers ont utilisé l'avion. Les espaces aériens sont embouteillés, les vols retardés, les aéroports surchargés. Dans l'urgence, on combine toutes sortes de solutions : gestion de plus en plus globalisée des réservations par des systèmes mondiaux, quitte à pratiquer la surréservation pour garantir les profits ; agrandissement ou même déplacement des aéroports ; centres redistributeurs – les *hubs* américains – sur lesquels sont concentrés les gros flux, ensuite éclatés vers les destinations

secondaires ; vente aux enchères des places de stationnement des avions dans les aéroports ; sophistication du guidage des avions, afin de mieux utiliser un espace aérien de plus en plus rare. Mais l'encombrement n'est pas près de disparaître. Les passagers sont et seront de plus en plus nombreux. À cet égard, les États-Unis sont un laboratoire : le trafic intérieur américain représente un tiers du trafic mondial ; 24 des 40 plus grands aéroports se trouvent aux États-Unis.

L'édification de nouveaux aéroports se heurte aux réactions des populations locales qui se rebellent contre les nuisances qu'on leur impose. Il en résulte, pour les pouvoirs publics, des dilemmes difficiles : ne pas disposer de grands aéroports, c'est se couper des flux de richesse en les laissant se détourner vers d'autres. En même temps, comment, malgré tout, respecter les riverains ?

L'accroissement des flux maritimes, moins spectaculaire que celui des flux aériens, n'en illustre pas moins l'expansion des réseaux planétaires d'échanges. Aujourd'hui, le bateau peut être défini comme un assem-

blage temporaire de conteneurs, transportant principalement des biens lourds : matières premières, équipements, produits en vrac. Le conteneur, énorme parallélépipède pouvant tout accueillir, fait partie des révolutions invisibles, permettant une rationalisation remarquable des transports maritimes : il assure plus de la moitié des flux de marchandises.

Les flux maritimes sont des flux de marchandises, liant surtout entre eux des lieux de production, ainsi les puits de pétrole du Moyen-Orient aux ports des pays développés, des zones côtières à d'autres zones côtières, où, depuis des siècles, se pressent entrepôts et ateliers. Ici aussi, l'encombrement règne. Le trafic mondial dépasse les 5 milliards de tonnes. Le pétrole et les produits dérivés en représentent près de deux, les autres matières premières un peu plus d'un, les deux milliards restants concernant les produits manufacturés. Seulement treize ports dépassent un trafic de 100 millions de tonnes : deux sont en Europe (Rotterdam, Anvers), les onze autres en Asie, dont six au Japon.

Les transports maritimes ont aussi

leurs nuisances, liées au libéralisme incontrôlé : pavillons de complaisance, navires en piètre état, équipages exploités, sous-payés et inexpérimentés. Les plus spectaculaires sont les marées noires. Les mers furent des espaces de liberté. Il faut désormais les organiser, les surveiller.

Les flux aériens et les flux maritimes sont modelés par les évolutions économiques et sociales générales. Ils se développent là où la richesse se déve-

loppe. En même temps, chaque flux a sa spécificité. L'avion, c'est le passager, nerveux, inquiet, toujours insatisfait. D'où l'enjeu politique qu'est parfois ce mode de transport (détournements par des mouvements terroristes). Le bateau, c'est la marchandise, certes indispensable, mais « flexible », susceptible d'être assemblée, fragmentée, réassemblée en fonction des exigences économiques. ■

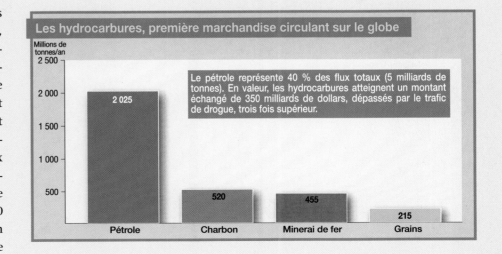

Les hydrocarbures, première marchandise circulant sur le globe

Millions de tonnes/an

Le pétrole représente 40 % des flux totaux (5 milliards de tonnes). En valeur, les hydrocarbures atteignent un montant échangé de 350 milliards de dollars, dépassés par le trafic de drogue, trois fois supérieur.

	Millions de tonnes/an
Pétrole	2 025
Charbon	520
Minerai de fer	455
Grains	215

Les places boursières

« …une globalisation des mouvements financiers… »

LA MONDIALISATION, c'est d'abord la *globalisation* financière : accroissement exponentiel des ressources disponibles par invention d'outils d'ingénierie financière ; internationalisation des mouvements de capitaux ; démocratisation relative de la richesse, des couches sociales plus nombreuses achetant et vendant des titres financiers ; enfin, constitution d'un système financier planétaire, notamment par la connexion des Bourses autorisant des transactions vingt-quatre heures sur vingt-quatre.

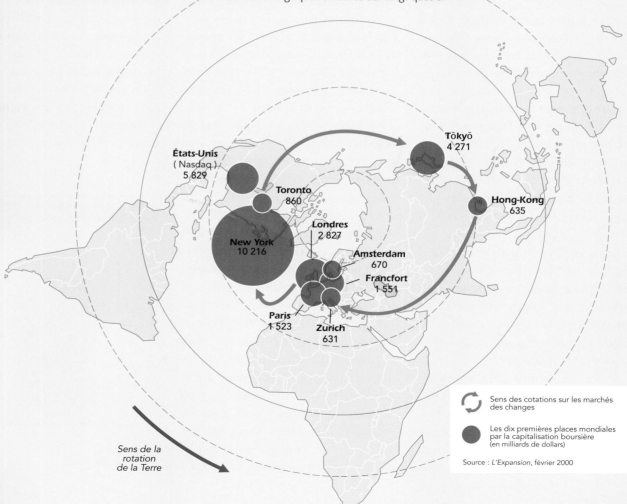

L'évolution de la Bourse de New York

L'indice Dow Jones de 1970 à 2003   *Source : Bloomberg*

14 janvier 2000 :
11 722 points

01 octobre 2001 :
8 836 points

21 nov. 1995 :
5 000 points

12 mars 2003 :
7 416 points

19 oct. 1987 : krach

14 nov. 1972 :
1 000 points

11 déc. 1985 :
1 500 points

Sens des cotations sur les marchés des changes

Les dix premières places mondiales par la capitalisation boursière (en milliards de dollars)

Source : *L'Expansion*, février 2000

Sens de la rotation de la Terre

La dette

« ... la dette, pari
sur l'avenir, baromètre
de la confiance et
du pouvoir... »

L'ENDETTEMENT extérieur massif de la majorité des pays, depuis les années 1970, résulte de la rencontre d'une demande et d'une offre. La demande vient des besoins croissants de toutes les sociétés : financement d'infrastructures, développement des systèmes de sécurité sociale, souci d'aider les catégories sensibles (agriculteurs, secteurs ou régions en déclin...), alourdissement des charges publiques, dépenses militaires et de prestige parfois démesurées. L'offre est alimentée par la croissance spectaculaire des marchés de capitaux. Cette augmentation très forte des endettements extérieurs est une des composantes de la mondialisation financière.

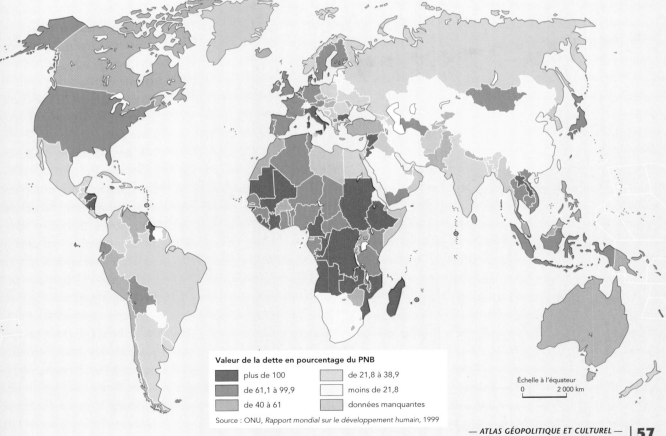

Valeur de la dette en pourcentage du PNB
- plus de 100
- de 61,1 à 99,9
- de 40 à 61
- de 21,8 à 38,9
- moins de 21,8
- données manquantes

Échelle à l'équateur
0 ____ 2 000 km

Source : ONU, *Rapport mondial sur le développement humain*, 1999

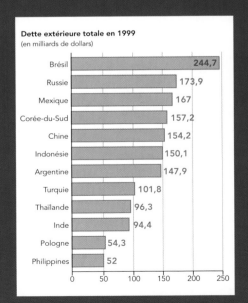

Dette extérieure totale en 1999
(en milliards de dollars)

Pays	Milliards de dollars
Brésil	244,7
Russie	173,9
Mexique	167
Corée-du-Sud	157,2
Chine	154,2
Indonésie	150,1
Argentine	147,9
Turquie	101,8
Thaïlande	96,3
Inde	94,4
Pologne	54,3
Philippines	52

Les places boursières

La dette

« ...une dislocation
des frontières
étatiques... »

EPUIS LES LENDEMAINS de la Deuxième Guerre mondiale, cinq facteurs interagissent pour promouvoir la globalisation financière.

La croissance économique transforme des sociétés globalement pauvres en sociétés riches inégalitaires. Ainsi l'épargne, longtemps réservée aux bourgeois – rentiers –, est-elle le fait de couches de population de plus en plus larges (70 % des ménages, aux États-Unis, détiennent un portefeuille boursier).

L'augmentation des besoins de capitaux touche tous les acteurs : États, auxquels leur position permet en principe d'emprunter facilement ; grandes entreprises finançant des investissements de plus en plus importants, individus incités à acheter à crédit...

Cette double pression de l'offre et de la demande entraîne la dislocation des barrières étatiques. À l'issue de la Deuxième Guerre mondiale, la quasi-totalité des États, redoutant que la richesse ne s'évade, exerçaient une surveillance sur les mouvements de capitaux. À partir des années 1980, les États sont contraints de laisser circuler librement les capitaux. Ceux qui les bloquent (États dirigistes), s'ils empêchent leurs maigres ressources de fuir, dissuadent tout afflux nouveau, aucun détenteur d'argent n'appréciant les entraves à la fluidité des marchés.

Par ailleurs, le cours des monnaies devient flottant. Août 1971 : le président Nixon décide de suspendre la libre convertibilité du dollar en or. Le choc est considérable : les États-Unis cessent d'être l'ultime garant de la stabilité monétaire internationale. Le système des parités fixes est défait (accords de la Jamaïque, 1976) : la valeur des monnaies cesse d'être définie par les États pour être fixée par les marchés. Chaque monnaie est soumise à l'appréciation constante des opérateurs, les marchés étant parfois emportés par des enthousiasmes irrationnels, parfois par des paniques brutales.

Enfin, l'établissement d'un système de transactions financières en fonctionnement continu consacre cette globalisation. Les Bourses se trouvent connectées les unes aux autres et placées en concurrence, accentuant les inégalités de la planète. Les grandes

Bourses coïncident avec les pôles de richesse : New York, Londres, Tōkyō, Hong-Kong… L'Amérique du Nord domine la finance mondiale avec plus de la moitié de la capitalisation boursière mondiale. L'Europe occidentale n'en réalise qu'environ 15 % et l'Asie-Pacifique 10 %.

Cette mondialisation financière soulève des défis d'une ampleur radicalement nouvelle.

La transparence et la régularité des transactions.

En 1985, les opérations quotidiennes de la Bourse de New York tournaient autour de 100 millions de dollars. En 2000, elles dépassent 2 milliards de dollars. Dans ces manipulations complexes, se mêlent le régulier et l'irrégulier, le légal et l'illégal. Comment concilier le respect du caractère privé de ces opérations et le contrôle de leur régularité ? Entre les scandales du type Enron et le blanchiment de l'argent sale, les autorités de régulation financière doivent anticiper les possibilités de dérive.

La maîtrise des crises.

Le système financier planétaire est constamment soumis à des chocs multiples. La première crise fut provoquée par les États-Unis en 1971. La deuxième, consécutive à la hausse des taux d'intérêt aux États-Unis en 1980, fut déclenchée en 1992 par la suspension des remboursements décidée par le Mexique. Puis, dans la seconde moitié des années 1990, se succèdent et s'entremêlent la crise asiatique, la crise russe, la crise latino-américaine. Des progrès considérables ont été accomplis, la majorité des acteurs (États, banquiers…) connaissant les risques d'engrenage. Les financiers échafaudent des solutions sophistiquées. Jusqu'à présent, il n'y a pas eu de crise analogue à l'effondrement tragique des années 1930.

La prise en considération des pauvres.

Le système économique et financier planétaire, s'il bénéficie à beaucoup, en laisse d'autres au bord de la route. Il existe des ébauches de solidarité planétaire (annulation ou rééchelonnement des dettes, aides diverses…). Toutefois, la misère de milliards d'hommes avec son cortège de maladies et de souffrances demeure un lourd problème, économique, social et moral. La misère d'un système de recherche scientifique national contribue à la misère économique et sociale de demain. Or, sur la période 1980-2003, les trois quarts des prix Nobel sont monopolisés, en sciences, par quatre pays : la France, le Royaume-Uni, l'Allemagne, et les États-Unis (ceux-ci en cumulant 58 %).

L'édification d'une justice économique et sociale planétaire.

L'idée d'État-providence planétaire relève de l'utopie. Pourtant, les hommes sentent que la planète est une, qu'il est désormais impossible de laisser sombrer des régions entières telles l'Afrique ou l'Amérique andine.

Quels dispositifs pour aider au décollage des zones en retard ? Par ailleurs, comment rendre la régulation économique et financière moins technocratique, plus démocratique ? Cette régulation reste aux mains des États et des organisations interétatiques (notamment le Fonds monétaire international). Faut-il lui associer directement des représentants des populations et, en particulier, les organisations non gouvernementales (ONG) ? ■

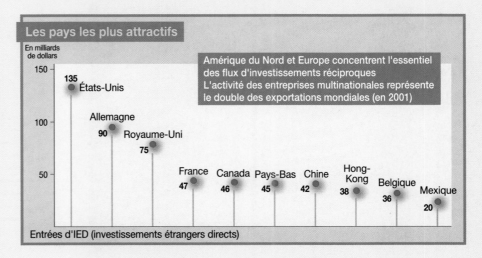

Les pays les plus attractifs

En milliards de dollars

Amérique du Nord et Europe concentrent l'essentiel des flux d'investissements réciproques
L'activité des entreprises multinationales représente le double des exportations mondiales (en 2001)

150

135 États-Unis

100

Allemagne 90   Royaume-Uni 75

50

France 47   Canada 46   Pays-Bas 45   Chine 42   Hong-Kong 38   Belgique 36   Mexique 20

Entrées d'IED (investissements étrangers directs)

Les flux pétroliers

« ...les hydrocarbures,

nerf de la guerre... »

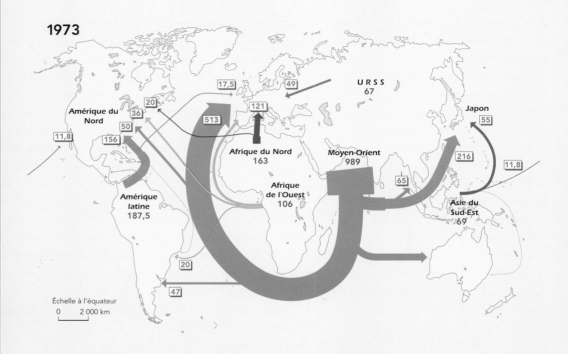

1973

URSS
67

Japon

Amérique du
Nord

11,8

Afrique du Nord
163

Moyen-Orient
989

Afrique
de l'Ouest
106

Amérique
latine
187,5

Asie du
Sud-Est
69

Échelle à l'équateur

0   2 000 km

Courants d'échanges :

➤ Moyen-Orient (Arabie Saoudite, Iran, Irak, Koweït, Qatar, Bahrein, Émirats arabes unis)

➤ Amérique latine (Venezuela, Mexique, Équateur, Caraïbes)

➤ Afrique de l'Ouest (Nigeria, Gabon, Cameroun, Angola)

➤ Afrique du Nord (Algérie, Libye)

➤ URSS et Europe de l'Est

➤ Asie du Sud-Est

➤ Europe de l'Ouest

➤ Chine

110 Volume importé
(millions de tonnes)

202 Volume total exporté
par la zone [1973-1984]
(millions de tonnes)

505 Production totale
de pétrole [1998]
(estimations en millions
de tonnes)

LE PÉTROLE n'est pas un produit comme les autres. Dans l'état actuel de la technique, c'est le sang de la vie économique. Sans pétrole, les économies développées s'arrêtent : ainsi, durant l'automne 1973 (premier choc pétrolier), les autoroutes désertes, les stations-services assiégées, en Europe occidentale. Les stratèges savent que le pétrole est aussi le nerf de la guerre. Tous les grands conflits sont marqués par les luttes pour son contrôle. La répartition géographique des réserves renforce le caractère stratégique des hydrocarbures :

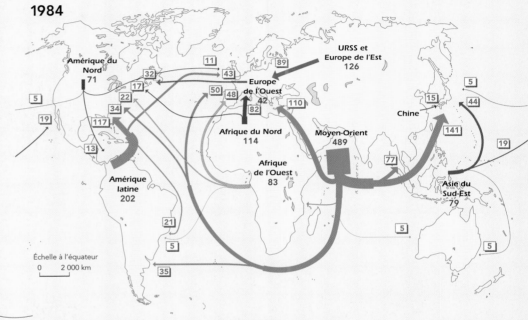

1984

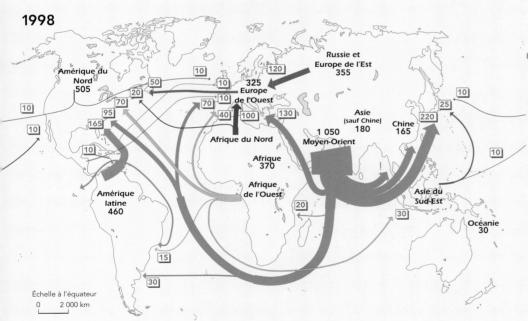

1998

les deux tiers des réserves connues sont concentrés au Moyen-Orient, faisant de cette région la zone vitale par excellence. Les rivalités pour la domination de cette région ne sont pas près de s'apaiser. Alors comment desserrer la contrainte pétrolière ? Pour le moment, et pour longtemps encore, il n'y a pas et n'y aura pas d'alternative au pétrole. On peut combiner économies d'énergie, recours au nucléaire et aussi renchérissement des prix de l'essence et du fuel.

Les flux pétroliers

« ...évolution et permanence de la contrainte pétrolière... »

L E XXᵉ SIÈCLE a été dominé par le pétrole. L'Allemagne hitlérienne et le Japon impérial perdent la Deuxième Guerre mondiale, en partie parce que ni l'un ni l'autre ne réussissent à contrôler ou à exploiter un eldorado pétrolier : les armées hitlériennes sont stoppées à Stalingrad, étape vers la Caspienne ; les forces japonaises s'emparent des Indes néerlandaises (Indonésie) mais n'ont pas les bateaux pour acheminer le pétrole qui y est produit. Avant même la fin du conflit, les États-Unis s'implantent en Arabie Saoudite : Roosevelt stoppe son voyage de retour de Yalta pour rencontrer Ibn Séoud, afin de remplacer les Britanniques dans l'extraction du pétrole de la péninsule arabique. Aujourd'hui, le pétrole brut est le premier produit échangé dans le monde. Sans essence, les avions ne circulent plus. Sans pétrochimie, les plastiques ne peuvent être fabriqués. Depuis les chocs pétroliers des années 1970, beaucoup d'efforts sont faits pour réduire la contrainte pétrolière : économies d'énergie ; développement du nucléaire civil ; exploitation maximale de l'hydroélectricité ; recherches sur les énergies nouvelles (soleil, vent...), dont les apports demeureront très marginaux (au maximum 5 % des besoins).

Les trois cartes de flux pétroliers éclairent l'évolution de la dépendance pétrolière et ses permanences.

1973. Premier choc pétrolier.

La place du Moyen-Orient est centrale. Cette région concentre près des deux tiers des exportations destinées principalement aux démocraties industrielles (Europe, États-Unis, Japon). Deux flux majeurs partent de cette zone, l'un vers l'Europe occidentale, l'autre vers le Japon et l'Australie. Les producteurs-exportateurs du Moyen-Orient (Arabie Saoudite, Iran, Irak, Koweït...) sont maîtres du jeu. De plus, ils sont unis au sein de l'Organisation des pays exportateurs de pétrole, l'OPEP. Ils ont pu quadrupler le prix du pétrole, en 1973, après plus de quinze ans de sa baisse relative (en dollars constants). Quant aux États-Unis, eux-mêmes gros producteurs, la quasi-totalité de leurs importations vient d'Amérique latine. Cette autosuffisance relative ne les empêche pas d'être un acteur-clé : eux aussi souhaitent la hausse du prix du

pétrole pour que beaucoup de leurs puits, non exploités car non rentables, soient mis en exploitation et ainsi diminuent leur dépendance extérieure.

1984.

Les pays occidentaux s'efforcent de tirer la leçon des chocs pétroliers des années 1970.

Outre des politiques d'économie d'énergie, ces pays diversifient leurs approvisionnements en faisant appel à de nouveaux fournisseurs, les NOPEP, États exportateurs d'hydrocarbures n'appartenant pas à l'OPEP : États riverains de la mer du Nord, grâce aux plateformes en haute mer, Union soviétique, Angola, Mexique... Le poids relatif du Moyen-Orient a diminué, il a divisé ses exportations par deux, tout en demeurant une source vitale tant pour l'Europe occidentale que pour le Japon. Les États-Unis continuent de s'approvisionner pour l'essentiel dans le continent américain.

1998.

Le Moyen-Orient, avec la baisse des prix, a retrouvé sa position-clé.

La dépendance de l'Europe occidentale s'est réduite... au profit d'une autre dépendance, vis-à-vis de la Russie. L'Asie-Pacifique émerge comme un consommateur de plus en plus dépendant. Dans le sillage du Japon, toute l'Asie maritime (Chine, Corée du Sud...) s'industrialise. L'Afrique de l'Ouest apparaît comme un pôle d'exportateurs d'hydrocarbures. Quant aux États-Unis, consommateur jamais rassasié d'énergie, ils ne se contentent plus de la production américaine mais sollicitent l'Afrique et le Moyen-Orient.

L'importance politique du pétrole.

On fait la guerre aussi pour le pétrole. En 1991, les États-Unis dirigent la coalition qui libère le Koweït de l'occupation irakienne. C'est un affrontement pour le pétrole. L'Irak de Saddam Hussein, en annexant le Koweït, aurait contrôlé environ 20 % des réserves mondiales du pétrole (Arabie Saoudite : environ un quart de ses réserves). Pour les États-Unis, cette perspective était inacceptable.

Et l'avenir ?

Du côté de la demande, la croissance continuera, avec le développement d'abord de l'Asie et de ses deux colosses, la Chine et l'Inde, bien dotés en charbon, mais peu pourvus en hydrocarbures. Le caractère polluant du charbon, la peur du nucléaire, les perspectives limitées des énergies nouvelles font que les hydrocarbures (le pétrole et le gaz naturel) resteront rois sur le marché de l'énergie. En ce qui concerne l'offre, la montée des prix des hydrocarbures entraîne quasi mécaniquement la découverte de nouveaux puits.

La répartition géographique ne se modifiera guère, le Moyen-Orient détenant toujours près des deux tiers des réserves. Dans les années 1990, un nouvel eldorado pétrolier semblait se profiler : l'Asie centrale. Ses réserves sont d'une dimension comparable à celles de la mer du Nord (environ 10 % des réserves mondiales). Le pétrole restera, dans les décennies à venir, la ressource stratégique, et le Moyen-Orient continuera de concentrer sur lui les convoitises. ■

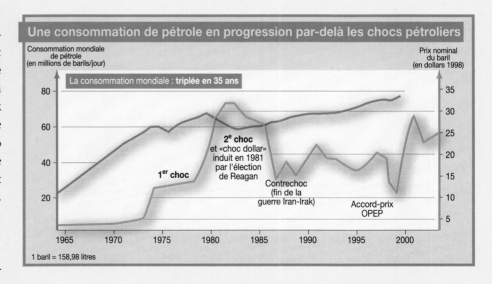

Une consommation de pétrole en progression par-delà les chocs pétroliers

Consommation mondiale de pétrole (en millions de barils/jour)

Prix nominal du baril (en dollars 1998)

La consommation mondiale : triplée en 35 ans

1er choc

2e choc et «choc dollar» induit en 1981 par l'élection de Reagan

Contrechoc (fin de la guerre Iran-Irak)

Accord-prix OPEP

1 baril = 158,98 litres

Langues, cultures, religions, autant de productions humaines par lesquelles se construisent des communautés, s'affirmant aussi les unes face aux autres ou contre les autres. Ces langues, ces visions du monde n'échappent pas aux rapports de force. Ce sont des instruments d'identité et parfois de domination.

Aujourd'hui, le champ des langues, des cultures, des croyances apparaît pris entre deux dynamiques contradictoires et peut-être complémentaires. D'un côté, dans le sillage de la colonisation et de l'occidentalisation du monde, mais aussi des religions monothéistes à prétention universaliste, le développement de formes culturelles planétaires : valeurs morales, humanisme…

De l'autre côté, comme en écho à cette force universalisatrice, la revendication du droit à la différence s'épanouit. Voici, accompagnant et prolongeant l'esprit démocratique, l'affirmation du multiculturalisme !

Ces deux mouvements sont-ils appelés à s'affronter ou à se mêler ? Il y a, il y aura des guerres entre cultures, ou plus exactement des conflits entre communautés dont l'antagonisme va au-delà des stricts intérêts économiques et oppose des modes de vie : ainsi les tensions entre chrétiens et musulmans, recouvrant en fait des oppositions très diverses d'un pays à l'autre… En même temps, toutes sortes de combinaisons s'opèrent déjà, la mondialisation impliquant des métissages innombrables, des mariages interraciaux.

ASPECTS
CULTURELS

Les principales langues officielles

« ...l'histoire

des peuples... »

Toute langue est le produit d'une histoire culturelle, politique et économique. La répartition actuelle des langues les plus pratiquées ne se comprend qu'à partir des sociétés : constitution souvent très ancienne d'ensembles mi-impériaux, mi-nationaux (Chine, Russie...), conquêtes (l'arabe, porté par l'expansion spectaculaire de l'Islam), colonisations (diffusion de plusieurs langues européennes telles que le portugais, l'espagnol, le néerlandais, le français, l'anglais).

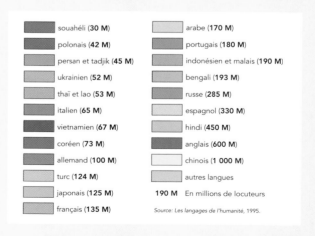

souahéli (**30 M**)   arabe (**170 M**)

polonais (**42 M**)   portugais (**180 M**)

persan et tadjik (**45 M**)   indonésien et malais (**190 M**)

ukrainien (**52 M**)   bengali (**193 M**)

thaï et lao (**53 M**)   russe (**285 M**)

italien (**65 M**)   espagnol (**330 M**)

vietnamien (**67 M**)   hindi (**450 M**)

coréen (**73 M**)   anglais (**600 M**)

allemand (**100 M**)   chinois (**1 000 M**)

turc (**124 M**)   autres langues

japonais (**125 M**)   **190 M**   En millions de locuteurs

français (**135 M**)   Source: *Les langages de l'humanité*, 1995.

Le monde en questions

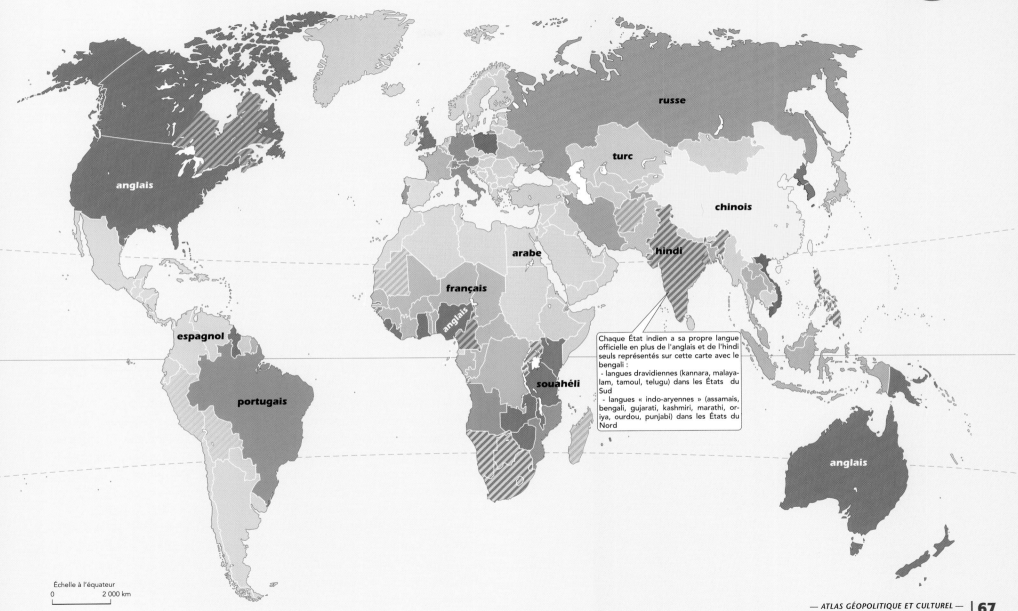

russe

turc

chinois

anglais

hindi

arabe

français

anglais

espagnol

portugais

souahéli

Chaque État indien a sa propre langue officielle en plus de l'anglais et de l'hindi seuls représentés sur cette carte avec le bengali :
- langues dravidiennes (kannara, malaya-lam, tamoul, telugu) dans les États du Sud
- langues « indo-aryennes » (assamais, bengali, gujarati, kashmiri, marathi, or-iya, ourdou, punjabi) dans les États du Nord

anglais

Échelle à l'équateur

0   2 000 km

Les principales langues officielles

*« ...l'anglais,
langue universelle ?... »*

LA RÉPARTITION GÉOGRAPHIQUE des langues résulte de l'histoire des peuples, de leurs affrontements, des victoires des uns, des défaites des autres.

Tout d'abord, les langues dominantes sont l'instrument d'expression de communautés anciennes et fortes. Ainsi s'imposèrent notamment l'aire chinoise, l'aire coréenne, l'aire japonaise, l'aire vietnamienne, l'aire persane, l'aire russe. Dans tous ces cas, construction linguistique et construction impériale ou nationale sont indissociables. L'histoire de chacune de ces langues, c'est l'histoire d'un peuple, d'une culture, qui, en dépit de multiples cassures, a survécu. Depuis la nuit des temps, la Chine est une formidable masse humaine, formant de manière constante entre un cinquième et un sixième de la population totale de la planète. De plus, les empereurs qui dirigent la Chine ne cessent de vouloir l'isoler (construction multiséculaire des murailles de Chine). La Chine impériale se pensait comme milieu du monde, convaincue de n'avoir rien à apprendre de l'extérieur. Le Japon se définit comme une île, qui, elle aussi, a pu se couper du monde jusqu'à son ouverture forcée par l'Américain Perry en 1853. La Russie, construction des tsars relayée par le pouvoir soviétique, apparaît comme protégée tant par son éloignement des cultures concurrentes que par son climat.

Ensuite, se dessinèrent d'anciens espaces impériaux. La diffusion de l'arabe correspond à la première vague d'expansion de l'Islam au VIIe siècle. À partir de la péninsule arabique, les armées de Mahomet et de ses successeurs déferlent sur le Proche-Orient, refoulent l'Empire byzantin et s'implantent sur tout le sud de la Méditerranée jusqu'en Espagne. La Perse, elle aussi submergée, garde tout de même son identité, codirigeant l'aire musulmane sous les Abbassides. De même les langues de l'ensemble turc occupent-elles ce qui fut le cœur de « l'Empire des steppes » (selon la formule de l'historien des civilisations, René Grousset), construction politique toujours éphémère mais renaissant sans cesse sous l'impulsion de tribus turques (ainsi l'immortel Tamerlan), avant de s'implanter en Anatolie.

Enfin, à partir du XVe siècle, les puissances européennes partent à la conquête de la planète. Si le Brésil s'exprime en portugais, le reste de l'Amérique latine en espagnol, les États-Unis, l'Australie en anglais, le Canada en anglais et en français, une grande partie de l'Afrique occidentale en français, la seule raison en est la colonisation. Sur l'ensemble du continent américain, les premiers occupants – amérindiens – sont balayés par les colonisateurs, détruits par les maladies venues d'Europe, le travail forcé et finalement les Winchester des cowboys et des chercheurs d'or qui les massacrent et les affament (Buffalo Bill). En Afrique australe, en Amérique du Nord, en Australie, les colons venus d'Europe repoussent brutalement les indigènes.

Aujourd'hui deux dynamiques transforment la distribution des langues.

L'anglais, langue universelle ?

Le rayonnement planétaire de l'anglais s'explique par la conjonction de trois facteurs : l'héritage de l'Empire britannique avec, surtout, les États du « Commonwealth blanc » (Canada, Australie, Nouvelle-Zélande…) peuplés principalement de descendants de colons britanniques ; la puissance des États-Unis, grand bénéficiaire des conflits du XXe siècle ; enfin, le besoin d'une langue unique pour les activités mondialisées (transactions économiques, financières…). On apprend toujours la langue du plus fort. A-t-on le choix si l'on veut survivre et s'adapter ? Ces langues dites universelles – en fait multiculturelles –, comme le furent le latin dans l'Europe du Moyen-Âge et de la Renaissance ou le français dans l'Europe du XVIIe jusqu'au début du XXe siècle, s'imposent en réalité dans des cercles limités mais détenant richesse et pouvoir : prêtres et clercs dans l'Europe chrétienne ; diplomates, militaires, universitaires, écrivains dans l'Europe moderne ; entreprises et milieux des affaires aujourd'hui.

La prolifération des revendications linguistiques.

Mondialisation et démocratisation de la planète se développent simulta-nément. Au moment même où la mondialisation économique fait de l'anglais la langue des affaires, les revendications identitaires multiples, portées par le droit de chacun (individus, groupes) à être soi-même, suscitent le réveil ou la création de langues régionales ou minoritaires. Au XIXe siècle ou encore dans les deux premiers tiers du XXe, les langues locales semblaient appartenir à un folklore voué à disparaître. Depuis les années 1980, ces langues retrouvent une légitimité. Le flamand, le basque, le corse, le catalan et bien d'autres langues qui ne correspondent pas à un État deviennent les supports d'une nouvelle fierté, celle d'une communauté qui a surmonté la répression ou le mépris.

Les langues naissent, vivent, meurent, renaissent parfois, tel l'hébreu, redécouvert et remodelé pour donner à Israël sa langue officielle. ■

L'anglais, langue internationale

Affiche lue sur toutes les portes de chambres d'un hôtel international en Europe

Guest should announce the abandonment of their rooms before 12 o'clock, at the latest until 14 o'clock for the use of the room before 5 at the arrival of after the 16 o'clock at the departure will be billed as one night more.

announce Ne convient pas ici, s'emploie dans des contextes formels (annonce de naissance…) et dans des situations où il a le sens de « dire haut et fort ».

the abandonment Idem, réservé à un contexte formel : *abandonment* d'un navire, d'un titre de propriété ; en anglais, on n'abandonne pas une chambre.
L'usage du substantif est peu idiomatique ici (un verbe sera plus souvent employé, cf ci-dessous). Signifie « vidant la chambre de son contenu (son mobilier, …) »

at the latest until Expression impossible, pléonasme signifiant « au plus tard jusqu'à » ; il suffit de dire « au plus tard », ou « jusqu'à » : *before*.

14 o'clock **16 o'clock** Impossible en anglais : on dit *2 pm, 4 pm*.

for Registre totalement inadapté : *for* est soutenu ; on comprend « pour », dans ce contexte non littéraire, alors que le mot signifie ici « parce que ».

at the departure **will be billed** **as one night more** Ok, quoique peu idiomatique.

Voici ce qu'on lirait dans un hôtel anglais :

We ask our guests to inform us before noon on their day of departure that they will be checking out, and to vacate the room by 2 pm at the latest. Use of the room before 5 am on day of arrival or after 4 pm on day of departure will be billed as an extra night's stay.

La langue française dans le monde

« ...une des douze premières langues parlées dans le monde... »

LE FRANÇAIS comme langue internationale fut à son apogée dans l'Europe du XVIIᵉ jusqu'à la première moitié du XXᵉ siècle. C'était la langue des salons, des diplomates et des penseurs. Avec l'empire colonial, le français connaît un autre mode d'expansion. Aujourd'hui, avec plus de 120 millions de locuteurs, cette langue romane (issue du latin comme l'espagnol ou l'italien) fait partie des douze premières langues parlées dans le monde avec de solides points d'appui : outre la France, une partie de la Belgique et de la Suisse, le Québec, et comme langue seconde l'Afrique occidentale et équatoriale, les « îles » (Antilles, Réunion, Maurice), et, dans une certaine mesure, le Maghreb, le Liban, des pays d'Europe orientale (Roumanie, Bulgarie). Mais le français rencontre le défi de l'anglais, nouvelle langue planétaire. Alors la famille francophone se rassemble et affirme sa solidarité. Par ailleurs, en France même, la langue officielle de la République se trouve contrainte de faire une place aux langues régionales.

Pays ou régions où le français est langue officielle et maternelle

Pays ou régions où le français est langue officielle ou administrative

Pays où le français est langue d'enseignement privilégiée

Îles où le français est langue officielle et/ou maternelle

Minorités francophones

Population francophone :

plus de 50 %

de 16 à 50 %

de 3 à 16 %

BELGIQUE
Québec
Membre des institutions de la francophonie

Ville d'accueil du «Sommet francophone»

Alaska
(É.-U.)

CANADA

Québec
Québec

Saint-Pierre-
et-Miquelon
(Fr.)

ÉTATS-UNIS

Louisiane

OCÉAN
ATLANTIQUE

ROYAUME-
UNI

BELGIQUE
LUXEMBOURG
SUISSE

PARIS

MOLDAVIE

FRANCE

MONACO

ROUMANIE
BULGARIE

RUSSIE

MONGOLIE

JAPON

CHINE

Tropique du Cancer

MEXIQUE

TUNISIE

SYRIE
LIBAN
ISRAËL

IRAN

MAROC

LIBYE

ALGÉRIE

ÉGYPTE

ARABIE

INDE

Clipperton
(Fr.)

HAÏTI

Guadeloupe (Fr.)

DOMINIQUE

Martinique (Fr.)

SAINTE-LUCIE

VENEZUELA

Guyane (Fr.)

COLOMBIE

MALI

MAURITANIE
Dakar
CAP-VERT
SÉNÉGAL
GUINÉE-BISSAU
GUINÉE
BURKINA FASO
CÔTE-D'IVOIRE
TOGO
BÉNIN
GUINÉE-
ÉQUATORIALE
SÃO TOMÉ
E PRINCIPE

NIGER

TCHAD

SAOUDITE

SOUDAN

NIGERIA

CENTRAFRIQUE

Cotonou
CAMEROUN

DJIBOUTI

ÉTHIOPIE

SOMALIE

LAOS

Hanoi

VIÊTNAM

PHILIPPINES

Pondichéry

CAMBODGE

MALAYSIA

Équateur

OCÉAN

PACIFIQUE

ÉQUATEUR

OCÉAN

INDIEN

OCÉAN

PACIFIQUE

GABON

RÉP.
DÉM.
DU CONGO

RWANDA
BURUNDI

INDONÉSIE

Wallis-et-
Futuna
(Fr.)

Polynésie-Française
(Fr.)

PÉROU

BRÉSIL

CONGO

ANGOLA

SEYCHELLES

COMORES
Mayotte (Fr.)

VANUATU

Nouvelle-
Calédonie
(Fr.)

BOLIVIE

PARAGUAY

NAMIBIE

MOZAMBIQUE

MAURICE

Loyauté
(Fr.)

Tropique du Capricorne

CHILI

MADAGASCAR

Réunion
(Fr.)

AUSTRALIE

URUGUAY

AFRIQUE
DU SUD

Nouvelle-Amsterdam
(Fr.)
Saint-Paul
(Fr.)

NOUVELLE-
ZÉLANDE

ARGENTINE

Crozet
(Fr.)

Kerguelen
(Fr.)

Guadeloupe
(Fr.)
Marie-Galante

DOMINIQUE

15°

Martinique
(Fr.)

SAINTE-LUCIE

Terre Adélie (Fr.)

Échelle à l'équateur

0   2 000 km

La langue française dans le monde

« ...dans le monde d'internet, une autre hiérarchie... »

L E RAYONNEMENT D'UNE LANGUE résulte beaucoup moins de ses caractères propres que des circonstances politiques et culturelles. Du XVIIᵉ siècle aux deux guerres mondiales, le français est, en Europe, la langue des diplomates, des philosophes. Il y a eu Louis XIV, la fascination de toutes les cours européennes pour le Roi-Soleil. L'Europe des « Lumières » au XVIIIᵉ siècle, grâce à Montesquieu, Voltaire, Rousseau, Diderot, pense et discute en français.

La Révolution française, l'Empire et leurs guerres montrent à la fois aux autres peuples que la France est une grande nation mais qu'il est temps de limiter son influence. Les idées qu'a semées la France – liberté, nation – sont brandies contre elle. En 1871, l'Allemagne s'unifie en combattant et en vainquant la France, alors que l'unité italienne s'est faite avec l'appui français. Alors, l'allemand et l'italien prennent leur importance moderne. En Europe, s'amorce le recul du français, qui étend ailleurs son domaine, avec l'Empire : Algérie, Indochine, Tunisie, Maroc, Afrique occidentale et équatoriale, Liban,

Syrie. En 1919, pour la première fois, un grand traité européen, le traité de Versailles, n'est plus rédigé seulement en français ; l'anglais, langue des deux autres grands vainqueurs – Royaume-Uni et États-Unis – fait également foi. Les défaites (1940 contre l'Allemagne hitlérienne, 1954 face au Viêt-minh, 1962 avec le départ de l'Algérie) marquent un nouveau repli. Pourtant, au même moment, la France est l'initiatrice d'un superbe cadre de diffusion pour sa langue : la construction européenne avec, pour capitales, Strasbourg et Bruxelles. Dans les années 1950 et 1960, la Communauté européenne travaille et négocie en français.

Aujourd'hui le français subit un quadruple choc.

L'anglais est désormais « la langue universelle », plus précisément l'instrument de communication de la technique, de nombreuses sciences, des milieux d'affaires, du droit, des vagues culturelles mondiales (cinéma, musique populaire). Le français garde cependant des positions : il demeure l'une des langues de travail de l'Organisation des Nations unies ;

il continue d'être l'une des deux langues des bureaucraties européennes.

Dans une certaine mesure par imitation de la francophonie, d'autres pôles linguistico-culturels se construisent. L'Espagne et le Portugal ont depuis longtemps pris conscience du formidable atout que représente l'Amérique latine. L'Allemagne prend appui sur l'espace où l'on parle allemand (essentiellement Europe centrale et orientale) et revendique l'égalité de l'allemand avec le français et l'anglais, au sein des organisations européennes.

La zone dite francophone (principalement Maghreb, Afrique occidentale) souffre d'un manque de réelles réussites économiques et politiques. Pour le moment, le seul grand succès hors d'Europe de l'espace francophone est le Québec qui a concilié défense de son identité culturelle et développement économique.

Enfin, en France même, le « tout-français » est confronté à des phénomènes régionalistes : corse, breton, alsacien, basque et catalan (évidemment plus actifs face au castillan). D'un côté, l'État veille à rappeler que le français reste la langue de la République. De l'autre côté, il reconnaît des « niches » pour les langues minoritaires, breton, alsacien, occitan, le cas du corse, parler de l'ensemble italien, étant fortement mis en valeur par la crise politique.

La vie, le rayonnement d'une langue ne dépendent pas de décrets ; ils sont modelés à la fois par la configuration des puissances, par le désir qu'ont les gens de la parler et donc par le jugement qu'ils portent sur elle.

En France, l'État est toujours en première ligne. La défense et la promotion du français – qui ont toujours été l'une des composantes de la politique étrangère de la France – sont devenues un objectif politique important dans les années 1960, pendant la présidence du général de Gaulle. À partir des années 1960, la francophonie (terme inventé en 1880 par le géographe nationaliste et communard, Onésime Reclus, et repris plus tard en Belgique) s'institutionnalise : en 1970, est créée l'Agence de coopération culturelle et technique ou Agence francophone ; en 1973, se tient le premier sommet franco-africain, cette formule préparant le terrain pour des sommets de la francophonie. En 1986, le premier de ces sommets réunit quarante-deux délégations ; en 1997, le sommet de Hanoi dote la communauté francophone d'un Secrétaire général, l'Égyptien Boutros Boutros-Ghali.

La francophonie, aujourd'hui consciente que son combat ne peut se réduire à la défense égoïste du français, met l'accent sur la préservation de la diversité culturelle (notions d'exception culturelle ou, pour les Québécois, sensibles au côté négatif du terme « exception », de diversité culturelle). Défendre le français, c'est donc défendre une pluralité culturelle. C'est aussi accepter que le français ne soit désormais plus qu'une langue parmi d'autres. ∎

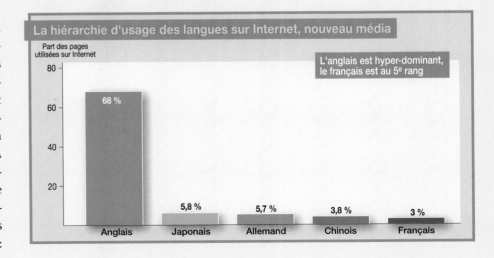

La hiérarchie d'usage des langues sur Internet, nouveau média

Part des pages utilisées sur Internet

L'anglais est hyper-dominant, le français est au 5e rang

Anglais 68 %	Japonais 5,8 %	Allemand 5,7 %	Chinois 3,8 %	Français 3 %

Édition et communication

« ...une mondialisation
du savoir
malgré une diffusion
inégalitaire... »

LA DIFFUSION DE L'IMPRIMÉ et plus largement des moyens de communication, du téléphone à Internet, est liée au degré de développement et d'éducation des sociétés. Les taux d'alphabétisation, les chiffres de l'édition, l'usage du téléphone ou la diffusion d'Internet correspondent globalement aux divisions entre sociétés riches et pauvres. Ces inégalités incontestables coexistent avec la mondialisation du savoir. La télévision, instrument d'ouverture au monde, est présente partout. Le téléphone portable se répand lui aussi très vite. Les efforts d'États en matière d'alphabétisation (Cuba, Chine...) et la vigueur du développement asiatique élargissent la distribution des connaissances.

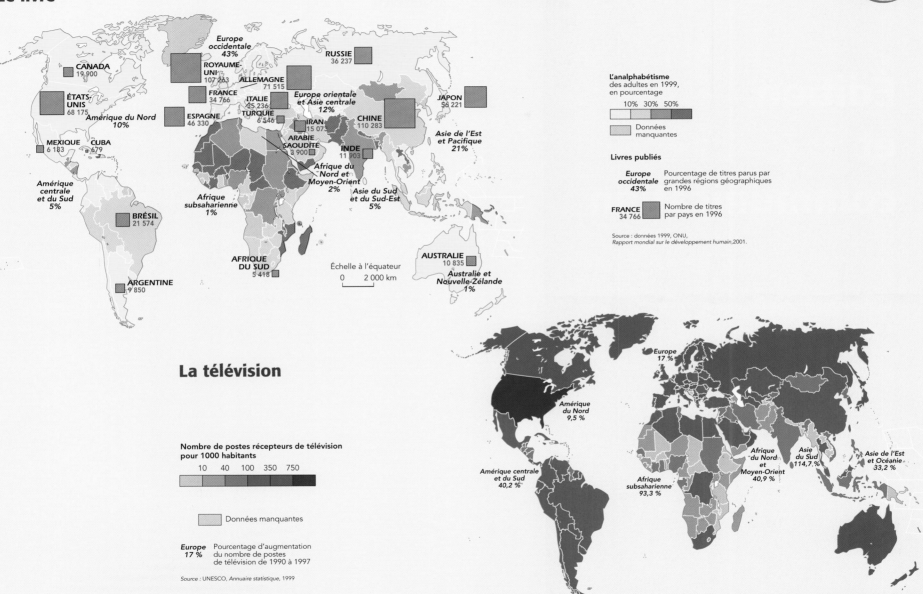

Le livre

CANADA
19 900

ÉTATS-UNIS
68 175

Amérique du Nord
10 %

MEXIQUE **CUBA**
6 183 679

Amérique
centrale
et du Sud
5 %

BRÉSIL
21 574

ARGENTINE
9 850

Europe
occidentale
43 %

ROYAUME-UNI
107 263

ALLEMAGNE
71 515

FRANCE
34 766

ITALIE
35 236

ESPAGNE
46 330

TURQUIE
6 546

Europe orientale
et Asie centrale
12 %

IRAN
15 073

ARABIE SAOUDITE
3 900

Afrique du
Nord et
Moyen-Orient
2 %

INDE
11 903

Afrique
subsaharienne
1 %

Afrique du
Nord et
Moyen-Orient
2 %

AFRIQUE DU SUD
5 418

Afrique du Sud
et du Sud-Est
5 %

RUSSIE
36 237

JAPON
56 221

CHINE
110 283

Asie de l'Est
et Pacifique
21 %

AUSTRALIE
10 835

Australie et
Nouvelle-Zélande
1 %

Échelle à l'équateur
0   2 000 km

L'analphabétisme
des adultes en 1999,
en pourcentage

10%   30%   50%

Données
manquantes

Livres publiés

Europe
occidentale
43 %   Pourcentage de titres parus par
grandes régions géographiques
en 1996

FRANCE
34 766   Nombre de titres
par pays en 1996

Source : données 1999, ONU,
Rapport mondial sur le développement humain,2001.

La télévision

**Nombre de postes récepteurs de télévision
pour 1000 habitants**

10   40   100   350   750

Données manquantes

Europe
17 %   Pourcentage d'augmentation
du nombre de postes
de télévision de 1990 à 1997

Source : UNESCO, *Annuaire statistique*, 1999

Europe
17 %

Amérique
du Nord
9,5 %

Amérique centrale
et du Sud
40,2 %

Afrique
subsaharienne
93,3 %

Afrique
du Nord
et
Moyen-Orient
40,9 %

Asie
du Sud
114,7 %

Asie de l'Est
et Océanie
33,2 %

Édition et communication

*« …une inégalité économique
et culturelle confirmée
par la répartition
des nouvelles technologies… »*

L A RÉVOLUTION ACTUELLE des moyens d'information et de communication semble porteuse de liberté et d'égalité. Mais, si le cauchemar d'un monde uniforme n'est pas près de se réaliser, chaque innovation technique est un enjeu que chaque acteur apprend à manipuler en fonction de ses intérêts et de ses rêves et un autre cauchemar perdure : le maintien et même l'aggravation de l'inégalité entre nations ; cette inégalité se confirme avec la répartition des nouvelles technologies.

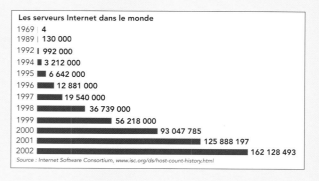

Les serveurs Internet dans le monde

1969	4
1989	130 000
1992	992 000
1994	3 212 000
1995	6 642 000
1996	12 881 000
1997	19 540 000
1998	36 739 000
1999	56 218 000
2000	93 047 785
2001	125 888 197
2002	162 128 493

Source : Internet Software Consortium, www.isc.org/ds/host-count-history.html

Internet et téléphonie

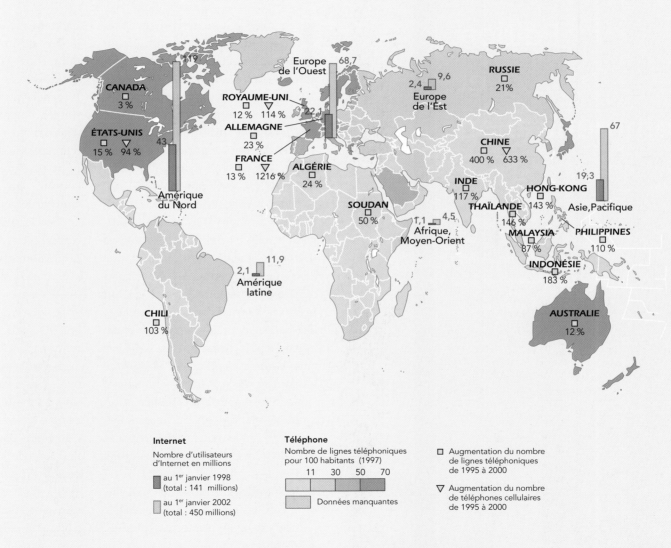

CANADA
3 %

ÉTATS-UNIS
15 %   94 %
43

Amérique
du Nord

119

Europe
de l'Ouest

ROYAUME-UNI
12 %   114 %

ALLEMAGNE
23 %

FRANCE
13 %   1216 %

22,1

68,7

Europe
de l'Est
2,4   9,6

RUSSIE
21 %

CHINE
400 %   633 %

ALGÉRIE
24 %

SOUDAN
50 %

INDE
117 %

HONG-KONG
143 %

THAÏLANDE
146 %

MALAYSIA
87 %

INDONÉSIE
183 %

PHILIPPINES
110 %

Asie,Pacifique

19,3   67

1,1   4,5
Afrique,
Moyen-Orient

2,1   11,9
Amérique
latine

CHILI
103 %

AUSTRALIE
12 %

Internet
Nombre d'utilisateurs
d'Internet en millions

- au 1er janvier 1998
  (total : 141 millions)

- au 1er janvier 2002
  (total : 450 millions)

Téléphone
Nombre de lignes téléphoniques
pour 100 habitants (1997)

11   30   50   70

Données manquantes

□ Augmentation du nombre
  de lignes téléphoniques
  de 1995 à 2000

▽ Augmentation du nombre
  de téléphones cellulaires
  de 1995 à 2000

Édition et communication

« ...tous les habitants de la planète n'ont pas accès à Internet... »

LES TROIS CARTES relatives à l'édition et à la communication photographient l'ampleur mais aussi la complexité des inégalités.

Les inégalités devant l'imprimé sont le fruit des données économiques et des traditions historiques. Le livre, vecteur de connaissance et d'indépendance, est présent dans les grandes démocraties développées (États-Unis, Canada, Europe occidentale, Japon). La place du livre est également considérable dans les pays ex-communistes (Europe orientale, Russie), ainsi que dans une Chine en proie à des contradictions fondamentales entre gestion inspirée du marxisme-léninisme et fascination pour le libéralisme étatsunien. Ici, le communisme apparaît bien comme l'enfant du socialisme humaniste du XIXe siècle pour lequel la première étape dans l'émancipation du prolétariat résidait dans l'accès à la lecture. Enfin le livre rayonne dans les pays dits de vieille culture : Turquie, Iran, Inde...

En ce qui concerne les télécommunications, les inégalités sont brutales. Plus on est riche, plus on téléphone : le téléphone portable a conquis un habitant sur cinq de la planète, mais le taux d'équipement est de 83 % en Europe de l'Ouest et de 15 % en Afrique et Asie-Pacifique. Mais Internet perturbe cette situation simple. Pour ceux qui ne peuvent disposer du téléphone, par manque d'argent ou du fait de l'incurie des pouvoirs publics, Internet s'offre comme un puissant mode de contournement, d'accès immédiat au XXIe siècle, à titre privé ou à titre professionnel (17 milliards de courriels professionnels sont échangés chaque jour dans le monde). Mais si les internautes représentent environ 10 % de la population mondiale, cela signifie que 90 % des habitants de la planète n'ont pas accès à ce média : nouveaux exclus du pouvoir culturel, massivement situés dans les aires d'exclusion traditionnelles. Et la télévision, si décriée ? Elle semble le vecteur privilégié d'une démocratisation culturelle sauvage. De l'Algérie à la Chine, les antennes paraboliques permettent aux exclus d'accéder aux informations de la mondialisation. Tout comme la radio, la télévision est présente partout. Son coût est peu élevé.

Tous les régimes politiques en ont besoin : publicité et propagande s'expriment à travers elle.

Ainsi s'ébauche un système planétaire de communication. La télévision, constitue un des grands instruments de la mondialisation. Elle retransmet des événements planétaires. En même temps, elle s'adapte aux publics ; ses styles sont nationaux, parfois régionaux. Les chaînes se comptent par centaines. Les unes sont continentales, d'autres nationales, d'autres régionales. Elles se spécialisent.

Trois questions surgissent alors.

Cette mondialisation de la communication sera-t-elle dominée par des grands groupes, qui, tel *Big Brother*, dicteront aux hommes ce qu'ils doivent penser ? La technique, la concurrence, les rêves de convergence entre tous les supports de la communication poussent à la formation de conglomérats : *Time-Warner, News Corporation…* Monstres fragiles. Constamment apparaissent des « pirates », petites ou moyennes entreprises très mobiles, identifiant les besoins nouveaux et bousculant les empires établis. Face aux grandes machines

médiatiques, prolifèrent des expressions nouvelles d'opinions : mouvements de rébellion, organisations non gouvernementales, individus exploitant l'événement. Le « sous-commandant » Marcos, l'homme de la révolte du Chiapas (Mexique), conquiert la notoriété internationale par quelques images de télévision, puis par ses messages sur Internet. Le jeu de la communication demeure ouvert.

Quel impact cette révolution de la communication a-t-elle sur les États ? L'État-nation dispose, avec la culture nationale, d'un espace propre de communication. Beaucoup de pays du tiers-monde se trouvent encore à ce stade. Mais la porosité croissante des frontières, l'internationalisation des circuits de communication transforment les relations entre l'individu et l'État. L'individu a désormais accès à plusieurs sources d'information, qu'il peut comparer. L'État garde des moyens pour contrôler son espace (ainsi la Chine s'efforçant de bloquer le déferlement d'Internet et l'Arabie Saoudite l'accès aux chaînes de télévision par satellite). Mais l'efficacité de ces outils est très limitée.

La mondialisation de la communication implique-t-elle une culture mondiale uniforme ? Ce danger, constamment évoqué, n'a guère de chance de se matérialiser. Les moyens modernes de communication, de la radio à la télévision, du téléphone à Internet, peuvent déstabiliser toute culture établie, permettant aux individus de comparer ce qu'ils ont et ce qu'ils sont avec ce qu'ont et ce que sont les autres, à condition de ne pas être manipulés. Pour paraphraser

Max Weber, ces moyens « désenchantent le monde ». Mais il s'agit là d'instruments. S'ils contraignent les hommes à se repenser, il n'en reste pas moins que chacun peut les utiliser à sa manière. Aujourd'hui Hollywood demeure la « Mecque du cinéma », dominant la plupart des marchés. Mais, comme le montre l'épanouissement des films chinois, taiwanais, iraniens, ukrainiens, d'autres cinémas s'affirment, et certains renaissent, tel le cinéma britannique. ■

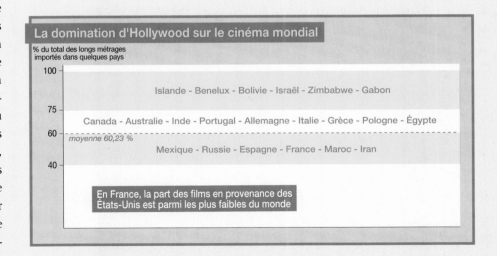

La domination d'Hollywood sur le cinéma mondial

% du total des longs métrages importés dans quelques pays

100 —

Islande - Benelux - Bolivie - Israël - Zimbabwe - Gabon

75 —

Canada - Australie - Inde - Portugal - Allemagne - Italie - Grèce - Pologne - Égypte

60 — *moyenne 60,23 %*

Mexique - Russie - Espagne - France - Maroc - Iran

40 —

En France, la part des films en provenance des États-Unis est parmi les plus faibles du monde

Les principales religions

*« ...trois grands espaces
structurent le monde
des croyances religieuses... »*

DU POINT DE VUE DES CROYANCES RELIGIEUSES, le monde est structuré en trois grands espaces. Ces espaces non seulement sont loin d'être homogènes, mais ont des frontières disputées. L'aire chrétienne inclut l'Europe, les Amériques et l'Afrique au sud du Sahara. L'islam s'étire du nord de l'Afrique à l'Indonésie, avec, pour zone centrale, le Moyen-Orient. L'Asie, elle, a résisté à ces deux déferlantes – chrétienne, musulmane – et conserve des identités religieuses ou philosophiques plus ou moins nationales (hindouisme en Inde, ailleurs bouddhisme, shinto au Japon…). Par ailleurs, la première des religions monothéistes, le judaïsme, a suivi le sort de la diaspora juive dans le monde.

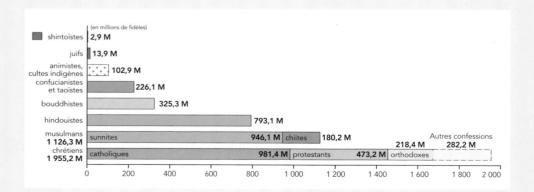

(en millions de fidèles)

shintoïstes	2,9 M
juifs	13,9 M
animistes, cultes indigènes	102,9 M
confucianistes et taoïstes	226,1 M
bouddhistes	325,3 M
hindouistes	793,1 M
musulmans 1 126,3 M	sunnites 946,1 M	chiites 180,2 M
chrétiens 1 955,2 M	catholiques 981,4 M	protestants 473,2 M	orthodoxes 218,4 M	Autres confessions 282,2 M

0   200   400   600   800   1 000   1 200   1 400   1 600   1 800   2 000

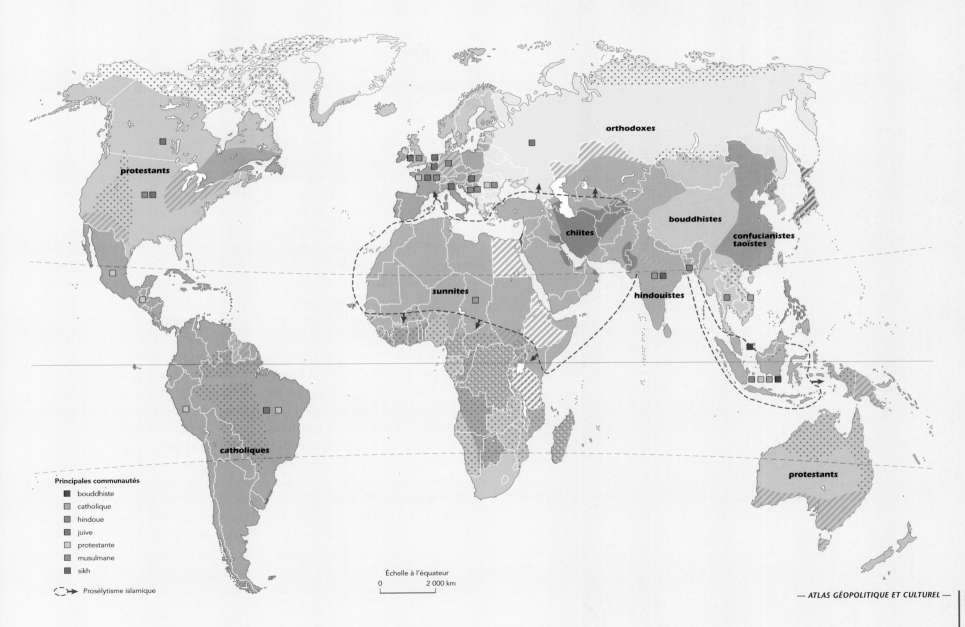

protestants

orthodoxes

chiites

bouddhistes

confucianistes
taoïstes

sunnites

hindouistes

catholiques

protestants

Principales communautés

- bouddhiste
- catholique
- hindoue
- juive
- protestante
- musulmane
- sikh

Prosélytisme islamique

Échelle à l'équateur

0   2 000 km

Les principales religions

*« ...toutes les sociétés
humaines ont bâti
une transcendance
qui les lie ensemble... »*

LA DISTRIBUTION GÉOGRAPHIQUE des religions modernes n'est compréhensible qu'en suivant l'histoire pas à pas.

La chrétienté se forme dans l'Empire romain, qu'elle rebâtit à sa manière. La chrétienté fonde et organise l'Europe moderne. Deux grands conflits déchirent cette chrétienté à dix siècles de distance. Tout d'abord se produit la cassure entre Rome et Byzance, le grand schisme du IVe siècle entre Occident et Orient. À l'Ouest le catholicisme se répand, à partir de la Renaissance, avec la colonisation par le Portugal et l'Espagne de l'Amérique du Sud, par l'Angleterre de l'Amérique du Nord, puis au XIXe siècle par la France et l'Angleterre de l'Afrique noire. À l'Est, l'orthodoxie, une fois sa capitale, Byzance, tombée aux mains des Ottomans (1453), se développe dans des cadres nationaux (Églises autocéphales). Toutefois l'immense Russie se considère comme la Troisième Rome, celle qui transcende la Rome corrompue des papes et la Rome vaincue par l'Islam, Byzance.

Une rupture se produit au XVIe siè-cle, avec la Réforme. Les rébellions protestantes triomphent dans l'Europe du Nord puis s'épanouissent chez les grands enfants de l'Europe : États-Unis, Canada (avec son exception catholique : le Québec francophone), Australie. En résumé, l'espace chrétien et ses divisions sont indissociables de l'expansion et des rivalités des puissances européennes à partir de la Renaissance. La chrétienté n'a jamais été un bloc. Ses conflits internes sont nombreux et encore actuels. L'orthodoxie se perçoit comme persécutée, marginalisée par le catholicisme : ainsi, en ex-Yougoslavie, les luttes entre Serbes et Croates. Catholicisme et protestantisme s'observent avec méfiance et souvent se disputent les fidèles : c'est aujourd'hui le cas en Afrique et en Amérique latine.

La diffusion de l'islam, à partir du VIIe siècle, résulte aussi d'aventures impériales : conquête du Moyen-Orient et de l'Afrique du Nord par les tribus arabes ; conversion des Turcs dont les poussées conquérantes, par exemple, en Inde, contribuent également à cette diffusion. L'islam paraît garder une dynamique d'expansion (principalement en Afrique) que semblent avoir perdue les autres monothéismes. Il parvient encore à se montrer comme la religion des pauvres, des exclus. D'où son succès dans les pays en crise profonde, sous la forme sunnite (Algérie) ou chiite (Iran).

Enfin, l'Asie a résisté assez bien à ces vagues monothéistes. Elle appartient à un autre univers : les religions ne visent pas à promettre le paradis au-delà de la mort ; elles se contentent de mettre un peu d'ordre dans le chaos cosmique. Mais le bouddhisme ou plus encore le confucianisme ne peuvent être considérés comme des religions dans le sens occidental de la notion.

Le phénomène religieux dépasse ses représentations géographiques. Toutes les sociétés humaines ont besoin d'une transcendance qui les lie ensemble. Ces transcendances sont très diverses : Dieu ou dieux mais aussi la Cité, la Nation, une idéologie. Chaque expérience de ce type s'inscrit dans un contexte culturel et politique propre. Le terme « religion » a autant de sens qu'il y a de formes religieuses. De plus ces formes se modifient, engendrant des institutions et des pouvoirs.

Aujourd'hui, toutes les religions établies sont bousculées. Cette déstabilisation résulte en partie de la sécularisation des sociétés, les démocraties repliant les activités strictement religieuses sur le domaine privé. Intervient également le désir de certains d'élaborer leur propre religion. L'individualisme favorise les syncrétismes, les sectes, valorisées lorsqu'elles sont assimilées à des religions (États-Unis), combattues quand elles outrepassent les droits de la personne, les communautés. D'où des réactions intégristes, dans l'islam, mais aussi dans le catholicisme, le judaïsme…, tentatives anxieuses ou rageuses pour retrouver un âge d'or probablement hypothétique, où religion, société et État coïncidaient parfaitement.

Dans un monde où les grandes religions éprouvent une difficulté croissante à se poser en détentrices exclusives de la vérité, l'obligation de tolérance mutuelle, d'œcuménisme de fait encourage tant la coexistence pacifique que la concurrence entre les croyances. Un marché des croyances organise le face-à-face entre la demande individuelle ou collective et l'offre des organisations religieuses de tous types. En Amérique latine, terre catholique, les protestants réalisent des percées. En Afrique, au sud du Sahara, l'islam remplace souvent le catholicisme. La carte, en divisant la planète en plusieurs espaces, ne doit pas masquer une unité profonde et toujours en mouvement. Les croyances circulent, surgissant là où on ne les attend pas (l'islam en milieu noir protestataire, aux États-Unis), se mélangeant les unes aux autres dans des métissages infinis. Sous les grandes masses, le rapport au religieux est variable et complexe. Le religieux n'est pas au-dessus des sociétés, il en est l'une des composantes. ■

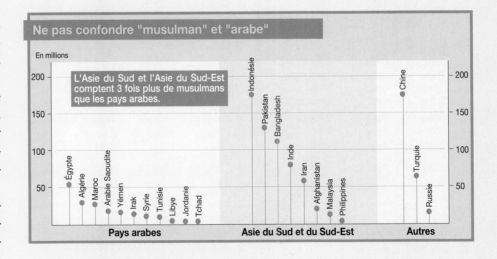

Ne pas confondre "musulman" et "arabe"

En millions

L'Asie du Sud et l'Asie du Sud-Est comptent 3 fois plus de musulmans que les pays arabes.

Pays arabes : Égypte, Algérie, Maroc, Arabie Saoudite, Yémen, Irak, Syrie, Tunisie, Libye, Jordanie, Tchad

Asie du Sud et du Sud-Est : Indonésie, Pakistan, Bangladesh, Inde, Iran, Afghanistan, Malaysia, Philippines

Autres : Chine, Turquie, Russie

Religion et politique
Religions officielles

« ...dans "religion et politique" toutes les nuances du "et"... »

COMMENT SÉPARER RELIGION ET POLITIQUE ? Leur domaine est le même : donner du sens à la vie des hommes, créer du lien collectif. Pourtant la modernité, l'occidentalisation relative du monde veulent ou paraissent vouloir la séparation du religieux et du politique, la croyance devenant une affaire privée. Il en résulte, dans les faits, des situations complexes ou conflictuelles. Les démocraties occidentales sont en principe sécularisées. En même temps, chacune d'elles développe une relation spécifique au religieux. Ailleurs, par exemple dans le monde musulman, le fait religieux peut être mobilisé au service du politique, tant pour bouleverser l'ordre établi (révolution khomeiniste en Iran) que pour lui redonner de la légitimité (Arabie Saoudite). Par ces interactions constantes entre religion et politique, les zones-frontières entre grandes religions – ainsi l'ex-Yougoslavie ou à l'intérieur d'une de ces religions, entre deux variantes (l'Irlande) – sont souvent violentes. L'élément religieux ne se sépare pas d'autres combats enracinés dans des siècles de coexistence pas toujours harmonieuse.

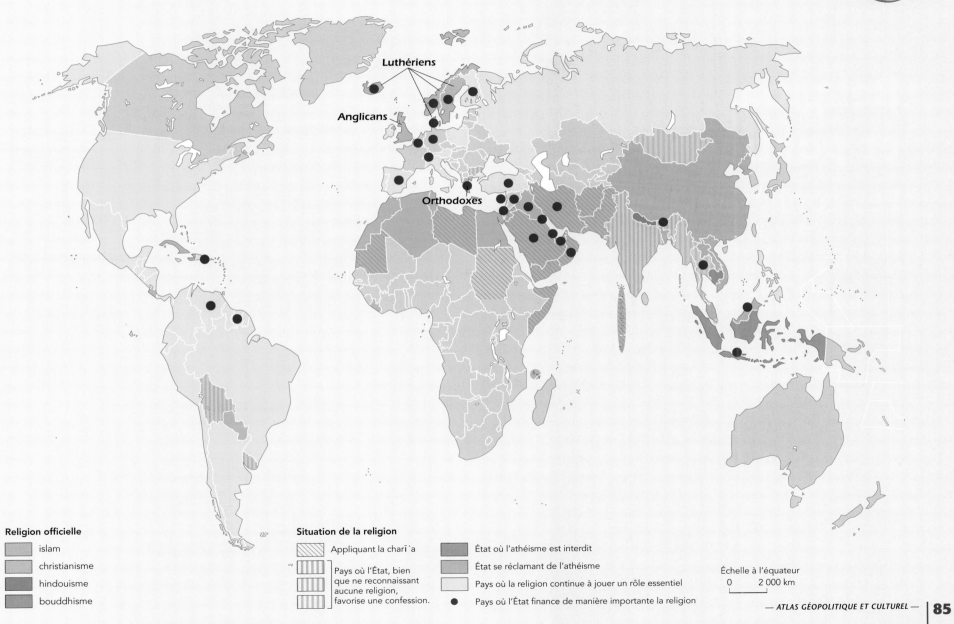

Luthériens

Anglicans

Orthodoxes

Religion officielle

- islam
- christianisme
- hindouisme
- bouddhisme

Situation de la religion

Appliquant la charī`a

Pays où l'État, bien que ne reconnaissant aucune religion, favorise une confession.

État où l'athéisme est interdit

État se réclamant de l'athéisme

Pays où la religion continue à jouer un rôle essentiel

● Pays où l'État finance de manière importante la religion

Échelle à l'équateur

0   2 000 km

Le monde en questions

Religion et politique

Les conflits religieux

« ...les véritables enjeux

ne sont pas religieux,

mais sociaux et politiques... »

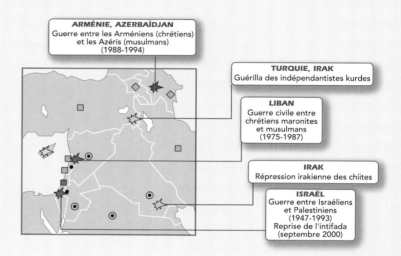

ARMÉNIE, AZERBAÏDJAN
Guerre entre les Arméniens (chrétiens) et les Azéris (musulmans) (1988-1994)

TURQUIE, IRAK
Guérilla des indépendantistes kurdes

LIBAN
Guerre civile entre chrétiens maronites et musulmans (1975-1987)

IRAK
Répression irakienne des chiites

ISRAËL
Guerre entre Israéliens et Palestiniens (1947-1993)
Reprise de l'intifada (septembre 2000)

Guerre civile
(nationale ou régionale) ou conflit :

- ⭐ où la religion joue un rôle majeur
- ⭐ où la religion joue un rôle important, parmi d'autres facteurs
- ⭐ où la religion joue un rôle mineur
- ⭐ Violences sporadiques ou cohabitation religieuse difficile
- ⊙ Groupe islamiste actif
- • Groupe islamiste en lutte contre l'État (y compris terrorisme)

Partis politiques :
militant activement en faveur d'une confession religieuse
◼ christianisme ◼ islam ◼ judaïsme ◼ hindouisme

se réclamant d'une confession religieuse
◆ christianisme ◆ islam ◆ hindouisme

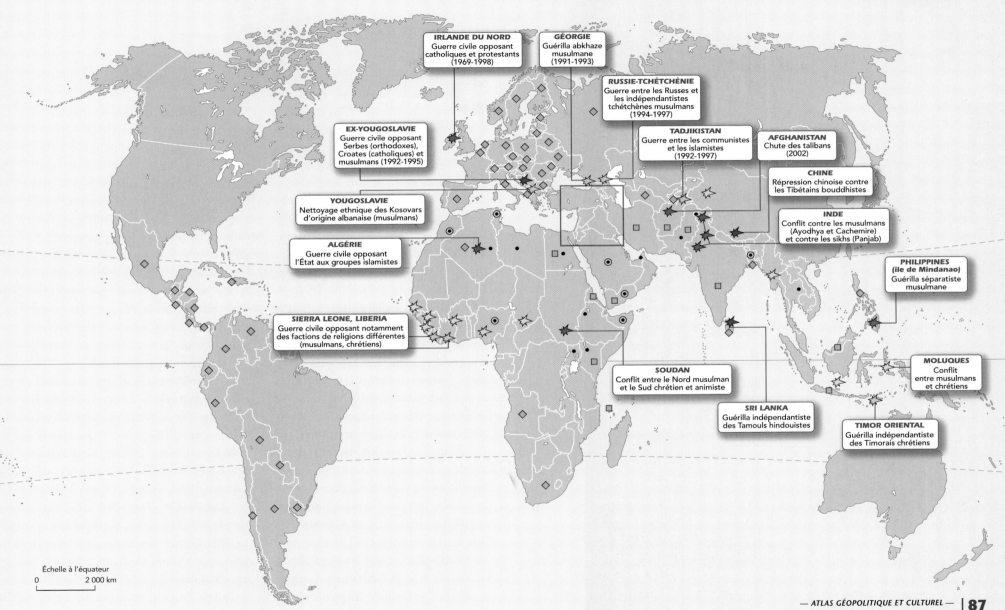

IRLANDE DU NORD
Guerre civile opposant catholiques et protestants (1969-1998)

GÉORGIE
Guérilla abkhaze musulmane (1991-1993)

RUSSIE-TCHÉTCHÉNIE
Guerre entre les Russes et les indépendantistes tchétchènes musulmans (1994-1997)

EX-YOUGOSLAVIE
Guerre civile opposant Serbes (orthodoxes), Croates (catholiques) et musulmans (1992-1995)

TADJIKISTAN
Guerre entre les communistes et les islamistes (1992-1997)

AFGHANISTAN
Chute des talibans (2002)

CHINE
Répression chinoise contre les Tibétains bouddhistes

YOUGOSLAVIE
Nettoyage ethnique des Kosovars d'origine albanaise (musulmans)

INDE
Conflit contre les musulmans (Ayodhya et Cachemire) et contre les sikhs (Panjab)

ALGÉRIE
Guerre civile opposant l'État aux groupes islamistes

PHILIPPINES (île de Mindanao)
Guérilla séparatiste musulmane

SIERRA LEONE, LIBERIA
Guerre civile opposant notamment des factions de religions différentes (musulmans, chrétiens)

MOLUQUES
Conflit entre musulmans et chrétiens

SOUDAN
Conflit entre le Nord musulman et le Sud chrétien et animiste

SRI LANKA
Guérilla indépendantiste des Tamouls hindouistes

TIMOR ORIENTAL
Guérilla indépendantiste des Timorais chrétiens

Échelle à l'équateur
0   2 000 km

Religion et politique

*« …la modernité occidentale,
au nom de la liberté
de l'individu, sépare
religion et politique… »*

DANS LE MONDE ANTIQUE, religion et politique ne se dissocient pas : les dieux sont ceux de la Cité, ceux d'un peuple, exceptionnellement un seul Dieu (ainsi Jehovah, Dieu jaloux du peuple élu). De même, en Asie, la religion est une composante de l'ordre du monde, société et cosmos appartenant à la même totalité. L'émergence du christianisme, avec son ambition d'universalité – ce que dit le mot *catholicisme* – , change la donne. Si la Rome impériale se convertit au christianisme, ce dernier garde un destin propre, se perpétuant au-delà de la chute de Rome. Alors commence l'ère des rapports complexes entre religion et politique, avec l'Europe comme laboratoire. La religion se place au-dessus des sociétés établies mais ne peut oublier que Dieu a besoin des hommes. Parallèlement, le politique affirme son autonomie par rapport au religieux devenu lui-même politique (monarques s'affranchissant du pape ou s'opposant à lui) mais reconnaît que tout pouvoir doit s'appuyer sur une transcendance. Aujourd'hui la modernité, au nom de la liberté de l'individu, sépare religion et politique (laïcité, sécularisation).

Dans les démocraties occidentales, le pluralisme religieux est acquis. Mais il n'existe pas d'État officiellement areligieux. La croyance en Dieu est l'un des fondements de l'unité des États-Unis mais Dieu peut avoir plusieurs visages. Les pays de tradition catholique (France, Italie, Espagne…) savent qu'il y a dans cette religion une source remarquable de cohésion et ne veulent pas la perdre. Les monarchies nordiques gardent une religion officielle, tout en étant d'une tolérance parfaite en matière d'opinions religieuses individuelles.

Le monde musulman est, lui aussi, évolutif, comme le montre, en dépit de toutes les résistances, l'évolution lente, contrariée de la condition féminine. L'islam est implanté dans des zones à l'histoire tragique. Le Moyen-Orient, depuis « l'âge d'or » des Omeyades (660-749) puis des Abbassides (750-1258), ne cesse d'être un enjeu entre des ambitions impériales, ottomanes, mongoles, françaises, américaines. L'islam se présente à la fois comme l'instrument de la résistance et de la renaissance (tout comme, en Grèce, l'orthodoxie maintint l'identité nationale et, en Russie, fut et reste le refuge contre la « corruption » de l'Ouest). Le poids du religieux ne peut être séparé du contexte d'ensemble, les réactions intégristes visant à dépasser une humiliation ou à empêcher une mutation redoutée.

La mise au service du religieux par le politique et, plus précisément, par l'État, démarche typiquement occidentale, atteint l'Asie. Le Japon, à l'avant-garde de l'occidentalisation, érige sous l'ère Meiji (1868-1912) le shintoïsme, système traditionnel de croyance, en religion d'État, fondée sur le culte de l'Empereur. L'Inde, terre de l'effervescence religieuse, n'échappe pas à cette évolution : l'hindouisme, avec l'apparition du Bharatiya Janata Party (BJP) en 1984, y est utilisé contre les musulmans. La Chine, qui se réclame de l'athéisme depuis la victoire du maoïsme en 1949, a donné au culte de la personnalité des traits religieux ; mais comment continuer d'y croire quand le pouvoir n'est plus qu'une machine à pouvoir n'est plus qu'une machine à

se perpétuer ? Alors renaissent les sectes à effet politique, telle la secte Falungong, qui pénètre toutes les couches de la population et même les dirigeants communistes.

Les conflits dits religieux sont en fait des conflits entre communautés, ayant des religions différentes, mais s'entretuant pour des motifs bien plus immédiats : revendications d'un même sol (catholiques et protestants en Irlande du Nord ; juifs et musulmans en Israël – Palestiniens ; orthodoxes et musulmans en Arménie-Azerbaïdjan…) ; luttes pour le contrôle d'un État (Algérie, Sierra Leone…). Dans cette perspective, même les aspirations indépendantistes du Québec pourraient être qualifiées de conflit religieux, opposant aux Québécois francophones catholiques les Canadiens anglophones protestants !

Aujourd'hui, se dessinerait une ligne de feu entre chrétienté et islam (populations musulmanes d'Europe occidentale, ex-Yougoslavie, Caucase, Asie centrale). Cette interprétation suppose que chrétienté et islam constituent deux blocs homogènes. Cette

approche ne résiste guère à l'examen. L'intégration de musulmans dans les démocraties occidentales, les combats entre Serbes et Albanais, l'atroce guerre de Tchétchénie, ni même les guerres en Irak (1991, 2003) ne peuvent pas être traités comme un seul et même problème, mettant face à face deux entités, la chrétienté et l'islam. Les véritables enjeux ne sont pas religieux, mais sociaux et politiques. L'Occident et d'abord l'Europe démocratique et développée doivent parvenir à insérer leurs périphéries dans les circuits économiques et politiques mondiaux. Comment faire pour que ces périphéries vivent cette insertion non comme une exploitation et une aliénation, mais comme une nouvelle naissance ? ■

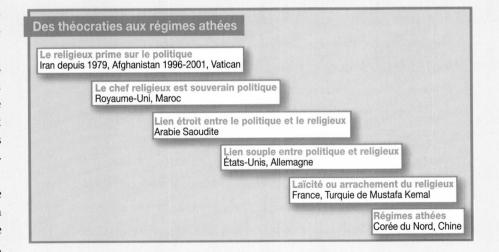

Des théocraties aux régimes athées

Le religieux prime sur le politique
Iran depuis 1979, Afghanistan 1996-2001, Vatican

Le chef religieux est souverain politique
Royaume-Uni, Maroc

Lien étroit entre le politique et le religieux
Arabie Saoudite

Lien souple entre politique et religieux
États-Unis, Allemagne

Laïcité ou arrachement du religieux
France, Turquie de Mustafa Kemal

Régimes athées
Corée du Nord, Chine

Le monde actuel est né de l'expansion des puissances européennes, du XVIᵉ siècle aux deux guerres mondiales. L'histoire mondiale tendait alors à se réduire aux affrontements entre puissances européennes. Puis l'Europe étant, du fait de ses conflits internes, la grande perdante des deux guerres mondiales, la planète, pendant une quarantaine d'années, devint un vaste échiquier pour les deux « super-grands », États-Unis et URSS. En 1989-1991, le monde soviétique s'écroule, miné de l'intérieur par ses archaïsmes et ses échecs. Alors émerge le monde « post Est-Ouest » : trop jeune pour être qualifié par des traits politiques, économiques, culturels propres, il n'est pour le moment que le monde qui a troqué l'ordre américano-soviétique contre la domination contestée des seuls États-Unis. Ce monde se caractérise par une prolifération d'abcès, les conflits interminables entre des peuples en général pauvres se disputant les mêmes terres. Ces conflits sont complexes, tout autant guerres civiles que rivalités entre nations, affrontements classiques entre États que luttes entre bandes. En même temps, ce monde est celui de la globalisation, avec l'émergence d'enjeux planétaires : tout grand problème économique, social, politique se pose désormais simultanément à plusieurs niveaux : mondial, continental, national, local. Les inégalités entre sexes, les maladies deviennent comme les économies parallèles et le crime organisé à finalité financière (mafias) des problèmes globaux, tout (des microbes aux individus) circulant plus loin et plus vite et les informations se diffusant instantanément sur l'ensemble de la planète.

GRANDS
ENJEUX

Les grandes puissances coloniales

« ...si la colonisation est un phénomène du passé, ses effets demeurent... »

L A COLONISATION appartient au passé. Du XVIᵉ siècle aux deux guerres mondiales, les puissances européennes se sont partagé le monde. Mais, à force de s'entredéchirer, ces puissances ont perdu leurs empires. C'est la grande vague de la décolonisation. Est-elle terminée aujourd'hui ? L'URSS, dernier grand empire, s'effondre en 1991. D'autres formes de décolonisation s'annoncent : éclatement d'ensembles politiques imposés (Yougoslavie, par exemple) ; mise en cause des structures mêmes des États ex-colonisateurs (aspirations indépendantistes en Espagne, au Royaume-Uni , en France, en Italie du Nord).
Enfin la décolonisation économique, qui libérerait des États jeunes et pauvres de l'emprise des multinationales, ne semble pas s'annoncer.

Puissances coloniales

- Allemagne
- Belgique
- Espagne
- États-Unis
- France
- Italie
- Japon
- Pays-Bas
- Portugal
- Royaume-Uni
- Empire russe
- Dominion

Le monde
en questions

Groenland
(Dan.)

Alaska
(É.-U.)

CANADA

Terre-Neuve

St-Pierre-
et-Miquelon

ÉTATS-UNIS

Bermudes

ROYAUME-UNI

EMPIRE RUSSE

P.-B. ALLEMAGNE
AUTRICHE-
BELGIQUE HONGRIE
FRANCE

Dairen
(Russie)

CORÉE JAPON

Wei-hai-wei

PORTUGAL ESPAGNE ITALIE
EMPIRE
OTTOMAN

CHINE

Ts'ing-tao

Hawaii

Açores

Gibraltar
Ceuta
Melilla

AFG.

CUBA

Bahamas

Madère

PERSE

FORMOSE

MEXIQUE

Canaries

LIBYE

ÉGYPTE

ARABIE

INDE
Hong-Kong

Macao

HONDURAS-
BRITANNIQUE

RIO DE ORO

Chandernagor

Kouang-tcheou

Marianne

Porto-Rico

ÉRYTHRÉE

OMAN

Diu Daman

JAMAÏQUE

Guadeloupe

Cap-Vert

AFRIQUE-OCC.
FRANÇAISE

SOUDAN
ANGLO-
ÉGYPTIEN

ADEN
CÔTE FRANÇAISE
DES SOMALIS

Goa

Yanaon

SIAM
INDOCHINE
FRANÇAISE

Guam

Martinique

Mahé

PHILIPPINES

PANAMA
zone du canal
(É.-U.)

VENEZUELA

GAMBIE
GUINÉE
PORT.
SIERRA
LEONE

NIGERIA

Socotra
SOMALIE
BRIT.

Pondichéry
Karikal

Marshall

GUYANE BRIT.
GUYANE HOLL.
GUYANE FRANÇ.

ABYSSINIE

SOMALIE
ITALIENNE

CEYLAN

Belau

COLOMBIE

CÔTE-DE-L'OR
TOGO

CONGO

OUGANDA

Laquedives

Carolines

ÉQUATEUR

CAMEROUN
AFRIQUE-
ÉQUATORIALE
FRANÇAISE

AFRIQUE-
ORIENT.
ALL.

Maldives

AFRIQUE-
ORIENT. ANGLAISE

Zanzibar

Seychelles

Chagos

INDES
NÉERLANDAISES

ARCHIPEL BISMARCK
Terre de l'Empereur
Guillaume

TIMOR

PAPOUASIE

Ascension

PÉROU

BRÉSIL

ANGOLA

RHODÉSIE-
DU-N.

MOZAMBIQUE

Comores

MADAGASCAR

Cocos

Christmas

Salomon

BOLIVIE

Ste-Hélène

SUD-OUEST
AFRICAIN

RHODÉSIE-
DU-S.

Maurice

Réunion

AUSTRALIE

Nouvelle-
Calédonie
(Fr.)

PARAGUAY

Walvis Bay

BECHUANALAND

SWAZILAND

CHILI

URUGUAY

UNION
SUD-AFRICAINE

BASUTOLAND

Crozet

Nlle-Amsterdam

TASMANIE

NOUVELLE-
ZÉLANDE

ARGENTINE

Kerguelen

St-Paul

Malouines

Échelle à l'équateur

0   2 000 km

Les grandes puissances coloniales

« ...la décolonisation, c'est aussi l'intégration de l'héritage colonial... »

S I LA COLONISATION est un phénomène du passé, ses effets demeurent. Le monde post-colonial est irrémédiablement différent du monde pré-colonial. Dès le XVe siècle, le Portugal et l'Espagne entrent les premiers dans la course. Les routes de la soie par l'Asie centrale devenant très difficiles, il s'agit de trouver, par les océans, la meilleure voie pour atteindre par l'Ouest, croit-on, l'Extrême-Orient. Christophe Colomb, financé par l'Espagne pour rejoindre l'Asie, bute, sans le savoir, sur une île proche d'un immense continent qui, plus tard, sera appelé Amérique. Ces premières colonisations par l'Espagne et le Portugal sont parmi les plus brutales. Une grande partie des Indiens d'Amérique du Sud est anéantie. Aujourd'hui, cette Amérique du Sud parle soit espagnol, soit portugais, les langues amérindiennes survivant mieux qu'en Amérique du Nord. Suivent les Pays-Bas, la France et le Royaume-Uni. À la fin du XVIIIe siècle, ce dernier est devenu le maître de l'Amérique du Nord et des Indes. L'Empire britannique accouche de la puissance qui va dominer le XXe siècle :

les États-Unis, premier pays à s'émanciper d'une métropole coloniale, avec le soutien de la France.

La conquête du monde n'est pas finie. Au XIXe siècle, la Chine est ouverte à coups de canon et mise sous tutelle. Le Japon échappe de peu au même sort, mais se sauve en se faisant lui-même puissance coloniale (Corée, Taiwan). Deux zones restent à partager : l'Afrique, envahie par les États européens à la fin du XIXe siècle ; le Moyen-Orient, encore largement tenu par l'Empire ottoman, que se disputent l'Angleterre et la France à l'issue de la Première Guerre mondiale. Parallèlement, d'autres colonisations ont lieu : la Russie conquiert la Sibérie ; les États-Unis s'approprient ce qui devient leur « Ouest », empiétant au sud sur le Mexique.

Les traces de la colonisation sont ineffaçables mais variables. Deux continents sont totalement remodelés par elle. L'Amérique au nord du Rio Grande et au sud du Brésil perd la plupart de ses habitants originels et peut être regardée comme une seconde Europe, divisée entre des États de type européen, au moins dans les apparences. Mais les temps précolombiens ne disparaissent pas totalement. Les Amérindiens, au Mexique, dans les régions andines, au Paraguay font partie intégrante de la personnalité des États. Aujourd'hui ces Indiens commencent à ne plus subir, mais à réagir, en demandant réparation pour leurs souffrances.

Avec l'Amérique, l'Afrique est sans doute la région la plus bouleversée par la colonisation. La conquête de l'Afrique se produit environ trois siècles après celle de l'Amérique. Les populations locales, saignées par l'esclavage, ne subissent pourtant pas le quasi-anéantissement des Indiens d'Amérique du Nord. La domination européenne dure moins d'un siècle. Il en résulte une Afrique partagée en une cinquantaine d'États, aux frontières tracées arbitrairement par les colonisateurs.

Quant à l'Asie, elle entre en convulsion sous le choc de cette colonisation : effondrement de la Chine impériale ; expansionnisme japonais ; guerres de libération nationale... Les valeurs occidentales – nation, progrès, socialisme, économie de mar-

ché, liberté individuelle... – pénètrent l'Asie qui, les brandissant à son tour, se révolte contre les colonisateurs. Au lendemain de la Deuxième Guerre mondiale, la nouvelle Asie, faite d'États-nations... à l'asiatique, émerge dans le sang et la guerre, puis décolle économiquement.

Enfin, le Moyen-Orient, d'abord protégé par d'anciens empires (Perse, Empire ottoman), est la dernière région à tomber, après la Première Guerre mondiale, sous l'emprise européenne. Le résultat est des plus chaotiques. L'Europe sème ses idées (notamment la quasi-invention de la nation arabe par l'Angleterre, durant

la Première Guerre mondiale) et tente de se débarrasser du problème sioniste, avec la Déclaration Balfour (2 novembre 1917) qui promet aux Juifs du monde entier un foyer national en Palestine.

La colonisation a unifié la Terre, dans la mesure où elle a diffusé des concepts universels en apparence : l'État souverain, le développement économique, peut-être les droits de l'homme... La décolonisation n'est pas l'effacement – impossible – de la colonisation, mais une nouvelle phase dite post-coloniale, qui ne peut être accomplie que si les anciens colonisés recréent leur identité en inté-

grant l'héritage de la colonisation. La décolonisation a quelque chose d'une dynamique sans fin. Venue des terres colonisées, elle frappe aujourd'hui les anciens colonisateurs. L'État espagnol, l'État britannique, l'État français disposaient, avec l'aventure impériale, d'un puissant vecteur d'unité et de grandeur. Le reflux de ces pays les contraint à une double métamorphose : d'une part, quête d'une nouvelle raison d'être (par exemple, dans un projet commun, la construction européenne) ; d'autre part, renégociation des pactes étatiques, afin de « décoloniser », non de conférer une autonomie aux périphéries. ■

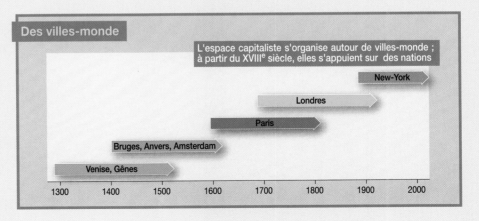

Des villes-monde

L'espace capitaliste s'organise autour de villes-monde ; à partir du XVIIIᵉ siècle, elles s'appuient sur des nations

New-York

Londres

Paris

Bruges, Anvers, Amsterdam

Venise, Gênes

1300 1400 1500 1600 1700 1800 1900 2000

La guerre froide

« …"guerre impossible,

paix improbable"… »

L A GUERRE FROIDE, dans le sens large où on emploie le terme aujourd'hui, opposa, de la Deuxième Guerre mondiale aux années 1989-1991, l'Ouest, le camp occidental capitaliste et libéral, et l'Est, le camp soviétique « socialiste » au sens marxiste : l'enjeu en était la planète entière, chacun des deux protagonistes ayant pour objectif le ralliement de toute l'humanité à son idéologie. L'affrontement était multiforme. L'Allemagne, l'Europe, le tiers-monde furent tous emportés dans ce face-à-face complexe. « Paix impossible, guerre improbable », selon la formule célèbre de Raymond Aron. En 1989-1991, l'Occident gagne ou plutôt l'Est perd. L'URSS s'effondre, épuisée par l'écart entre ses moyens et ses fins, sous le poids de ses ambitions (accumulation d'armements, multiplication des engagements extérieurs) et de la dégradation du grand rêve révolutionnaire en machine bureaucratique et militaire.

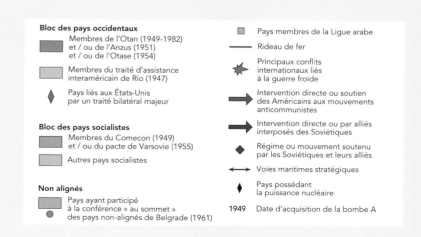

Bloc des pays occidentaux

Membres de l'Otan (1949-1982)
et / ou de l'Anzus (1951)
et / ou de l'Otase (1954)

Membres du traité d'assistance
interaméricain de Rio (1947)

Pays liés aux États-Unis
par un traité bilatéral majeur

Bloc des pays socialistes

Membres du Comecon (1949)
et / ou du pacte de Varsovie (1955)

Autres pays socialistes

Non alignés

Pays ayant participé
à la conférence « au sommet »
des pays non-alignés de Belgrade (1961)

Pays membres de la Ligue arabe

Rideau de fer

Principaux conflits
internationaux liés
à la guerre froide

Intervention directe ou soutien
des Américains aux mouvements
anticommunistes

Intervention directe ou par alliés
interposés des Soviétiques

Régime ou mouvement soutenu
par les Soviétiques et leurs alliés

Voies maritimes stratégiques

Pays possédant
la puissance nucléaire

1949   Date d'acquisition de la bombe A

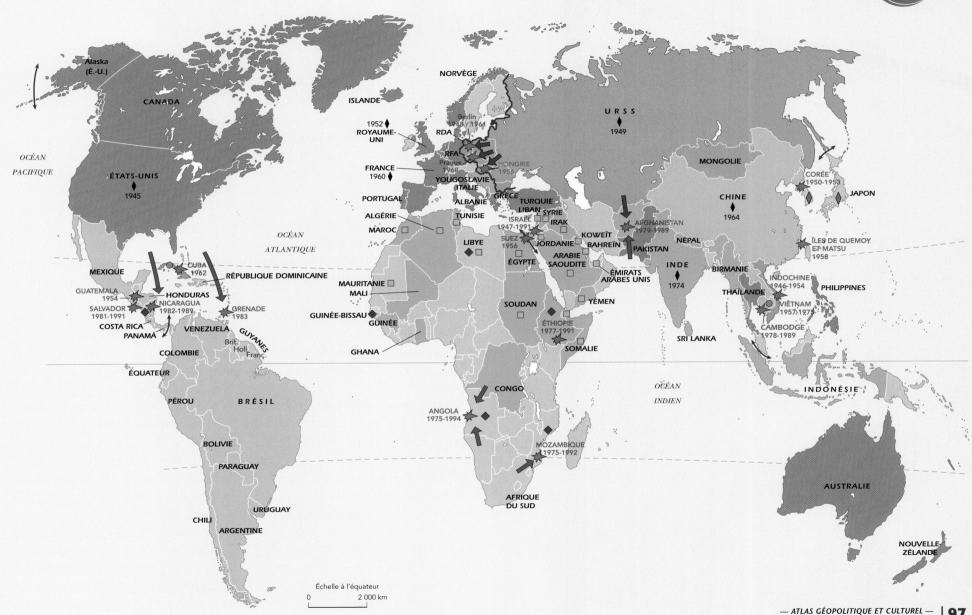

Alaska
(É.-U.)

CANADA

NORVÈGE

ISLANDE

U R S S
1949

MONGOLIE

OCÉAN
PACIFIQUE

ÉTATS-UNIS
1945

1952
ROYAUME-
UNI

Berlin
1948/1961

RDA

RFA

Prague
1968

HONGRIE
1956

FRANCE
1960

YOUGOSLAVIE
ITALIE

CHINE
1964

CORÉE
1950-1953

JAPON

PORTUGAL

ALBANIE

GRÈCE

TURQUIE

LIBAN   SYRIE

ALGÉRIE

TUNISIE

ISRAEL
1947-1991

IRAK

KOWEÏT

AFGHANISTAN
1979-1989

NÉPAL

ÎLES DE QUEMOY
ET MATSU
1958

MAROC

OCÉAN
ATLANTIQUE

LIBYE

SUEZ
1956

JORDANIE

BAHREÏN

PAKISTAN

INDE
1974

BIRMANIE

MEXIQUE

CUBA
1962

RÉPUBLIQUE DOMINICAINE

ÉGYPTE

ARABIE
SAOUDITE

ÉMIRATS
ARABES UNIS

INDOCHINE
1946-1954

PHILIPPINES

GUATEMALA
1954

HONDURAS
NICARAGUA

GRENADE
1983

MAURITANIE
MALI

THAÏLANDE

VIÊTNAM
1957-1975

SALVADOR
1981-1991

YÉMEN

CAMBODGE
1978-1989

COSTA RICA
PANAMÁ

VENEZUELA

GUYANES

GUINÉE-BISSAU

GUINÉE

SOUDAN

ÉTHIOPIE
1977-1991

SRI LANKA

COLOMBIE

Brit.
Holl.
Franç.

GHANA

SOMALIE

ÉQUATEUR

PÉROU

B R É S I L

CONGO

ANGOLA
1975-1994

OCÉAN
INDIEN

INDONÉSIE

BOLIVIE

PARAGUAY

MOZAMBIQUE
1975-1992

AUSTRALIE

AFRIQUE
DU SUD

CHILI

URUGUAY

ARGENTINE

NOUVELLE-
ZÉLANDE

Échelle à l'équateur

0   2 000 km

La guerre froide

*« ...le grand affrontement
Est-Ouest... »*

LA GUERRE FROIDE commença en 1917, avec la révolution d'Octobre. La Russie, devenue Union soviétique, fut la patrie d'une utopie – le socialisme marxiste –, dont l'ambition était de convertir toute l'humanité. Les pays occidentaux (France, Royaume-Uni, États-Unis) étaient conscients qu'il s'agissait, pour eux, d'un défi redoutable. Pourtant, de 1941 à 1945, la menace hégémonique de l'Allemagne hitlérienne (1933-1945) unit l'Occident et l'URSS. En 1945, après la défaite de l'Allemagne et de son complice, le Japon impérial, le monde s'organisa pour le grand affrontement Est-Ouest.

À la fin des années 1940, se constituèrent en Europe les deux blocs, l'un sous la direction des États-Unis, l'autre sous celle de l'URSS. Tous les coups étaient permis : séduire l'ancien vaincu, l'Allemagne divisée, par la promesse d'une réunification ; exploiter les mouvements de décolonisation ; profiter des situations non réglées (Chine en guerre civile, Corée divisée en deux zones) pour que chacun étende son emprise.

Avec le temps, le bras de fer se compliqua, entremêlant conflits et formes de coopération.

L'apparition de l'arme nucléaire et du missile intercontinental contraignit les deux ennemis à des efforts de discipline et de dialogue, tous deux prenant conscience qu'une guerre nucléaire, avec ses dégâts incommensurables, ne serait gagnée par personne. Un « équilibre de la terreur » se mit en place, où il fallait veiller à ce que ne se produise pas un accident, empêcher d'autres puissances d'acquérir l'arme nucléaire, maîtriser la course aux armements. Dès les années 1960, un dialogue quasiment régulier se nouait entre Washington et Moscou. Il en résulta une succession d'accords encadrant les arsenaux nucléaires.

En Europe, le face-à-face des deux blocs n'empêcha pas la détente, chacun des deux camps cherchant à peser sur les vulnérabilités de l'autre. L'URSS s'appuyait sur les partis communistes et les mouvements pacifistes à l'Ouest ; l'Occident encourageait les revendications en faveur des droits de l'homme à l'Est. La guerre directe étant impossible du fait de l'atome, il s'agit de faire tomber l'adversaire, en dialoguant avec lui tout en repérant et en exploitant ses failles.

Dans le tiers-monde, toutes les occasions étaient bonnes. Dans les années 1960 et au début des années 1970, l'URSS et la Chine communiste aidèrent le Nord-Viêtnam à vaincre les États-Unis, enlisés au Sud-Viêtnam. De même, tout au long des années 1980, les États-Unis ont équipé massivement les Afghans en lutte contre l'occupation soviétique de leur pays. Les nationalismes du tiers-monde, qui, dans les années 1960 et 1970, considérèrent l'URSS comme leur allié naturel, se dressèrent parfois contre elle dans les années 1980, l'impérialisme soviétique étalant sa brutalité.

Durant l'automne 1989, en trois mois, le bloc soviétique d'Europe orientale s'effondrait. Deux ans plus tard, en décembre 1991, l'URSS était dissoute. Cette défaite soudaine, qui surprend l'Occident, s'explique par trois raisons liées.

L'URSS, deux ou trois fois moins développée que les États-Unis, s'épuisait à vouloir les rattraper. Elle les

dépassa même dans le domaine de l'espace. Dans les années 1980, le président Reagan, en relançant la course aux armements, hâta cet épuisement. L'URSS, à bout de souffle, s'écroula économiquement. La planification soviétique, efficace pour les industries lourdes classiques (acier, ciment), se révéla incapable d'intégrer les révolutions technologiques de l'électronique et de l'informatique.

Face aux populations, le bloc soviétique échoua sur les deux terrains décisifs. Il ne parvint pas à leur fournir une prospérité comparable à celle des Occidentaux. Le socialisme se traduisait par une consommation monotone et médiocre avec une « sécurité sociale » réelle, mais dont les moyens étaient tragiquement insuffisants. En outre, en ce qui concerne les libertés individuelles, le bloc soviétique n'offrait que censure et répression. La Chine « communiste », qui saisit le danger, apportait une solution au moins dans le premier domaine, en libéralisant son économie et en laissant les initiatives d'entrepreneurs s'épanouir.

Enfin, ce qui fondait l'URSS et, au-

delà, son empire, c'était une ambition révolutionnaire : transformer la terre entière en domaine du socialisme. Une telle ambition ne tenait que par une relance permanente (guerres avec les ennemis idéologiques, conversion de nouveaux pays). Or l'URSS, surtout après sa victoire de 1945 et la mort de Staline (1953), s'était momifiée, devenant une machine bureaucratico-militaire moins totalitaire, mais plus inefficace. Privée de tout

élan, corrompue, cette machine se disloque, lorsque son dernier patron, Mikhaïl Gorbatchev, se rend compte de l'impasse où il est et tente de réformer le pays. Mais il est bien trop tard. Le monstre d'acier n'est plus qu'un vieux décor en carton-pâte. Comme le relève Tocqueville, rien n'est plus fragile qu'un régime autoritaire qui s'efforce de s'ouvrir et de s'assouplir. La restructuration (perestroïka) se mue en débâcle. ■

Le XXᵉ siècle : vers des guerres locales totales

La part des victimes civiles, dans les conflits, passe de 50 % lors de la Deuxième Guerre mondiale à plus de 80 % depuis la fin de la guerre froide

La part des victimes civiles s'accroît au fil du siècle

18 millions de morts — **Première Guerre mondiale**

35 à 60 millions de morts — **Deuxième Guerre mondiale**

15 millions de morts — **Guerre froide**

Guerres de l'après 1989

Le monde actuel

« ...des équilibres régionaux en pleine redéfinition... »

L E MONDE CONTEMPORAIN s'organise autour de trois éléments dominants. Tout d'abord, la puissance des États-Unis domine la planète, garantissant la stabilité relative de quatre régions : le continent américain ; l'Europe occidentale ; le Moyen-Orient ; l'Asie maritime (notamment Japon). Face à cette constellation américano-occidentale, se dressent des colosses incertains : Chine, Inde, Russie... Ces colosses semblent hésiter entre deux options : devenir des démocraties commerçantes et prospères ; ou se lancer dans une aventure impériale. Enfin, des régions ou des continents (Balkans, Afrique, Asie centrale) s'installent dans un désordre violent.

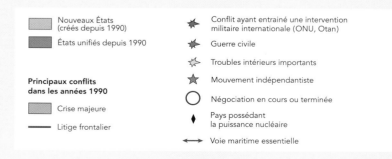

Nouveaux États (créés depuis 1990)

États unifiés depuis 1990

Principaux conflits dans les années 1990

Crise majeure

Litige frontalier

Conflit ayant entrainé une intervention militaire internationale (ONU, Otan)

Guerre civile

Troubles intérieurs importants

Mouvement indépendantiste

Négociation en cours ou terminée

Pays possédant la puissance nucléaire

Voie maritime essentielle

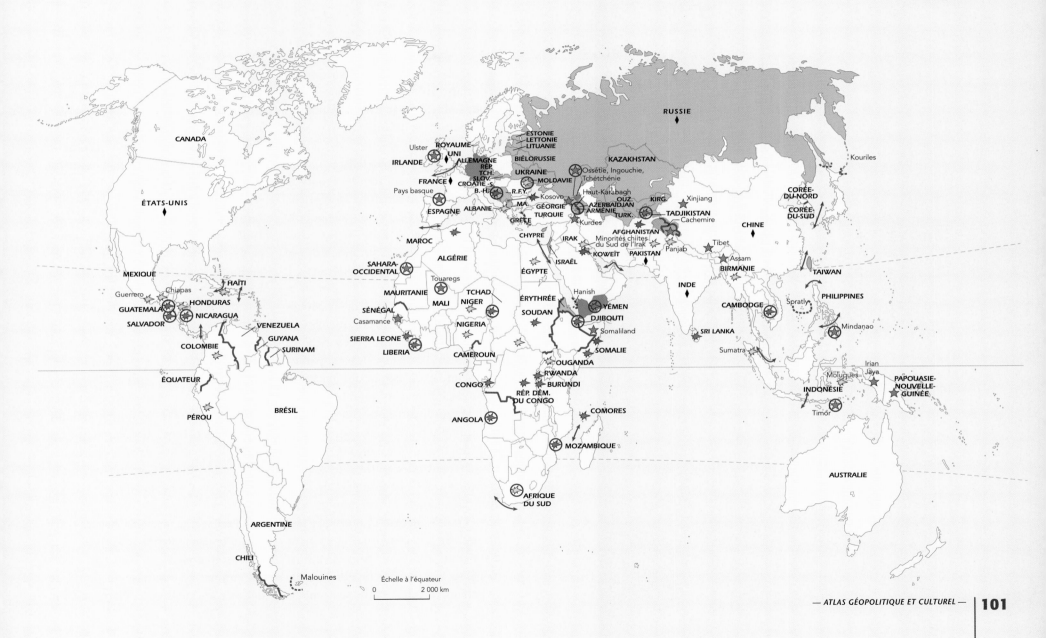

Le monde en questions

CANADA

ÉTATS-UNIS

MEXIQUE

Guerrero   Chiapas   HAÏTI

GUATEMALA   HONDURAS

SALVADOR   NICARAGUA

VENEZUELA

COLOMBIE   GUYANA

SURINAM

ÉQUATEUR

PÉROU   BRÉSIL

ARGENTINE

CHILI   Malouines

Échelle à l'équateur

0   2 000 km

ROYAUME-UNI   Ulster

IRLANDE

FRANCE   ALLEMAGNE

Pays basque   RÉP. TCH.   SLOV.   CROATIE-S

B.-H.   R.F.Y.

ESPAGNE   ALBANIE   MA.

GRÈCE

MAROC   Touaregs

SAHARA-OCCIDENTAL

MAURITANIE   MALI   NIGER   TCHAD

SÉNÉGAL   Casamance

SIERRA LEONE   NIGERIA

LIBERIA   CAMEROUN

CONGO

ANGOLA

AFRIQUE DU SUD

ESTONIE   LETTONIE   LITUANIE

BIÉLORUSSIE

UKRAINE   MOLDAVIE

Kosovo   Haut-Karabagh

GÉORGIE   AZERBAÏDJAN   ARMÉNIE

TURQUIE   TURK.   Kurdes

CHYPRE   IRAK   Minorités chiites du Sud de l'Irak

ISRAËL   KOWEÏT

ÉGYPTE

Hanish

ÉRYTHRÉE   YÉMEN

SOUDAN   DJIBOUTI   Somaliland

SOMALIE

OUGANDA   RWANDA   BURUNDI

RÉP. DÉM. DU CONGO   COMORES

MOZAMBIQUE

RUSSIE

KAZAKHSTAN

Ossétie, Ingouchie, Tchétchénie

OUZ.   KIRG.   Xinjiang

TADJIKISTAN   Cachemire

AFGHANISTAN   Panjab

PAKISTAN   Tibet

INDE   Assam

BIRMANIE

SRI LANKA

Kouriles

CORÉE-DU-NORD

CORÉE-DU-SUD

CHINE

TAIWAN

PHILIPPINES   Mindanao

CAMBODGE   Spratly

Sumatra

INDONÉSIE   Moluques   Irian Jaya

Timor

PAPOUASIE-NOUVELLE-GUINÉE

AUSTRALIE

Le monde actuel

« ...sur l'incertaine voie d'une mondialisation multiforme... »

L E MONDE, après la disparition de l'affrontement Est-Ouest, se caractérise par trois dominantes en évolution constante.

La puissance des États-Unis.

Ceux-ci cumulent tous les atouts de la puissance : un territoire vaste, riche et peu vulnérable ; l'économie pour le moment la plus innovatrice ; un modèle culturel – ou un mode de vie – que beaucoup veulent imiter malgré ses visibles faiblesses, car il est synonyme de réussite ; enfin, des capacités militaires très en avance sur celles de ses rivaux (Révolution des Affaires militaires). Les États-Unis apparaissent comme un laboratoire de l'avenir, plaçant leur économie et leur société aux avant-postes de la mondialisation par la déréglementation et la multiplication des réseaux.

Les États-Unis sont le protecteur de quatre zones : l'Amérique du Sud, avec laquelle ils abandonnent dans une certaine mesure la politique traditionnelle du gendarme et veulent établir un nouveau contrat moins inégal (projet de zone de libre-échange panaméricaine) ; l'Europe occiden-tale et centrale, en général attachée à la présence américaine, notamment pour contrebalancer la Russie ; l'Asie maritime, avec le Japon, la Corée du Sud, Taiwan, la Thaïlande ; enfin le Moyen-Orient, beaucoup plus insta-ble, avec son pétrole très convoité et ses conflits multiples. Les États-Unis tentent notamment de protéger Israël. En résumé, l'hégémonie améri-caine pourrait être comparée à celle de Rome à son apogée ou à celle de l'Angleterre dans la première moitié du XIXe siècle : elle est impression-nante ; mais elle n'est ni totale, ni absolue, ni définitive. Des continents entiers échappent à la prééminence américaine : l'Asie centrale, l'Afrique. En outre la pax americana est mal acceptée tant par les autres grandes puissances (Chine, Russie) que par les États dits « voyous » par les partisans de l'ordre mondial américain : Irak, Iran, Libye, Corée du Nord.

Il n'est aucune région du monde dont les équilibres ne soient pas en redéfinition.

L'Europe est soumise à plusieurs défis : consolidation et élargissement de l'Union européenne ; règlement des questions de l'ex-Yougoslavie ; établissement d'une autonomie politico-militaire par rapport au « grand frère américain ». L'Asie-Pacifique, en cours de décollage économique, est pleine d'incertitudes : la Chine restera-t-elle ouverte et raisonnable ou renouera-t-elle avec ses convulsions périodiques ? Le Japon réussira-t-il à ne pas être étouffé entre les deux géants de la zone, les États-Unis et la Chine ? D'autres frictions sont possibles : Corée, Indochine... Le Moyen-Orient n'a résolu aucun de ses conflits : Palestine, Irak. L'Afrique est à la dérive : manque de développement économique ; prolifération d'abcès belliqueux au cœur du continent, dans la zone des Grands Lacs ; poids du sida et d'autres épidémies... La planète demeure très diverse ; elle est loin d'être pacifiée. Chaque région suit son histoire, a des enjeux spécifiques. La prétendue mondialisation ne fait pas vivre tous les hommes à la même heure. L'Afrique en est encore à tenter de construire des États. Le Moyen-Orient également. L'Asie est souvent comparée à l'Europe de

1815-1914 : des colosses en pleine édification nationale et pouvant être attirés par la guerre pour souder leurs peuples (ainsi la Chine face à Taiwan). L'Europe occidentale paraît réconciliée avec elle-même.

Enfin, il existe bien une dynamique multiforme de mondialisation : multiplication des échanges ; diffusion contrariée des droits de l'homme ; prise de conscience de la « planétarisation » des problèmes, depuis le maintien de la paix jusqu'au développement social, depuis les changements de climat jusqu'aux normes de la propriété intellectuelle... Cette mondialisation désordonnée est-elle porteuse d'anarchie ou d'ordre ? Pour le moment, elle n'empêche pas le maintien sinon l'accroissement d'inégalités fortes entre une minorité riche et une très grande majorité pauvre. D'où la virulence des mouvements altermondialistes, dans les pays mêmes qui organisent cette évolution. En même temps, s'ébauchent des formes de mondialisation politique : constellation onusienne ; mécanismes d'intervention économique et financière (Fonds monétaire international,

Banque mondiale) ; mouvements transnationaux ; élaboration de notions universelles (par exemple, crime contre l'humanité, patrimoine commun de l'humanité). Il existe aujourd'hui une forme de communauté internationale. La très grande majorité des États, parce qu'ils sont petits, parce que leur priorité est le développement économique, tiennent au respect des frontières, au statu quo territorial (en 1990, condamnation très large de l'agression du Koweït par l'Irak). Des formes de police internationale s'ébauchent : opérations de l'ONU au Cambodge,

en ex-Yougoslavie ; interventions de l'OTAN en Bosnie-Herzégovine, puis au Kosovo. Les capacités militaires continuent d'être entre les mains des États et sont évidemment très inégales de l'un à l'autre ; d'où le poids exceptionnel des États-Unis, gendarme non pas du monde, mais de certaines régions. Le recours à la force fait l'objet de débuts d'encadrement par les mécanismes internationaux, notamment ceux de l'ONU. Le monde actuel est double : il reste composé d'États souverains et très inégaux ; s'amorce aussi la constitution d'une société mondiale, avec l'ONU. ■

Le retour du spectre de la guerre

	États	États en devenir	Mouvement de guérilla (résistance ou séparatisme)	Groupe terroriste
Acteurs	Irak Corée du Nord	Autorité palestinienne	ETA (Pays basque), FARC (Colombie), résistance en Tchétchénie, Kurdistan, Xinjiang	al-Qaida
Objectifs	Influence régionale	Existence et reconnaissance	Contrôle d'une région par la peur ; autonomie politique	Déstabilisation
Moyens	Armes de destruction massive	Attentats locaux	Attentats, enlèvements	Terrorisme global
Motifs	Nationalisme	Nationalisme	Objectifs politico-mafieux	Croisade (religieuse ou non)

Inégalités hommes femmes

L'inégalité entre l'homme et la femme est aussi ancienne que l'histoire. Toutes les sociétés historiques organisent et justifient cette inégalité. On peut l'illustrer par trois cartes. Dans les pays les moins développés, les femmes, prisonnières des tâches les plus lourdes (élever les enfants, chercher l'eau…), accèdent plus difficilement que les hommes à l'éducation ; or l'éducation est la condition de l'émancipation. Dans tous les pays, les femmes sont moins payées que les hommes ; elles sont absentes de la vie politique ou peu présentes (l'exception étant une poignée d'États européens). Enfin, les femmes sont les grandes victimes de l'exploitation et de la violence selon des formes propres à chaque zone. Cependant, ce sombre tableau masque ce qui est l'une des révolutions majeures du XXe siècle : la dynamique de libération des femmes, inaugurée au XIXe siècle par les suffragettes anglaises, et s'accélérant à partir des années 1960, grâce à la contraception. Les inégalités entre sexes étaient « naturelles », elles ne le sont plus. L'émancipation des femmes est plus avancée en Occident, mais cahin-caha, elle se mondialise, soulevant la résistance des traditions et des intégrismes.

Alphabétisation différentielle

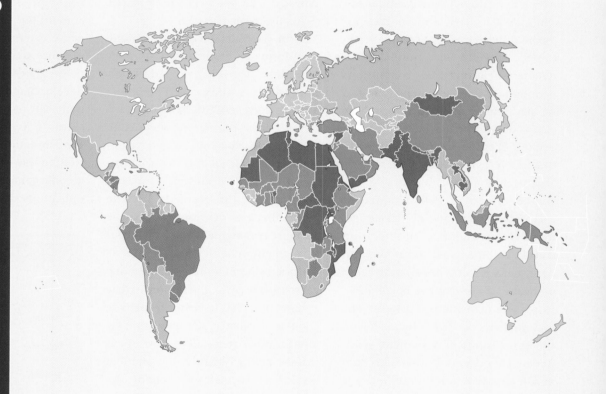

Échelle à l'équateur

0   2 000 km

Source : données de 1999, ONU,
Rapport sur le développement humain, 2001.

Différence d'alphabétisation
des femmes par rapport aux hommes
(en pourcentage)

-42,7 % -20 % -10 %   0 %   +21 %

Données manquantes

Inégalités économiques et politiques

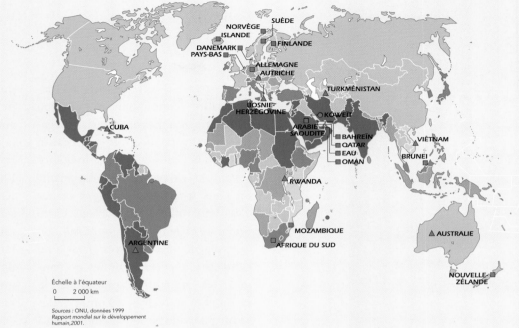

Revenu estimé du travail des femmes par rapport à celui des hommes (pourcentage en 1997)

10 % 40 % 50 % 60 % 70 % 90 %

Données manquantes

Femmes élues dans les parlements nationaux

■ de 30 à 43 %

▲ de 25 à 29,9 %

Dans tous les autres États le pourcentage de femmes élues est inférieur à 25 %

Droit de vote

● Au Koweït seules les femmes ne votent pas

■ Pays où hommes et femmes ne votent pas

Échelle à l'équateur

0   2 000 km

Sources : ONU, données 1999
Rapport mondial sur le développement humain, 2001.

Contraintes familiales et violences sexuelles

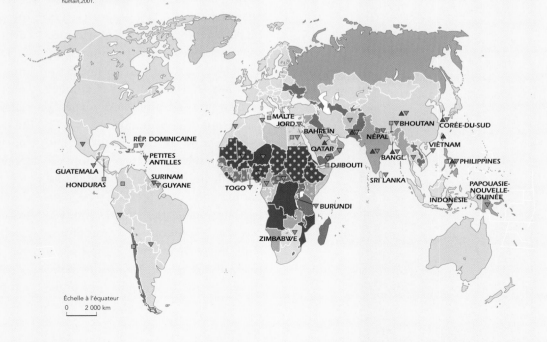

Femmes utilisant une contraception (pourcentage dans les années 1990-1998)

0 % 10 % 25 % 45 % 70 %

Données manquantes

■ Avortement illégal en toutes circonstances

▲ Sous-natalité féminine (moins de 93 filles naissent pour 100 garçons)

▼ Sur-mortalité des filles de moins de 5 ans (plus de 80 filles meurent pour 100 garçons)

▦ Pays où l'on pratique couramment la mutilation génitale féminine (milieu des années 1990)

Échelle à l'équateur

0   2 000 km

Inégalités hommes femmes

« ...la mutation en cours de la condition féminine, et donc masculine... »

LES TROIS CARTES représentent l'inégalité économique et politique entre hommes et femmes : inégalité devant l'éducation ; inégalité devant la citoyenneté ; inégalité devant la violence. Elles rappellent un constat mais ne peuvent cerner dans leur totalité les relations entre hommes et femmes aujourd'hui. Ce que suggèrent ces cartes, c'est une compétition entre hommes et femmes, les premiers s'appropriant le savoir et le pouvoir et, en outre, n'hésitant pas à punir les femmes quand elles réagissent à cette injustice. Les rapports entre hommes et femmes sont aussi des rapports intimes, se déroulant dans des cadres qui échappent aux statistiques, telle la famille, et peut-être, au moins en partie, à l'impératif de concurrence.

Au-delà de ces trois cartes, le fait majeur réside dans la mutation en cours de la condition féminine. La photographie des inégalités ne doit pas faire oublier les progrès intervenus. La révolution de la condition féminine, préparée par les suffragettes, pionnières du féminisme politique, est d'autant plus profonde qu'elle est devenue dans la seconde moitié du XXᵉ siècle le produit d'un changement « technique » concret : la pilule contraceptive. La maîtrise de la conception ne dépend plus de l'homme, mais appartient à la femme. Ce changement ne peut être séparé d'autres transformations : libéralisation des mœurs, exigence des femmes d'avoir une vie professionnelle à l'égal de celle de l'homme. Les inégalités demeurent réelles – confirmées par beaucoup d'enquêtes – mais elles ne sont plus « naturelles », elles ne vont plus de soi et donnent lieu à débats et à réformes.

Depuis les années 1960, la mutation est incontestable. Les femmes ne sont plus les muettes de l'histoire. Elles prennent la parole pour la liberté de l'avortement et le droit d'avoir une vie à soi. Elles entrent dans la vie politique. Ce que rappelle la carte sur les inégalités économiques et politiques, ce sont certes le poids des retards « objectifs », mais aussi les inerties culturelles. Le sexisme n'est pas aisé à éliminer. Ainsi la France, « patrie des droits de l'homme », est un pays méditerranéen pour la participation politique des femmes, à tel point qu'il a fallu imposer par la loi la parité hommes-femmes dans les listes de candidats aux élections. À l'inverse, les pays nordiques confirment leur « progressisme » dans l'évolution des mœurs. Là, l'égalité effective est presque atteinte.

Les femmes sont aussi partie prenante dans la mondialisation. Parmi les moments forts de leur émergence, figurent les sommets mondiaux du Caire (population et développement, 1994) et de Pékin (femmes, 1995). Durant ces rencontres, ce sont les femmes, qui, cette fois-ci, parlent en leur nom, se dressant contre les réactions traditionalistes des représentants religieux (Église catholique, Islam). En 1979, la Convention sur l'élimination de toutes les formes de discrimination à l'égard des femmes (CEDAW) est adoptée par l'Assemblée générale des Nations unies. C'est une charte internationale des droits des femmes. Environ 140 États (sur 189 membres des Nations unies) l'ont ratifiée. Les grands absents sont principalement des États musulmans. Des mécanismes de surveillance sont mis en place, les États parties à la Convention devant faire rapport sur leurs politiques. Il y a des tricheries, des négligences, mais le processus est engagé.

La route est encore très longue pour parvenir à une véritable égalité entre hommes et femmes. Dès qu'il y a pauvreté, les femmes sont toujours les plus pauvres. Les violences sexuelles n'ont pas de frontières, le viol et la prostitution – sous des formes renouvelées – ne se limitent pas à des espaces de sous-développement économique, social, politique. Dans les démocraties riches et ouvertes, les femmes se heurtent encore, selon une formule américaine, au « plafond de verre », cette barrière à l'ambition professionnelle qui, en principe, n'existe pas, mais qui est pourtant réelle. Trois signes ne trompent pas : la crise de l'identité masculine ; le fléchissement de la natalité, non seulement dans les pays développés mais aussi dans les pays où s'amorce le développement ; enfin, la reconnaissance très lente mais certaine que la mise au monde des enfants est une responsabilité collective, qui doit être financée. L'enfant n'étant plus imposé mais pouvant être choisi (ou refusé), peut-il en être autrement ? Le temps de conception, de gestation et d'éducation des enfants sera de plus en plus un temps que la collectivité devra prendre en considération et peut-être rémunérer. Aux congés de maternité, s'ajoutent dans quelques pays les congés de paternité. ■

Émancipation juridique, scolaire, financière, politique des femmes en France	
1791	Le divorce est autorisé (mais de nouveau bloqué de 1816 à 1884). « La femme doit obéissance à son mari » (article 213 du Code Napoléon, 1804)
1802	Création du baccalauréat, réservé aux garçons jusqu'en 1924
1808	L'art. 213 du Code civil est supprimé (mais l'autorisation du mari reste nécessaire pour ouvrir un compte en banque, obtenir un passeport, …)
1944	Le droit de vote est accordé aux femmes
1965	Les femmes mariées peuvent passer contrat, ouvrir un compte bancaire, gérer leurs revenus
1967	La vente de contraceptifs (la pilule y compris) est autorisée
1970	La notion de « chef de famille » est supprimée, remplacée par l'autorité parentale
1972	L'École Polytechnique, créée en 1794, s'ouvre aux filles ; le major est « une » major
1974	Légalisation de l'IVG. Premières lois de non-discrimination au travail
1984	On doit appeler toutes les femmes « Madame », circulaire ministérielle neutralisant le statut des femmes à l'égard du mariage
1985	Égalité des époux dans la gestion des biens de la famille

Les grands fléaux

*« …tout fléau tend
à se mondialiser… »*

L A VIE DES HOMMES a toujours été marquée par des fléaux : épidémies, épizooties, catastrophes naturelles… Ce qui est nouveau, ce sont des efforts méthodiques d'appréhension et de suivi de ces fléaux. Ils restent des fatalités, mais les humains s'organisent de plus en plus pour les maîtriser. Autrefois on faisait isoler le siège du fléau par la troupe. Aujourd'hui il est acquis que tout fléau est l'affaire de tous. Notamment parce que ces fléaux, répandus par les migrants (touristes, travailleurs…), circulent de plus en plus loin, suivant des trajets imprévisibles.

La pauvreté

Indice de développemement humain

0,416 0,500 0,660 0,800 0,900

Développemement
faible   moyen   élevé

Données manquantes

Échelle à l'équateur
0   2 000 km

Source : données de 1999, ONU,
Rapport mondial sur le développement humain,2001.

La drogue

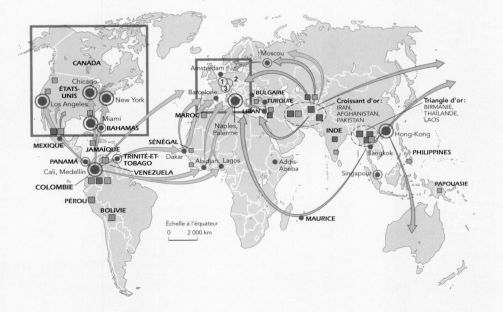

CANADA

Amsterdam
Moscou

Chicago
ÉTATS-
UNIS
Los Angeles   New York

Barcelone

1 Luxembourg
2 Liechtenstein
3 Suisse

Principaux
marchés

1 2
3

BULGARIE
TURQUIE

Miami

MAROC   LIBAN

Croissant d'or :
IRAN,
AFGHANISTAN,
PAKISTAN

Triangle d'or :
BIRMANIE,
THAÏLANDE,
LAOS

**Zones de production
et courants d'exportation :**

BAHAMAS

Naples,
Palerme

SÉNÉGAL

INDE
Hong-Kong

Coca
(cocaïne)

MEXIQUE   JAMAÏQUE

TRINITÉ-ET-
TOBAGO   Dakar

Abidjan   Lagos

Addis-
Abéba

Bangkok

PHILIPPINES

Pavot
(héroïne)

PANAMÁ

Cali, Medellín   VENEZUELA

Singapour

PAPOUASIE

Cannabis
(marijuana, haschisch)

COLOMBIE

PÉROU

BOLIVIE

MAURICE

Capitales de la drogue : villes d'implantation des grandes mafias, offrant
la gamme complète des opérations liées au trafic international de la drogue
(organisation des réseaux, marché de gros, distribution, blanchiment).

Plaques tournantes et centres de transit : villes ou pays dans lesquels existent
des réseaux organisés, assurant la réception et la réexpédition de la drogue
et gérant les grands circuits de la distribution en gros.

Échelle à l'équateur
0   2 000 km

Blanchiment de l'argent : villes ou pays disposant d'une puissante organisation
financière permettant le blanchiment

Source : Observatoire géopolitique des drogues

Les grands fléaux

« ...la santé, domaine majeur de l'organisation de la mondialisation... »

L A MONDIALISATION résidant d'abord dans la contraction massive de l'espace et du temps, tout fléau, du fait des déplacements de personnes et des délocalisations d'activités, tend à se mondialiser. L'élargissement du champ de diffusion des maladies appelle pour y faire face des structures planétaires : conférences internationales ; opérations combinées des États, des organisations interétatiques et des organisations non gouvernementales (ONG) ; appel aux populations ; débats sur la prise en charge financière de ces tragédies. La santé est et sera un des domaines majeurs de l'organisation de la mondialisation.

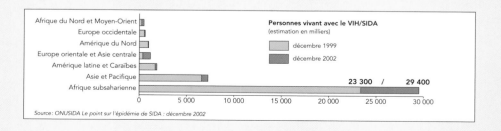

Personnes vivant avec le VIH/SIDA (estimation en milliers)

Source: ONUSIDA Le point sur l'épidémie de SIDA : décembre 2002

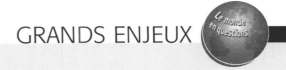

Le Sida

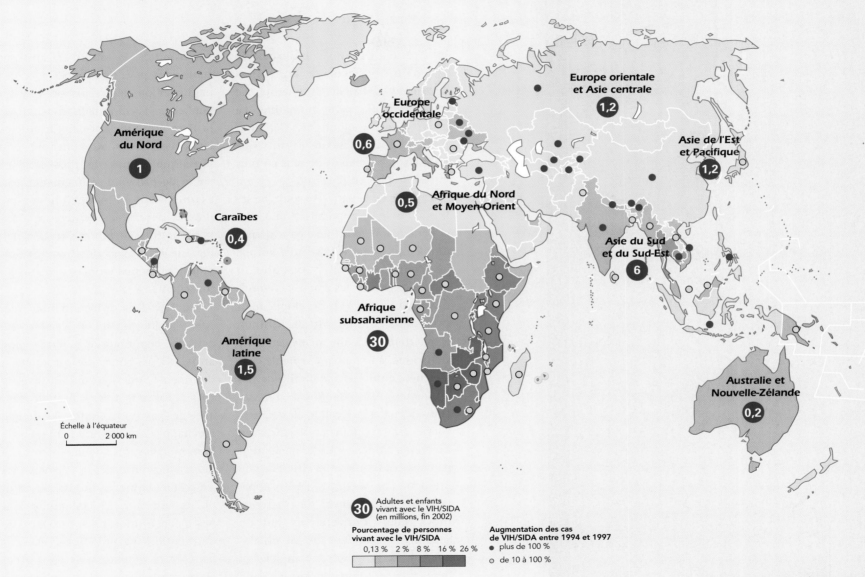

Amérique du Nord 1

Caraïbes 0,4

Amérique latine 1,5

Europe occidentale 0,6

Europe orientale et Asie centrale 1,2

Afrique du Nord et Moyen-Orient 0,5

Asie de l'Est et Pacifique 1,2

Afrique subsaharienne 30

Asie du Sud et du Sud-Est 6

Australie et Nouvelle-Zélande 0,2

Échelle à l'équateur
0   2 000 km

30 Adultes et enfants vivant avec le VIH/SIDA (en millions, fin 2002)

Pourcentage de personnes vivant avec le VIH/SIDA
0,13 %   2 %   8 %   16 % 26 %

Augmentation des cas de VIH/SIDA entre 1994 et 1997
● plus de 100 %
○ de 10 à 100 %

Les grands fléaux

*« ...ils se répandent
de plus en plus vite,
de plus en plus loin... »*

LA MONDIALISATION, indissociable d'un spectaculaire enrichissement global de l'humanité, ne transforme pas cette humanité. La pauvreté est toujours là. Certaines pratiques sociales, sexuelles, ainsi que les maladies circulent de plus en plus vite et de plus en plus loin.

La carte de la pauvreté souligne les inégalités de la mondialisation. Celle-ci bénéficie d'abord aux pays depuis longtemps riches (États-Unis, Europe occidentale, Japon, Australie...). Viennent ensuite les États ex-communistes ou les pays en développement (Amérique andine, Brésil, Chine). L'appartenance à une même catégorie statistique, à une même zone de couleur ne signifie pas la similitude des difficultés. Ainsi, la Russie a beaucoup de mal à redécoller, alors que la Chine est en pleine croissance. En Amérique latine, les Andes demeurent pauvres et instables à la différence du Brésil ou du Mexique. Enfin, apparaissent les poches de pauvreté (notamment l'Afrique au sud du Sahara). La pauvreté est un phénomène à la géographie complexe et mouvante : très forte en Afrique et en Asie centrale, la misère est aussi au centre des pays développés avec des banlieues ou des cœurs de ville en lambeaux. La mondialisation fait de la Terre non un espace aux frontières tranchées, mais au contraire une mosaïque, zones de prospérité et zones de pauvreté se fragmentant et s'entremêlant à l'infini. Tout comme il existe des réseaux de richesse (diasporas dont les membres s'entraident), il existe des réseaux de pauvreté (individus maintenus en marge des sociétés sédentaires).

La carte de la drogue indique que, sous l'angle concret, il s'agit d'une activité économique comme une autre. Trois zones de production dominent : Amérique andine, avec la coca, Croissant d'or et Triangle d'or, avec le pavot. Le trafic de drogue n'échappe pas aux dynamiques de la mondialisation : déplacements des lieux de production (pavot en Amérique latine) ; industrialisation du secteur, avec des laboratoires-usines ; constitution de « cartels », de multinationales produisant et vendant de la drogue, mais aussi recyclant les revenus ; augmentation considérable et mondialisation des flux, ceux-ci cherchant à contourner les régions à fort contrôle étatique pour transiter par celles qui sont plus aisées à traverser (Afrique). La consommation touche aussi bien le « show business » de la Californie que les jeunes chômeurs de Mexico ou de Paris. La mondialisation, c'est aussi la « démocratisation » de la drogue. Longtemps, la drogue fut réservée à des cercles restreints et aisés. Désormais la consommation de drogue est multiforme, de la cocaïne pour les plus riches au crack pour les exclus de la prospérité.

Enfin, la carte du sida complète et nuance les deux précédentes. Le nombre total des victimes de ce syndrome, apparu en 1981, dépasse 22 millions de morts. Les zones où le sida est le plus virulent coïncident souvent avec les zones pauvres et culturellement déstructurées (Afrique au sud du Sahara, Cambodge). En Afrique, le sida est une tragédie démographique (il fait reculer l'espérance de vie), économique, sociale et politique. Mais le sida n'est pas le monopole de certaines régions ; il cir-

cule, véhiculé notamment par le tourisme. Alors apparaît une autre inégalité : face aux traitements. Ceux-ci, très coûteux, sont accessibles dans les pays développés, disposant d'un système de sécurité sociale. En Afrique, la désorganisation du continent, l'incapacité des États alourdissent le fardeau du sida. Ici, toutefois, la mondialisation révèle tout ce qu'elle a de positif : le sida est reconnu comme une question planétaire, suscitant des

travaux et des coopérations multiformes. En 2001, la controverse très vive sur l'accès aux traitements par les populations africaines est une illustration frappante des effets de la mondialisation. Le gouvernement sud-africain cherchant à favoriser les médicaments génériques, moins chers que les produits de marque, l'industrie pharmaceutique dépose des recours devant les tribunaux sud-africains. L'affaire ne reste pas

locale, elle mobilise les organisations non gouvernementales et les opinions publiques du monde entier. Finalement, le 19 avril 2001, les laboratoires pharmaceutiques abandonnent leurs actions. La mondialisation ne concerne pas seulement les problèmes, elle peut affecter les débats et stimuler l'interaction entre les différents niveaux d'organisation, locaux, nationaux, continentaux, jusqu'à l'échelle planétaire. ■

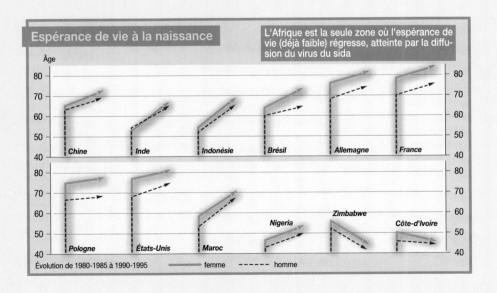

Espérance de vie à la naissance

L'Afrique est la seule zone où l'espérance de vie (déjà faible) régresse, atteinte par la diffusion du virus du sida

Âge

Chine — Inde — Indonésie — Brésil — Allemagne — France

Pologne — États-Unis — Maroc — Nigeria — Zimbabwe — Côte-d'Ivoire

Évolution de 1980-1985 à 1990-1995 — femme ---- homme

Contrairement aux cartes de la première partie – qui représentent systématiquement la planète entière, pour un thème donné –, les cartes de la deuxième partie se focalisent sur des espaces intermédiaires : un continent, un sous-continent, un très vaste pays. La seule exception – le tout petit État d'Israël – confirme la règle. Pour cet espace comme pour les autres, c'est l'importance des enjeux qui justifie la focalisation du regard sur telle ou telle partie du monde, par-delà la dimension géographique. Ces enjeux peuvent être démographiques (les diasporas chinoises, les minorités aux États-Unis), sociologiques (les castes en Inde, l'urbanisation en Afrique), économiques (jusqu'à l'économie de la drogue en Amérique latine), militaires (la présence militaire des États-Unis hors de leur territoire), etc. Pour chacune des aires géographiques décrites, le choix de thèmes-clés est représenté par les cartes, les textes et les graphiques.

DEUXIÈME PARTIE

Les grands ensembles régionaux

L'Afrique est le continent abandonné. Colonisée tardivement, essentiellement dans la deuxième moitié du XIXᵉ siècle, elle est partagée à coups de canon entre les puissances européennes. L'Afrique, selon la formule de René Dumont, est toujours « mal partie » : prolifération de guerres et de guerres civiles, de la Sierra Leone à l'ex-Congo belge ; régimes corrompus ; absence de réel développement économique ; enfin, malnutrition, épidémies, et notamment le sida.

Mais n'y a-t-il pas des signes positifs ? L'Afrique du Sud, en partie grâce au rôle joué par Nelson Mandela, sort de l'apartheid sans trop de violence. Des bombes à retardement sont désamorcées. Sous la médiation de Mandela, un accord de paix et de réconciliation est signé en 2001 au Burundi déchiré, comme son jumeau le Rwanda, par des affrontements entre Tutsis et Hutus. Les bons offices de Tony Blair évitent une guerre entre l'Ouganda et le Rwanda. Lentement, les principes démocratiques se diffusent, les opinions apprennent, accèdent aux techniques de l'information, du transistor à Internet. Des expériences de micro-développement créent, surtout le long des côtes, des pôles faibles mais incontestables de modernisation.

Ce qui manque à l'Afrique, c'est un succès, le décollage économique d'un de ses pays. Dans les années 1970, l'émergence des quatre dragons (Corée-du-Sud, Taiwan, Hong-Kong et Singapour) montrait au monde que l'Asie, considérée comme inapte à l'industrialisation, pouvait accéder à la croissance économique. À cet égard il n'y a aucune raison définitive pour qu'après l'Asie l'Afrique ne brise pas le cercle vicieux de la pauvreté.

AFRIQUE

L'Afrique dans le monde

« ...un espace mal ancré dans les flux mondiaux d'échanges... »

L'AFRIQUE est peu et mal ancrée dans les flux mondiaux d'échanges : exportations de produits bruts ; importations de produits manufacturés. Elle reste dépendante à l'égard de ses anciens colonisateurs européens : la moitié de son commerce se fait avec eux. Les échanges avec l'Asie montrent une Afrique déficitaire à son égard : l'Asie se développe, fournit des biens de consommation ; l'Afrique ne vend que des matières premières. La carte recense les regroupements africains, mais la quasi-totalité de ceux-ci demeurent des projets sur le papier.

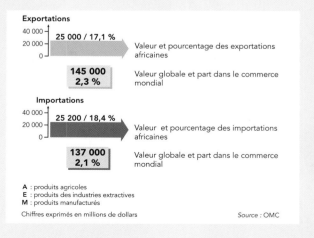

Exportations

40 000
20 000
0

25 000 / 17,1 % — Valeur et pourcentage des exportations africaines

145 000 2,3 % — Valeur globale et part dans le commerce mondial

Importations

40 000
20 000
0

25 200 / 18,4 % — Valeur et pourcentage des importations africaines

137 000 2,1 % — Valeur globale et part dans le commerce mondial

A : produits agricoles
E : produits des industries extractives
M : produits manufacturés

Chiffres exprimés en millions de dollars

Source : OMC

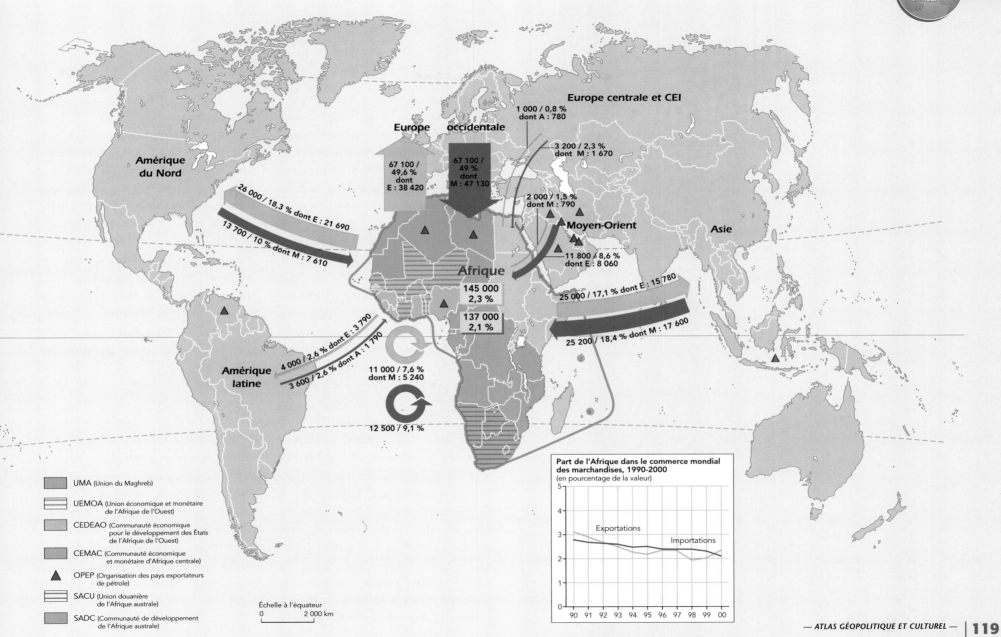

Europe centrale et CEI

1 000 / 0,8 %
dont A : 780

Europe occidentale

3 200 / 2,3 %
dont M : 1 670

Amérique
du Nord

67 100 /
49,6 %
dont
E : 38 420

67 100 /
49 %
dont
M : 47 130

2 000 / 1,5 %
dont M : 790

Moyen-Orient

Asie

26 000 / 18,3 % dont E : 21 690

13 700 / 10 % dont M : 7 610

11 800 / 8,6 %
dont E : 8 060

Afrique

145 000
2,3 %

25 000 / 17,1 % dont E : 15 780

137 000
2,1 %

25 200 / 18,4 % dont M : 17 600

4 000 / 2,6 % dont E : 3 790

3 600 / 2,6 % dont A : 1 790

11 000 / 7,6 %
dont M : 5 240

Amérique
latine

12 500 / 9,1 %

UMA (Union du Maghreb)

UEMOA (Union économique et monétaire
de l'Afrique de l'Ouest)

CEDEAO (Communauté économique
pour le développement des États
de l'Afrique de l'Ouest)

CEMAC (Communauté économique
et monétaire d'Afrique centrale)

▲ OPEP (Organisation des pays exportateurs
de pétrole)

SACU (Union douanière
de l'Afrique australe)

SADC (Communauté de développement
de l'Afrique australe)

Échelle à l'équateur
0   2 000 km

**Part de l'Afrique dans le commerce mondial
des marchandises, 1990-2000**
(en pourcentage de la valeur)

Exportations

Importations

90 91 92 93 94 95 96 97 98 99 00

L'Afrique dans le monde

« ...un continent en marge
des flux d'échanges
économiques mondiaux,
où tout reste à construire... »

DU POINT DE VUE DES ÉCHANGES, l'Afrique peut être définie comme le continent en marge. Alors que l'Afrique héberge près de 10 % de la population mondiale, elle réalise moins de 2,5 % du commerce mondial, et cette part ne cesse de s'éroder.

La répartition géographique de ce commerce rappelle l'extrême difficulté de l'Afrique à sortir de l'ère coloniale. La moitié du commerce africain demeure dirigée vers l'Europe occidentale, qui achète à l'Afrique principalement des produits tropicaux bruts (cacao, café, bananes...).

Des années 1960 aux années 1980, le système postcolonial perdure. Au tournant des années 1980-1990, la chute du communisme soviétique provoque une onde de choc qui frappe aussi l'Afrique. Pour les régimes autoritaires et corrompus qui, depuis la décolonisation, ont gouverné les États africains, le temps des « nomenklaturas » est révolu. Le démantèlement pacifique de l'apartheid en Afrique du Sud semble annoncer une nouvelle Afrique, démocratique, respectueuse des droits de l'homme et donnant la priorité à une modernisation méthodique.

Pourtant, l'essentiel de l'Afrique, au lieu de s'engager, comme l'Asie maritime, dans une transition démocratique, se décompose. De vieux chefs d'État sombrent dans une mégalomanie ruineuse. Les tensions ethniques, exaspérées par les pressions démographiques (surpopulation de certaines régions), dégénèrent en guerres civiles atroces : extermination des Tutsis par les Hutus au Rwanda ; combats interminables en Sierra Leone ; fragmentation ethnique et politique en Côte-d'Ivoire.

L'époque postcoloniale s'est achevée. Le poids économique de l'Afrique est si faible que l'indifférence internationale gagne. Les liens entre l'Europe et l'Afrique se diluent dans un partenariat de plus en plus vague, incluant soixante-dix-sept États ACP (Afrique-Caraïbes Pacifique). Or, l'Afrique n'est pas hors de la mondialisation. Celle-ci est une dynamique trop globale pour qu'aucune région ne se soustraie à elle. L'Afrique tend à ne connaître que les aspects négatifs de cette mondialisation :

endettement, urbanisation désordonnée, pandémies comme le sida.

L'Afrique se modernise avec difficulté. La carte recense les divers regroupements économiques de l'Afrique, auxquels s'ajoutent de très ambitieux projets : zone panafricaine de libre-échange ; marché commun pour l'Afrique orientale et australe (COMESA). Mais, même si d'incontestables avancées sont réalisées – principalement, opérations de micro-développement dans les zones côtières –, l'Afrique ne décolle pas vraiment. Que manque-t-il ?

Une ou des locomotives.

La plupart des développements régionaux – en Europe, en Amérique, en Asie – sont tirés par une ou des économies, auxquelles s'accrochent, tels des wagons, des pays frontaliers ou proches. L'Afrique, considérant comme un gage de stabilité le maintien des frontières tracées par les colonisateurs, est divisée en de très nombreux États. Il y a, certes, trois colosses : la République démocratique du Congo, RDC – ex-Zaïre – (50 millions d'habitants) ; le Nigeria (124 millions d'habitants) ; l'Afrique du Sud (42 millions d'habitants). La RDC est une immensité partagée entre des seigneurs de la guerre. Le Nigeria est un agglomérat d'ethnies, de religions, dont les appétits sont aiguisés par la présence d'une richesse redoutable : le pétrole. Seule l'Afrique du Sud offre une économie structurée, pôle d'attraction pour toute sa périphérie. Mais la partie demeure très incertaine : le traumatisme de l'apartheid hante ce pays ; le sida – longtemps dissimulé – infecte violemment l'Afrique australe et s'étend à toute l'Afrique subsaharienne, contribuant à la baisse de l'espérance de vie sur le continent.

Une bonne gouvernance.

L'aide internationale est de plus en plus conditionnelle : les États bénéficiaires doivent respecter les principes de la démocratie à l'occidentale (gestion stricte des finances publiques, transparence, élimination des corruptions, respect des droits individuels).

Enfin, des pactes régionaux multipliant les partenariats croisés.

L'interdépendance ne se décrète pas, elle résulte d'une dynamique qui associe trois ingrédients : développement des échanges, croissance économique et acceptation de disciplines mutuelles. Tout ou presque est à construire. Les échanges intra-africains demeurent limités : environ 10 % du total des échanges de l'Afrique (les échanges intra-européens dépassent la moitié des échanges totaux des États européens). Cette faiblesse du commerce régional est indissociable de l'insuffisante croissance économique, l'un et l'autre se stimulant. En 2000, neuf États de l'Afrique orientale (Djibouti, Égypte, Kenya, Madagascar, Malawi, Maurice, Soudan, Zambie et Zimbabwe) lancent un projet de zone de libre-échange complet (non seulement biens, mais aussi capitaux et hommes), que devrait rejoindre le reste de l'Afrique orientale jusqu'à l'Afrique du Sud. La perspective est belle, mais la concrétisation s'avère difficile : certains de ces pays ont entre eux des rapports conflictuels (notamment Corne de l'Afrique) ; plusieurs États impliqués connaissent de graves difficultés internes (Burundi, Rwanda, RDC, Zimbabwe…). ■

Une décolonisation politique récente

En 1950, seuls 27% de la population vivaient dans des pays indépendants

Égypte

Éthiopie

Afrique du Sud

Désertification et famine

*Jusqu'à la fin du XIXᵉ siècle, l'Afrique est le
continent préservé, celui que les Européens
n'osent pénétrer, à quelques exceptions près.
Mais, depuis environ un siècle et demi,
le choc de l'extérieur est brutal et multiforme :
colonisation, exploitation industrielle
de certaines ressources ; croissance de
la population, du fait, d'abord, de la diffusion
de la médecine moderne ; déforestation,
extension des terres cultivées, avec
« latérisation » des sols ; tourismes pollueurs…
Des équilibres millénaires mais très fragiles
sont irréversiblement détruits.*

À CES MOUVEMENTS DE FOND, qui bouleversent tous les systèmes naturels, s'ajoutent les perturbations politiques : dictatures, guerres, à l'occasion desquelles les aliments deviennent des armes, les famines les plus meurtrières étant dues à ces tragédies fabriquées par l'homme. Dans le domaine de l'alimentation, l'Afrique n'a pas accompli la mutation qu'a réalisée l'Asie : la révolution verte qui, à partir de la fin des années 1960, multiplie les rendements agricoles de l'Asie.

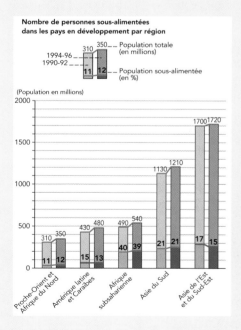

**Nombre de personnes sous-alimentées
dans les pays en développement par région**

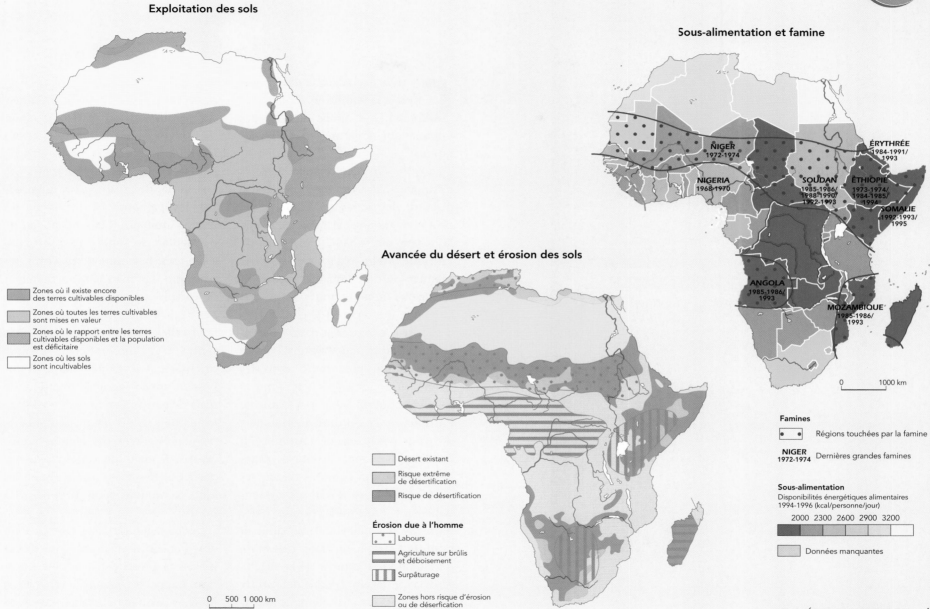

Exploitation des sols

- Zones où il existe encore des terres cultivables disponibles
- Zones où toutes les terres cultivables sont mises en valeur
- Zones où le rapport entre les terres cultivables disponibles et la population est déficitaire
- Zones où les sols sont incultivables

Avancée du désert et érosion des sols

- Désert existant
- Risque extrême de désertification
- Risque de désertification

Érosion due à l'homme

- Labours
- Agriculture sur brûlis et déboisement
- Surpâturage
- Zones hors risque d'érosion ou de déserfication

0   500   1 000 km

Sous-alimentation et famine

NIGER
1972-1974

ÉRYTHRÉE
1984-1991/
1993

NIGERIA
1968-1970

SOUDAN
1985-1986/
1988-1990/
1992-1993

ÉTHIOPIE
1973-1974/
1984-1985/
1994

SOMALIE
1992-1993/
1995

ANGOLA
1985-1986/
1993

MOZAMBIQUE
1985-1986/
1993

0   1000 km

Famines

- Régions touchées par la famine

NIGER
1972-1974   Dernières grandes famines

Sous-alimentation
Disponibilités énergétiques alimentaires
1994-1996 (kcal/personne/jour)

2000 2300 2600 2900 3200

- Données manquantes

Désertification et famine

*« ...l'Afrique n'a tiré profit
ni de la colonisation,
ni de la décolonisation... »*

CES TROIS CARTES sur la désertification et la famine en Afrique rappellent le poids décisif des hommes sur la nature et ses détériorations.

La carte sur l'exploitation des sols distingue quatre grandes zones. Il y a, d'abord, des zones où l'homme ne peut vivre qu'une existence nomade : la masse du Sahara, barrière entre l'Afrique arabe et l'Afrique noire. Viennent ensuite les zones surexploitées, celles où les hommes, attirés par la qualité des terres et le climat, tendent à se concentrer et parfois à s'entretuer : ainsi au Rwanda, où la surpopulation pèse lourd dans les haines entre ethnies. Tels sont le Sahel au bord du Sahara, la Corne de l'Afrique et la ceinture méridionale du cœur équatorial de l'Afrique. En troisième lieu apparaissent les zones où subsiste un équilibre entre les hommes et leurs ressources : essentiellement l'Afrique centrale. Cette immense région s'étend du Sahel au nord de l'Afrique australe. L'hostilité du climat et la vigueur de la végétation la protègent encore de l'afflux des populations et donc de la surexploitation. Enfin, en quatrième lieu, des bandes (côtes du golfe de Guinée, Afrique du Sud) ou des taches (cœur du Congo) semblent intactes. Ce sont les ultimes restes de la vieille Afrique, pénétrée par les explorateurs au XIXe siècle, de plus en plus grignotée par les paysans. Là survivent les grands animaux. Mais la modernité occidentale se faufile, avec ses chasseurs, ses braconniers et enfin ses parcs qui maintiennent un semblant de paradis sauvage pour les touristes. Les régions de conflit violent sont bien celles où les terres sont insuffisantes : Maghreb, Sahel, Afrique orientale... L'Afrique n'appartient plus à l'univers agricole traditionnel, mais ne parvient pas à accéder à l'âge industriel. D'où l'entassement de populations dans des régions plutôt favorisées mais qui restent pauvres, parce qu'elles n'ont pas accompli les sauts techniques nécessaires pour les nourrir.

La deuxième carte sur l'avancée du désert et l'érosion des sols confirme et précise la précédente. La désertification frappe les régions vulnérables, proches des déserts : Sahel, Corne de l'Afrique, Afrique australe. L'érosion, phénomène planétaire, est due à l'agriculture sur brûlis et au surpâturage. L'Afrique n'est pas victime d'une fatalité extérieure aux hommes. Tous les problèmes qu'elle rencontre se posent depuis des siècles : dès que l'équilibre démographique est rompu, toute la gestion des ressources naturelles doit se réorganiser, le progrès technique facilitant les adaptations nécessaires.

La troisième carte sur la sous-alimentation et la famine se distingue des deux précédentes, centrées sur les données technico-économiques, en rappelant que les problèmes de la faim sont à la fois économiques et politiques. Les disponibilités alimentaires varient en fonction d'une combinaison de facteurs : éléments naturels, degré de développement économique et aussi héritage historique. C'est au centre de l'Afrique et dans la Corne que la sous-alimentation est la plus présente parce que tout s'y cumule : hostilité et précarité de la forêt ; pénétration difficile des techniques ; désastres politiques. De même, dans la Corne de l'Afrique, en

Angola, au Mozambique, la faim vient tant de l'arriération agricole que d'un passé très lourd. En particulier, depuis les années 1970, tous ces pays paraissent comme enlisés dans la guerre, dont ils commencent à émerger aujourd'hui.

Ces trois photographies constituent un constat d'échec. La colonisation a apporté à l'Afrique des prêtres et des médecins, parfois des écoles, mais, soucieuse de garder son emprise, elle n'a formé ni entrepreneurs ni administrateurs. L'Afrique décolonisée a manqué une occasion majeure : la révolution verte, cette modernisation très rapide qui transforme les agricultures asiatiques. À la suite de son indépendance, l'Afrique, pourtant en marge de la guerre froide jusqu'au milieu des années 1970, s'est laissé séduire par le socialisme marxiste ou bureaucratique qui, de l'Algérie à la Guinée, de l'Éthiopie à la Tanzanie, ignore ou méprise l'agriculture, au profit de l'industrie lourde et d'une illusoire souveraineté économique. Aujourd'hui, l'Afrique est sortie de cette ornière pour édifier une agriculture moderne. Alors se dresse un

nouvel obstacle : la fermeture des marchés des pays riches. Désormais aider l'Afrique, ce n'est plus lui faire l'aumône, c'est lui faire une place dans la concurrence mondiale.

L'agriculture n'est pas l'unique problème de l'Afrique, mais l'une des composantes d'une question globale : pourquoi l'Afrique ne parvient-elle pas à se développer ? Une telle question suscite toujours deux types de réponses.

Une réponse « culturaliste » : les Africains, par leur culture, seraient inaptes à la modernisation écono-mique. Or, l'histoire montre qu'une culture déclarée inadaptée au développement devient quelque temps plus tard idéale pour ce développement.

Une réponse « universaliste » : les Africains sont des hommes comme les autres ; leur retard s'explique notamment par des raisons historiques. Le développement de l'Afrique exige donc une analyse dépassionnée, méthodique des obstacles, à la fois pratiques et mentaux, à ce développement. ■

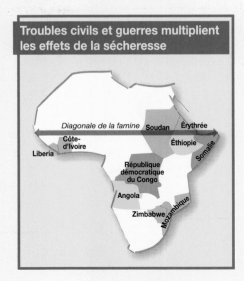

Troubles civils et guerres multiplient les effets de la sécheresse

Dynamiques urbaines

« …une concentration

dans des espaces précis

mais un continent

qui demeure

largement vide… »

L'AFRIQUE S'URBANISE. Elle acquiert l'un des caractères majeurs de la modernité : la prolifération d'agglomérations qui se fragmentent, se dissolvent dans des campagnes, elles aussi urbanisées à leur manière. La carte souligne la concentration de l'urbanisation dans des espaces précis : principalement le long des côtes et des fleuves. L'Afrique demeure un continent très largement vide. Perdues dans cette immensité, les zones urbaines rassemblent les tensions de l'Afrique : masses déracinées, en quête de travail et de bien-être ; inégalités sociales marquées ; ancrage insuffisant dans les flux de la mondialisation.

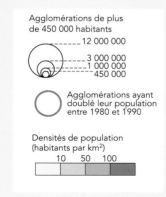

Agglomérations de plus
de 450 000 habitants

12 000 000
3 000 000
1 000 000
450 000

Agglomérations ayant
doublé leur population
entre 1980 et 1990

Densités de population
(habitants par km²)

10   50   100

Ceuta (Esp.)
Melilla (Esp.)
Rabat-Salé
Oran
Alger
Tunis
Mehalla el-Koubra
Casablanca
Fès
Constantine
TUNISIE
Alexandrie
Port-Saïd
Madère (Port.)
Marrakech
Tripoli
Benghazi
Canaries (Esp.)
MAROC
Le Caire
ALGÉRIE
LIBYE
ÉGYPTE

MAURITANIE
MALI
NIGER
TCHAD
Khartoum
ÉRYTHRÉE
Nouakchott
SOUDAN
DJIBOUTI
Dakar
SÉNÉGAL
GA.
Bamako
Ouagadougou
Niamey
Maiduguri
N'Djamena
GU.-BISSAU
GUINÉE
B.F.
Kano
SOMALIE
Conakry
S.L.
CÔTE-
GHANA
BÉN.
Kaduna
NIGERIA
Addis-Abeba
D'IVOIRE
T.
Ilorin
Freetown
Koumassi
Jos
ÉTHIOPIE
Monrovia
Abidjan
Enugu
RÉPUBLIQUE
LIBERIA
CAMEROUN
CENTRAFRICAINE
Accra-Tema
Douala
Bangui
OUGANDA
KENYA
Lomé-Aflao
Yaoundé
Cotonou
Kampala
Nairobi
Mogadiscio
Lagos
G.É.
CONGO
Ibadan
GABON
RÉPUBLIQUE
Port-Harcourt
DÉMOCRATIQUE
R.
Mombasa
Benin City
SÃO TOMÉ
DU CONGO
B.
E PRÍNCIPE
TANZANIE
Dar es-Salaam
Brazzaville
Kinshasa
Luanda
Mbuji-
SEYCHELLES
Mayi
COMORES
Lubumbashi
MALAWI
ANGOLA
Mayotte
ZAMBIE
(Fr.)
Lusaka
MADAGASCAR
MOZAMBIQUE
Harare
Antananarivo
ZIMBABWE
NAMIBIE
Bulawayo
BOTSWANA
Pretoria
SWAZILAND
Witwatersrand
(Johannesburg)
Maputo
Vereeniging
AFRIQUE
Durban
DU SUD
LESOTHO
Le Cap
East London
Port Elizabeth

0   500   1000 km

L'Afrique des grands lacs

« …une zone déchirée
en guerres civiles
ou internationales… »

RICHEMENT DOTÉE, la zone de l'Afrique des grands lacs, loin d'être pacifique, ne cesse de se déchirer en guerres civiles ou internationales. Immense, plus ou moins protégée des hommes par une nature qui semble impénétrable, cette zone concentre des points d'extrême violence : notamment, Rwanda, Burundi. Ici la tragédie vient de la combinaison de la croissance démographique et du durcissement des rapports interethniques.

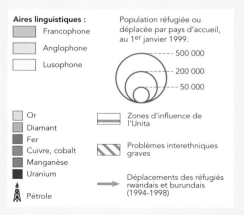

Aires linguistiques :
- Francophone
- Anglophone
- Lusophone

Population réfugiée ou déplacée par pays d'accueil, au 1er janvier 1999.
- 500 000
- 200 000
- 50 000

- Or
- Diamant
- Fer
- Cuivre, cobalt
- Manganèse
- Uranium
- Pétrole

- Zones d'influence de l'Unita
- Problèmes interethniques graves
- Déplacements des réfugiés rwandais et burundais (1994-1998)

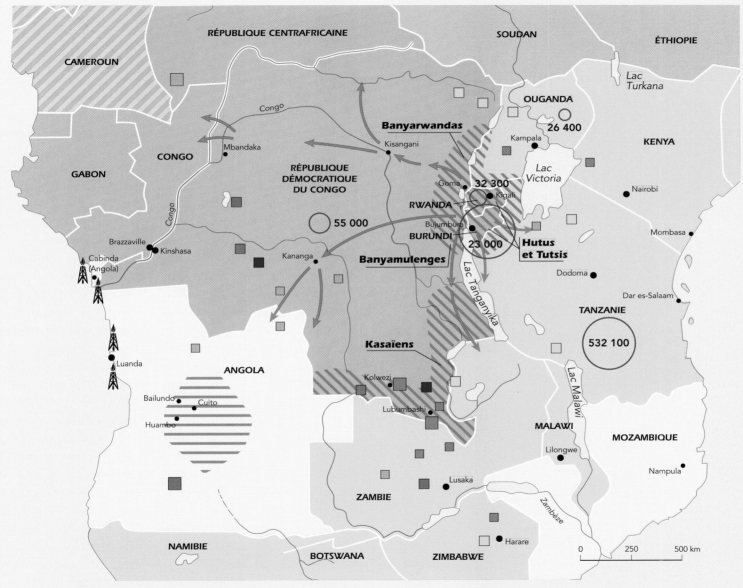

CAMEROUN

RÉPUBLIQUE CENTRAFRICAINE

SOUDAN

ÉTHIOPIE

Lac Turkana

Congo

OUGANDA

Banyarwandas

Kisangani

26 400

Kampala

KENYA

Mbandaka

CONGO

GABON

RÉPUBLIQUE
DÉMOCRATIQUE
DU CONGO

Lac Victoria

Goma **32 300**

Kigali

Nairobi

Congo

RWANDA

55 000

Bujumbura

Mombasa

Brazzaville

Kinshasa

BURUNDI

23 000

Hutus et Tutsis

Cabinda
(Angola)

Kananga

Banyamulenges

Dodoma

Lac Tanganyika

Dar es-Salaam

Luanda

TANZANIE

532 100

Kasaïens

Bailundo Cuito

ANGOLA

Kolwezi

Huambo

Lubumbashi

Lac Malawi

MALAWI

Lilongwe

MOZAMBIQUE

Lusaka

Nampula

ZAMBIE

Zambèze

NAMIBIE

BOTSWANA

ZIMBABWE

Harare

0   250   500 km

Dynamiques urbaines

L'Afrique des grands lacs

« ...l'Afrique face à la modernité... »

APRÈS L'AFRIQUE dans le monde, après l'Afrique et son premier défi – nourrir sa population –, voici l'Afrique face à la modernité.

La carte des Dynamiques urbaines montre que l'Afrique est elle aussi prise dans les mouvements de fond de la mondialisation : ici, une urbanisation irréversible, désordonnée et concentrée dans des zones précises (régions portuaires, grandes villes fluviales). L'urbanisation africaine évoque celle de l'Europe du XIXᵉ siècle. Les hommes s'entassent dans les villes. Ils sont aussi bien expulsés des campagnes – qui n'ont plus d'emploi à leur offrir – qu'attirés par la promesse d'une vie meilleure. Dans l'Europe des XVIIIᵉ-XIXᵉ siècles, les paysans trop nombreux sont chassés tant par les avancées techniques que par le durcissement des droits de propriété. Dans l'Afrique d'aujourd'hui, l'augmentation de la population, l'aspiration au bien-être et l'absence de révolution verte excitent les disputes pour le contrôle de la terre, toujours source majeure de richesse.

Les villes sont déséquilibrées quand elles sont seulement des lieux où se déverse l'excès de bras. En Afrique, l'incertitude vient de ce que l'expansion des villes ne s'appuie pas sur un développement économique suffisant. Les agglomérations africaines, comme beaucoup d'autres du tiers-monde, entassent des millions d'hommes et de femmes déracinés et voués au chômage et à la marginalité. Les agglomérations africaines, même si elles sont régulièrement secouées par des émeutes, n'accouchent pas jusqu'à présent de mutations révolutionnaires. L'Afrique connaît des coups d'État, des guerres civiles, mais aucune de ces explosions qui bouleversent le Paris de 1789, le Petrograd de 1917, le Berlin de 1918 ou le Téhéran de 1978. Fatalisme profond des populations africaines ? Insuffisante maturation ? Marginalité de l'Afrique par rapport aux grandes secousses idéologiques planétaires ? L'histoire tranchera. Une interrogation surgit : cette urbanisation détruit-elle tous les liens traditionnels, familiaux, tribaux ? Le changement est complexe. Sous l'anarchie des agglomérations, ces liens se réinventent, renouvellent de vieilles soli-

darités et assurent peut-être une forme de stabilité.

Si les agglomérations africaines sont anarchiques mais à peu près calmes, l'Afrique des grands lacs concentre toutes les tensions africaines. La région, dotée de terres riches, attire les populations. Puis vient la colonisation, initialement allemande, avec sa volonté de rationalisation, de hiérarchisation. Au lendemain de la Première Guerre mondiale, le colonisateur belge, avec son regard européen, privilégie l'« aristocratie » tutsie (moins d'un cinquième de la population), faisant de la majorité hutue (environ quatre cinquièmes de la population) un tiers état. C'est alors que se figent les ethnies. Ces ethnies se fabriquent à partir d'une très longue histoire, mais leur formation en ensembles clos, aux revendications marquées, est l'un des effets de la colonisation. Avec la décolonisation, dans les années 1960, les grands lacs deviennent un chaudron de haines. Le Rwanda et le Burundi, composés l'un et l'autre de Hutus et de Tutsis, sont comme des frères jumeaux, chacun cherchant un équilibre difficile

entre les deux communautés. Tout se conjugue pour mener la zone vers l'explosion : décolonisation à la va-vite ; voisinage d'États en crise permanente (Zaïre – aujourd'hui République démocratique du Congo –, Ouganda, Kenya) ; poussée démographique, exaspérant les luttes pour la terre. Dans les années 1990, la crise s'intensifie ; elle atteint son comble en 1994 avec le génocide des Tutsis par les Hutus au Rwanda. En 1997, le Zaïre du maréchal Mobutu s'effondre. Les appétits se déchaînent autour des ressources minières du pays. L'Ouganda, le Rwanda, l'Angola, le Zimbabwe s'engagent dans des combats confus, qualifiés bizarrement de Première Guerre mondiale de l'Afrique, sans doute parce que, pour la première fois, des États africains forment des alliances et s'entretuent, hors de toute intervention de puissances extérieures.

Rien n'est réglé. En ce qui concerne le Rwanda, le pouvoir est revenu aux Tutsis, qui exigent réparation pour le génocide de 1994. Des milliers de Hutus sont encore prisonniers ; quelques responsables ont été jugés

ou attendent de l'être, les uns par la justice rwandaise, d'autres par le Tribunal pénal international pour le Rwanda. Quant au Burundi, le charisme et la persévérance de Nelson Mandela obtiennent entre Tutsis et Hutus un accord de partage des postes étatiques. La paix civile est sauvée, mais le prix en est la consolidation de la logique ethnique, au détriment de l'édification d'un peuple burundais, transcendant puis effaçant les clivages communautaires. ■

Tutsis-Hutus : de l'inégalité aux massacres, jusqu'au génocide

XVIIe s. **Période antécoloniale**
Une monarchie sacrée
Le souverain est tutsi ; la caste minoritaire des pasteurs tutsis domine une majorité d'agriculteurs hutus.

1891 **Période coloniale**
La colonisation élargit les fractures sociales anciennes
Le Rwanda et le Burundi, colonisés par l'Allemagne, sont envahis par les forces anglo-belges en 1916 ; en 1923, l'administration de la colonie est confiée à la Belgique.
Les Tutsis s'allient au pouvoir colonial (et adoptent le christianisme) . Dès1957, les missions chrétiennes soutiennent les Hutus.

Décolonisation
Les luttes d'émancipation radicalisent les antagonismes

1959 Au Rwanda, luttes d'émancipation des Hutus, menant à l'indépendance en 1962. Exode tutsi.
Au Burundi, indépendance en 1962, et victoire symétrique des Tutsis.

1972 Répression au Burundi jusqu'au massacre (200 000 victimes hutues). Exode.

1973 Intervention de l'armée au Rwanda.

1987 Au Burundi, la réconciliation datant de 1976 échoue ; massacres de Hutus. Au Rwanda, le Front Patriotique du Rwanda mobilise les réfugiés tutsis pour envahir le nord du pays. Un régime de multipartisme est établi en 1991. Violences hutues contre les Tutsis.

1993 Au Burundi, les élections portent un Hutu au pouvoir. Il est assassiné. Massacres, exode massif.

1994 Assassinat des présidents du Rwanda et du Burundi. Génocide des Tutsis et des Hutus modérés (plus de 500 000 morts) au Rwanda. Le FPR tutsi prend le pouvoir, chasse le FAR (hutu).

L'un des bouleversements géopolitiques majeurs, depuis 1945, est la renaissance – ou l'émergence – de l'Asie. Pendant un long siècle, des guerres de l'opium à la Deuxième Guerre mondiale, l'Asie, à l'exception du Japon (et du Siam-Thaïlande), est mise sous tutelle par les puissances occidentales. De la fin des années 1940 au milieu des années 1970, l'Asie est le théâtre de deux types d'affrontements, qui s'entremêlent et s'attisent les uns les autres : d'une part, les luttes de décolonisation (Indochine, Indonésie…) ; d'autre part, le conflit entre Occident et communisme (Chine, Viêtnam…). Dans la seconde moitié des années 1970, un nouveau paysage émerge : avec la fin de la guerre du Viêtnam (1973-1975), l'Asie est libre et indépendante ; la priorité est désormais à la modernisation.

Dès la seconde moitié des années 1990, l'Asie est secouée par ses premières crises d'espace riche. Ses structures industrielles et bancaires se révèlent prisonnières des liens familiaux et de leurs favoritismes. Les deux colosses de l'Extrême-Orient montrent quelque fragilité : le Japon s'enlise dans une stagnation, dont il n'est toujours pas sorti ; la Chine, qui a décollé, demeure gouvernée par une nomenklatura néo-communiste, vouée à être radicalement remise en cause par l'ouverture sur l'extérieur et les demandes de démocratisation. Enfin, à l'opposé de l'Europe, qui, depuis la fin de la Deuxième Guerre mondiale, construit des mécanismes institutionnels de paix et de coopération entre les peuples, l'Asie en est encore au règlement de ses problèmes diplomatiques fondamentaux, de la division de la Corée à la question de Taiwan, de la paix entre la Russie et le Japon à l'édification d'un système panasiatique de sécurité.

ASIE

L'Asie dans le monde

« …un chantier immense et multiple… »

L'ASIE-PACIFIQUE, après la Méditerranée puis l'océan Atlantique, devient-elle le nouveau centre du monde ? Le Pacifique s'impose comme la zone d'échanges la plus dynamique du monde, attirant vers elle des États ou des régions qui se tenaient en marge (Australie, Inde, Amérique latine…). Le chantier asiatique est immense et multiple : la Chine est un colosse incertain ; la dynamique économique du Japon paraît cassée ; des « nœuds » géopolitiques ne sont pas dénoués : Taiwan, division de la Corée, paix entre la Russie et le Japon. L'Asie n'est pas sortie de la Deuxième Guerre mondiale, elle est toujours sous la surveillance des États-Unis. L'avenir de cette région reste ouvert : le développement et la paix paraissent être les perspectives les plus probables ; toutefois l'hypothèse de la guerre ne peut être exclue.

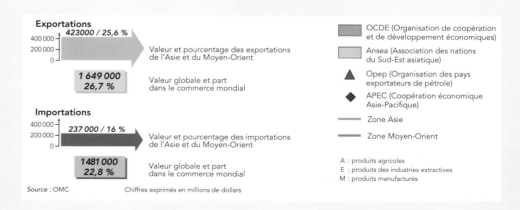

Exportations

423000 / 25,6 %

Valeur et pourcentage des exportations de l'Asie et du Moyen-Orient

1 649 000
26,7 %

Valeur globale et part dans le commerce mondial

Importations

237 000 / 16 %

Valeur et pourcentage des importations de l'Asie et du Moyen-Orient

1 481 000
22,8 %

Valeur globale et part dans le commerce mondial

Source : OMC   Chiffres exprimés en millions de dollars

OCDE (Organisation de coopération et de développement économiques)

Ansea (Association des nations du Sud-Est asiatique)

Opep (Organisation des pays exportateurs de pétrole)

APEC (Coopération économique Asie-Pacifique)

Zone Asie

Zone Moyen-Orient

A : produits agricoles
E : produits des industries extractives
M : produits manufacturés

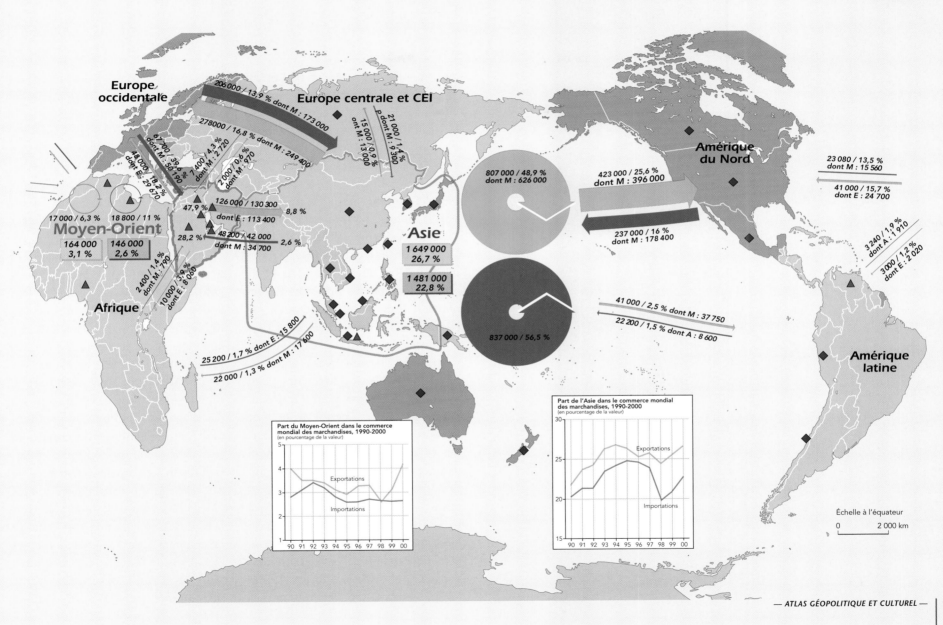

Europe occidentale

206 000 / 13,9 % dont M : 173 000

278000 / 16,8 % dont M : 249 400

67 700 / 3,9 % dont M : 50 190

48 000 / 18,2 % dont E : 29 670

7 400 / 4,3 % dont M : 2 720

2 000 / 0,6 % dont M : 970

Europe centrale et CEI

21 000 / 1,4 % dont M : 9 300

15 000 / 0,9 % dont M : 13 000

126 000 / 130 300
dont E : 113 400

8,8 %

47,9 %

48 200 / 42 000
dont M : 34 700

2,6 %

28,2 %

Moyen-Orient

17 000 / 6,3 %

18 800 / 11 %

164 000
3,1 %

146 000
2,6 %

2 400 / 1,4 %
dont M : 790

10 000 / 3,9 %
dont E : 8 060

Afrique

25 200 / 1,7 % dont E : 15 800

22 000 / 1,3 % dont M : 17 600

Asie

1 649 000
26,7 %

1 481 000
22,8 %

807 000 / 48,9 %
dont M : 626 000

423 000 / 25,6 %
dont M : 396 000

237 000 / 16 %
dont M : 178 400

837 000 / 56,5 %

41 000 / 2,5 % dont M : 37 750

22 200 / 1,5 % dont A : 8 600

Amérique du Nord

23 080 / 13,5 %
dont M : 15 560

41 000 / 15,7 %
dont E : 24 700

3 240 / 1,9 %
dont A : 1 910

3 000 / 1,2 %
dont E : 2 020

Amérique latine

Échelle à l'équateur

0   2 000 km

Part du Moyen-Orient dans le commerce mondial des marchandises, 1990-2000
(en pourcentage de la valeur)

Exportations

Importations

90 91 92 93 94 95 96 97 98 99 00

Part de l'Asie dans le commerce mondial des marchandises, 1990-2000
(en pourcentage de la valeur)

Exportations

Importations

90 91 92 93 94 95 96 97 98 99 00

L'Asie dans le monde

*« ...l'Asie-Pacifique,
un espace majeur d'échanges,
centre de gravité futur ?... »*

L'ASIE-PACIFIQUE est, avec l'océan Atlantique, l'un des deux espaces majeurs d'échanges et réalise environ un quart du commerce mondial. De la découverte de l'Amérique au XVe siècle aux deux guerres mondiales, l'Atlantique est le cœur du monde, cordon ombilical des deux pôles majeurs d'industrialisation : l'Europe occidentale et les États-Unis. De la fin de la Deuxième Guerre mondiale au début des années 1970, l'Asie est dominée par les luttes de décolonisation (Indonésie, Indochine), ces conflits se trouvant attirés dans l'antagonisme Est-Ouest. Les deux guerres – française (1946-1954), puis américaine (1964-1973) – d'Indochine sont autant des combats pour l'indépendance que des péripéties du bras de fer entre Occident et communisme. En 1975, avec la prise de Phnom Penh, puis celle de Saigon, l'expansion communiste atteint son maximum. Brutalement l'Asie, qui paraissait vouée au soviétisme ou au maoïsme, met le cap sur le développement capitaliste. Les quatre dragons (Corée-du-Sud, Taiwan, Hong-Kong, Singapour) deviennent les États modèles. Mao à peine enterré en 1976, son successeur, Deng Xiaoping, veut la modernisation accélérée de la Chine, avec la conscience claire que ce processus requiert la privatisation et la libéralisation de l'économie. L'autre colosse, l'Inde, ultime adepte de l'économie administrative, se rallie à l'ouverture, une vingtaine d'années plus tard.

Entre le milieu des années 1970 et le milieu des années 1990, les échanges de l'Asie-Pacifique se multiplient et dépassent ceux de l'Atlantique. Cet immense espace – The Pacific Run – apparaît, après la Méditerranée puis l'Atlantique, comme le nouveau centre du monde. En 1989, naît à Séoul, capitale de l'un de ces dragons au décollage économique impressionnant, la Coopération économique des pays de l'Asie et du Pacifique, l'APEC (selon son sigle anglo-américain). Ce très vaste forum regroupe les grands pôles de la zone Pacifique : les trois États de l'Association de libre-échange nord-américaine (ALENA, avec les États-Unis, le Canada et le Mexique), plus le Chili ; les trois Chine (République populaire de Chine ;

Hong-Kong et Taiwan) ; les États de l'Asie du Sud-Est (ASEAN) ; le Japon, la Corée-du-Sud, la Nouvelle-Zélande et la Papouasie-Nouvelle-Guinée, soit la moitié du produit mondial brut. En octobre 2001, ce forum se réunit à Shanghai, consacrant la place de la Chine comme l'un des acteurs-clés du développement de la zone.

Cette émergence de l'Asie-Pacifique ne doit pas masquer les lourdes interrogations qui pèsent sur cette région.

L'Asie-Pacifique est loin d'avoir trouvé un réel équilibre économique. Dans le dernier quart de la décennie 1990, toute l'Asie maritime est secouée par une grave crise économique. Celle-ci met en lumière le poids des liens très complexes entre banque et industrie, l'importance des connexions familiales. L'Asie repart avec une surprenante rapidité. Mais les points sombres demeurent nombreux : certains pays (comme l'Indonésie) s'enfoncent dans toutes sortes de conflits, sociaux ou régionaux ; les réformes structurelles indispensables, comme notamment la remise en ordre des secteurs bancaires, sont plus ou moins faites ; enfin,

les économies asiatiques, où les industries électroniques occupent une place importante, demeurent très dépendantes des États-Unis et souffrent dès que leur croissance s'essouffle ou vire à la récession, comme en 2001. Le Japon, deuxième puissance économique mondiale, est empêtré dans une stagnation dont il ne parvient pas à sortir. Quant à la Chine (1,2 milliard d'habitants), son produit national brut calculé sur la base de la parité du pouvoir d'achat représenterait près de 12 % du produit brut mondial. Elle se classe au 65e rang, entre la Jamaïque et la Lettonie ; elle est, dans une certaine mesure, un nain économique.

L'Asie-Pacifique est engagée dans une transition démocratique incertaine. Tous les pays asiatiques, même la Chine, tendent, à plus ou moins long terme, à une forme de système démocratique. Plusieurs pays d'Asie du Sud-Est (Thaïlande, Malaysia, Indonésie, Philippines) sont déjà des démocraties, au moins par les procédures, mais les fondements de ces démocraties sont très fragiles : inégalités massives, confiscation fréquente du pouvoir par un parti ou par une

famille, incapacité à organiser une autonomie interne. Le Viêtnam, qui libéralise à vive allure son économie, est encore politiquement dans le carcan communiste. Mais il y a surtout l'énorme Chine : sa démocratisation peut-elle se faire sans convulsion et fragmentation ?

L'Asie-Pacifique n'est pas encore sortie de la Deuxième Guerre mondiale et de ses lendemains. La Corée est toujours divisée ; la Russie et le Japon n'ont pas de traité de paix

(affaire des Kouriles) ; la République populaire de Chine et Taiwan se disputent toujours autour de l'unité de la Chine... Dans quelle mesure l'Asie peut-elle devenir un pôle de richesse et de paix, si elle ne règle pas aussi ses problèmes ? Tous les mécanismes institutionnels qu'a développés l'Europe depuis la fin de la Deuxième Guerre mondiale existent à peine en Asie, l'APEC et l'ASEAN ne vont guère au-delà d'efforts de libéralisation des échanges. ∎

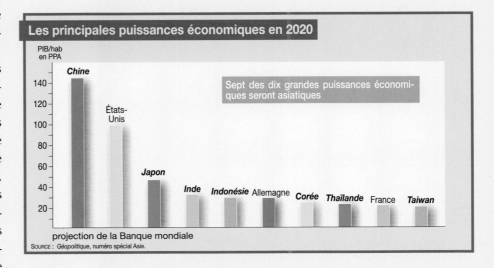

Les principales puissances économiques en 2020

PIB/hab en PPA

Sept des dix grandes puissances économiques seront asiatiques

Chine — États-Unis — Japon — Inde — Indonésie — Allemagne — Corée — Thaïlande — France — Taiwan

projection de la Banque mondiale

SOURCE : *Géopolitique*, numéro spécial Asie.

Principaux peuples d'Asie

« …des poids très inégaux au sein du premier continent démographique… »

LES PEUPLES D'ASIE s'organisent autour de masses très inégales. Au nord, les Russes (environ 140 millions) éparpillés dans l'immense Sibérie. À l'extrême est, l'énorme Chine (1,3 milliard), entourée de petits colosses : Japon (130 millions), Corée, Viêtnam… Au sud, séparé par l'Himalaya, le sous-continent indien (1,2 milliard). Enfin, à l'ouest, les Persans (une soixantaine de millions), héritiers d'une immense civilisation. Restent les Turcs, présents de la Turquie à l'Asie centrale.

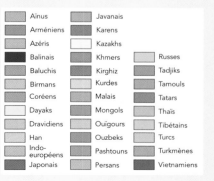

Aïnus	Javanais	
Arméniens	Karens	
Azéris	Kazakhs	
Balinais	Khmers	Russes
Baluchis	Kirghiz	Tadjiks
Birmans	Kurdes	Tamouls
Coréens	Malais	Tatars
Dayaks	Mongols	Thaïs
Dravidiens	Ouïgours	Tibétains
Han	Ouzbeks	Turcs
Indo-européens	Pashtouns	Turkmènes
Japonais	Persans	Vietnamiens

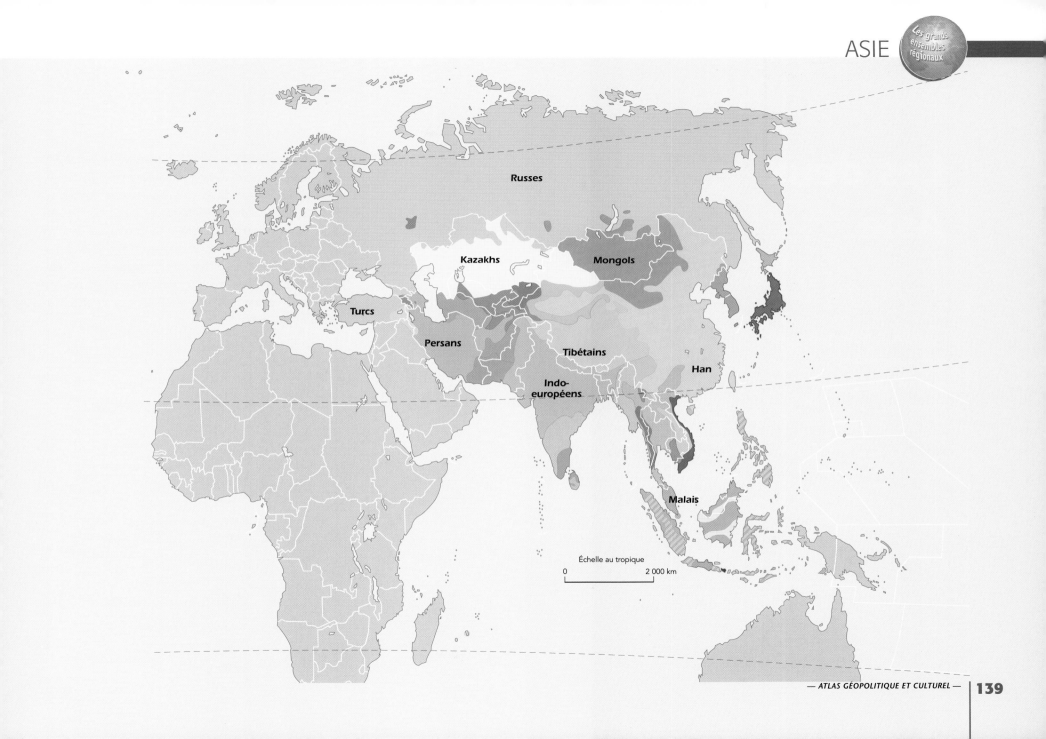

Russes

Kazakhs

Mongols

Turcs

Persans

Tibétains

Han

Indo-
européens

Malais

Échelle au tropique

0   2 000 km

Les deux Asie

« …deux grandes aires très dissemblables mais en constante interaction… »

L'IMMENSE ASIE peut être partagée en deux grandes aires. Au nord, de la Turquie à la Chine intérieure, s'étire l'Asie enclavée des déserts, des montagnes et des oasis, aride et relativement peu peuplée. Au sud, de la péninsule arabique au Japon, se déploie l'Asie arrosée par les moussons, qui attire, le long des fleuves et dans les deltas, les populations les plus nombreuses de la planète. Ces deux Asie, par les échanges et les aventures impériales, sont en constante interaction.

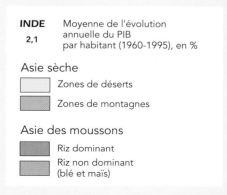

INDE **2,1**	Moyenne de l'évolution annuelle du PIB par habitant (1960-1995), en %

Asie sèche

Zones de déserts

Zones de montagnes

Asie des moussons

Riz dominant

Riz non dominant (blé et maïs)

Les grands ensembles régionaux

Cercle polaire arctique

RUSSIE
0,6

AZERBAÏDJAN
-14,8

GÉORGIE
-1,4

KAZAKHSTAN
-7,8

MONGOLIE
-0,3

CORÉE-
DU-NORD

JAPON
4,8

ARMÉNIE
-1,6

OUZBÉKISTAN
-3

KIRGHIZSTAN
-6,3

CORÉE-
DU-SUD
7,1

TURQUIE
2,6

TURKMÉNISTAN

TADJIKISTAN
-11,8

CHYPRE
6,2

SYRIE
2,2

IRAN
-1,9

AFGHANISTAN

CHINE
5,5

LIBAN
1,7

IRAK
-4,6

BHOUTAN
4,1

JORD.
-2,9

KOWEIT
-2,9

PAKISTAN
3

NÉPAL
0,9

ISRAËL
3,2

QATAR

BAHREÏN
-1,4

BANGLADESH
0,9

Hong-Kong
5,8

ARABIE
SAOUDITE
0,7

EAU
-4,1

INDE
2,1

BIRMANIE
(MYANMAR)

LAOS
2,2

VIÊTNAM
3,9

OMAN
5,9

THAÏLANDE
5,3

CAMBODGE
3

PHILIPPINES
1,2

YÉMEN

BRUNEI
-0,9

SRI
LANKA
2,7

MALAYSIA
4,3

MALDIVES
5,1

SINGAPOUR
6,4

Équateur

INDONÉSIE
3,9

Tropique du Cancer

Échelle au tropique

0   2 000 km

Principaux peuples d'Asie

Les deux Asie

« ...les pays d'Asie
se rallient au capitalisme,
mais à quel prix ?... »

'ASIE EST UN TOURBILLON DE PEUPLES, sans cesse bousculés par des entreprises impériales et coloniales aussi brutales qu'éphémères. Dans ce maelström se dessinent quelques permanences lourdes.

Au nord, l'extraordinaire expansion de la Russie à partir de Moscou, depuis près de quatre cents ans, n'efface pas le caractère colonial de cette entreprise. La Sibérie, qui semble surplomber l'Asie, est, du fait d'abord de son climat, largement vide. Ce peut être une proie tentante, notamment pour le milliard de Chinois.

De la Turquie à la Mongolie, longeant le monde russe, s'étend l'aire turque. Les Turcs furent les infatigables bâtisseurs et destructeurs de cet Empire des steppes qui tenta à plusieurs reprises d'unifier l'Asie continentale. Aujourd'hui le monde turcophone est fragmenté entre plusieurs États (en général contenant des minorités) : Turquie, Turkménistan, Ouzbékistan... S'il y a un rêve d'unification de tous les peuples turcs, l'histoire retient surtout leurs rivalités.

À l'ouest, situé entre Turcs, Russes et Arabes, apparaît l'espace persan, relativement petit mais qui, pendant des siècles, rayonne tant vers la Méditerranée que vers le sous-continent indien. Aujourd'hui l'héritier de la Perse, l'Iran, reste un des États importants du Moyen-Orient.

Au sud, le sous-continent indien, s'il ne cesse d'être envahi et de se déchirer (encore aujourd'hui l'Inde et le Pakistan), garde malgré tout une très forte identité géographique, avec la barrière de l'Himalaya, et historico-religieuse, avec l'hindouisme. Depuis les années 1990, l'entrée spectaculaire de l'Inde dans l'ère de l'informatique confirme sa capacité de métamorphose et marque peut-être une véritable rupture historique : l'Inde entre dans la compétition du monde moderne.

À l'extrême est s'étend la Chine dite éternelle. Aussi loin que remontent les chiffres de la population mondiale, le poids de la Chine est constant : entre 1/5e et 1/6e. La Chine, colosse démographique à l'échelle mondiale, partagera bientôt son leadership avec l'Inde, qui a vu sa population tripler en 50 ans. Or, tout autour d'elle existent de vieux peuples, eux aussi avec

une longue civilisation : Japon, Corée, Viêtnam, chacun entretenant des rapports complexes et parfois guerriers avec l'empire du Milieu, cette Chine qui se considérait, au moins jusqu'à son effondrement au XIXᵉ siècle, comme le centre du monde.

Enfin, au sud-est, l'Asie des péninsules et des îles : Birmanie, Thaïlande, Malaysia, Indonésie… C'est un enjeu entre mondes indien et chinois, entre empires coloniaux, entre Occident et communisme. Avec la décolonisation, puis la fin de la guerre froide, l'Asie du Sud-Est décolle et tente de se construire (depuis 1967, Association des nations d'Asie du Sud-Est – ANASE ou, selon le sigle anglo-américain, ASEAN).

Sous ces découpages fluctuants entre peuples, entre civilisations, se dessinent d'autres lignes de partage, celles du climat. L'Asie aride et montagneuse, celle qui va de la Turquie au cœur de la Chine par l'Asie centrale, vit autour des oasis qui, pendant des siècles, tirent leur prospérité de la route de la soie. Avec les grandes découvertes et le développement des voies maritimes entre l'Europe et

l'Extrême-Orient, l'Asie intérieure n'est plus qu'un carrefour d'empires, entre Russie et Angleterre, entre URSS et Chine. Aujourd'hui cette Asie intéresse parce qu'elle a du pétrole et peut servir de refuge à des terroristes (en 2001, guerre d'Afghanistan).

L'Asie maritime, de l'Inde au Japon, est l'Asie innombrable, qui s'entasse le long des fleuves – à la fois axes commerciaux et lieux de sacralité – et dans les deltas. L'Asie intérieure appartient, au moins jusqu'au XXᵉ siècle, aux nomades, aux cavaliers, aux guerriers. L'Asie maritime est industrieuse et commerçante. Surpeuplée, elle est secouée de convulsions. L'Inde, terre de haute spiritualité, démocratie dans un océan de pauvreté, est aussi le pays des castes et des haines religieuses. De la fin des années 1940 à la fin des années 1980, l'Indochine est déchirée par des guerres âpres, engendrant des expériences extrêmes (de 1975 à 1978, utopie sanglante des Khmers rouges au Cambodge). Aujourd'hui, l'Asie maritime décolle, se rallie avec frénésie au capitalisme.

Cette percée annonce-t-elle enfin la pacification de cette zone ? Peut-être,

mais le développement économique, surtout lorsqu'il est très rapide, porte toutes sortes de conflits : fortes inégalités entre ceux qui s'enrichissent et des masses qui peinent à suivre ; prolifération d'agglomérations polluées, où se déversent des millions de paysans, chassés des campagnes, en quête d'un travail ; souci des clans

établis, des nomenklaturas de profiter au maximum du pouvoir ; enfin, persistance des susceptibilités nationalistes : ainsi Taiwan, dont la République populaire de Chine accepte très mal l'existence ; ainsi la dispute des Kouriles, obstacle toujours présent à la conclusion d'un traité de paix entre Russie et Japon. ■

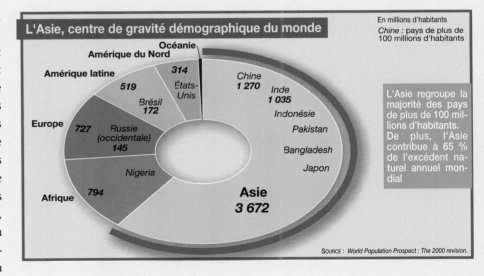

L'Asie, centre de gravité démographique du monde

En millions d'habitants
Chine : pays de plus de 100 millions d'habitants

Océanie
Amérique du Nord
Amérique latine
314 États-Unis
519
Brésil **172**
Europe **727**
Russie (occidentale) **145**
Afrique **794**
Nigeria
Chine **1 270**
Inde **1 035**
Indonésie
Pakistan
Bangladesh
Japon
Asie 3 672

L'Asie regroupe la majorité des pays de plus de 100 millions d'habitants. De plus, l'Asie contribue à 65 % de l'excédent naturel annuel mondial

SOURCE : *World Population Prospect : The 2000 revision.*

Israël et les Palestiniens

Depuis la déclaration Balfour (2 novembre 1917)
par laquelle le Royaume-Uni promet aux Juifs
un foyer national en Palestine, la question
palestinienne semble inextricable. Les quatre cartes
mettent en lumière l'évolution du conflit. En 1947,
la Palestine, sous mandat britannique, est encore
unie, mais l'Assemblée générale de l'ONU, prenant
acte des affrontements entre colons juifs et fellahs
palestiniens, se rallie au partage de la région.
En 1949, Israël est né : ses frontières, fragiles
et menacées, s'élargissent au fil de ses victoires.
En 1967, Israël, en une guerre-éclair, occupe
le Golan, la Cisjordanie, Gaza et le Sinaï qui sera
restitué à l'Égypte en 1982. La quatrième carte
montre le développement des colonisations
israéliennes en Cisjordanie, encerclant, fragmentant
les zones palestiniennes, alors que le principe
d'un État palestinien est acquis.

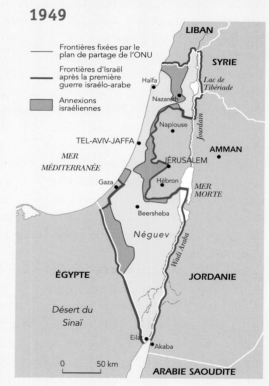

1967-2000

Territoires occupés par Israël depuis 1967

◑ Jérusalem-Est annexée en 1967

Golan occupé depuis 1967 et annexé en 1981

Zone du Golan restitué à la Syrie en 1974

Zone de sécurité du Liban-Sud contrôlée par l'armée israélienne

Zone sous responsabilité conjointe palestinienne et israélienne

Territoires palestiniens autonomes

Passage sécurisé sud

LIBAN

SYRIE

GOLAN
Qunaitra

Haïfa
Lac de Tibériade
Nazareth
Djénine
Tulkarm
Qalqiliya
Naplouse
TEL-AVIV-JAFFA
CISJORDANIE
Ramallah
Jéricho
JÉRUSALEM
Bethléem
MER MORTE
Hébron
GAZA
Beersheba

Désert du Néguev

Jourdain

Wadi Araba

JORDANIE

AMMAN

Canal de Suez

Désert du Sinaï
Zone occupée par Israël en 1967 et restituée à l'Égypte en 1982

Eilat • Akaba

ARABIE SAOUDITE

ÉGYPTE

0   50 km

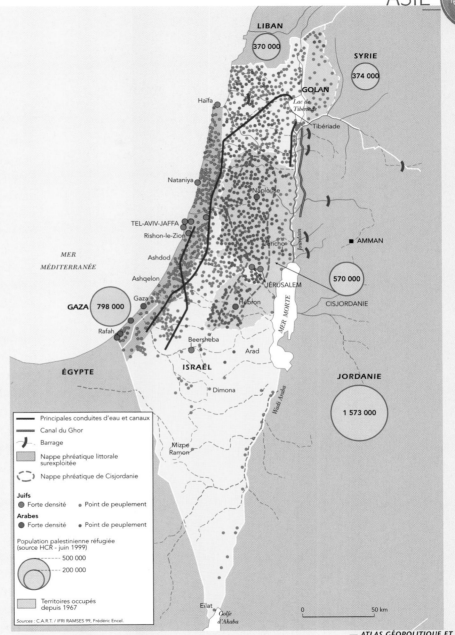

LIBAN
370 000

SYRIE
374 000

GOLAN
Lac de Tibériade
Haïfa
Tibériade

Nataniya
Naplouse
TEL-AVIV-JAFFA
Rishon-le-Zion
Jéricho
Ashdod
AMMAN
MER MÉDITERRANÉE
Ashqelon
JÉRUSALEM
570 000
GAZA 798 000
Gaza
Hébron
CISJORDANIE
Rafah
Beersheba
MER MORTE
Arad

Jourdain

JORDANIE
1 573 000

ÉGYPTE

ISRAËL
Dimona

Mizpe Ramon

Wadi Araba

Eilat
Golfe d'Akaba

— Principales conduites d'eau et canaux
— Canal du Ghor
⌐ Barrage
Nappe phréatique littorale surexploitée
Nappe phréatique de Cisjordanie

Juifs
● Forte densité   • Point de peuplement

Arabes
● Forte densité   • Point de peuplement

Population palestinienne réfugiée
(source HCR - juin 1999)
500 000
200 000

Territoires occupés depuis 1967

Sources : C.A.R.T. / IFRI RAMSES 99, Frédéric Encel.

0   50 km

Israël et les Palestiniens

« ...un enjeu territorial important, une difficulté diplomatique sans précédent... »

LA QUESTION PALESTINIENNE prend forme à la fin du XIXe siècle, lorsque des Juifs d'Europe, sous l'impulsion, notamment, de Theodor Herzl, se convainquent que le meilleur moyen d'échapper à des persécutions pluriséculaires est de bâtir un État des Juifs, pouvant leur servir de refuge.

Même si d'autres choix sont envisagés, la Palestine s'impose : elle est la terre de la Bible. À partir du début du XXe siècle, des colons juifs affluent vers la Palestine ; des terres sont achetées aux grands propriétaires, chassant des paysans palestiniens. Les tensions entre communautés juives et arabes s'installent. En 1948, le Royaume-Uni, puissance mandataire depuis 1918, quitte la Palestine, la politique moyen-orientale ayant échoué. L'État d'Israël, béni tant par les États-Unis que par l'URSS, naît dans la guerre contre les voisins arabes.

De 1949 à 1973, Israël est un pays assiégé, en guerre périodique avec les États arabes. En juin 1967, Israël écrase ses ennemis en six jours et occupe le Golan syrien, Jérusalem-Est, la Cisjordanie, Gaza et le Sinaï. Israël affirme sa force militaire. En octobre 1973, Israël, attaqué par surprise par l'Égypte et la Syrie, est ébranlé mais redresse la situation.

À partir de 1973 s'engage, laborieusement, avec la médiation très active des États-Unis, la recherche de la paix entre Israël et ses voisins arabes. En mars 1979, sous l'égide du président Jimmy Carter, Israël et l'Égypte concluent la paix. Il faut encore quinze ans pour qu'en octobre 1994 Israël et la Jordanie fassent à leur tour la paix. Pourtant la paix est loin d'être établie.

Au-delà de l'Égypte et de la Jordanie, des traités de paix indispensables – surtout Israël-Syrie, et aussi Israël-Liban – restent à conclure. Un enjeu territorial important (restitution du Golan syrien, occupé par Israël en 1967) n'est pas réglé. Cette difficulté diplomatique à étendre le système des traités de paix suggère que deux questions symétriques sont loin d'être clarifiées. En premier lieu, Israël est-il vraiment accepté par les pays arabes comme un État de la région ? L'État hébreu existe depuis 1948, il s'est consolidé, est reconnu par l'Égypte et la Jordanie, mais le souvenir de l'éphémère Royaume

franc, au temps des croisades, hante l'existence d'Israël. D'une certaine manière, la création de cet État a « exporté » la question juive d'Europe au Proche-Orient.

Réciproquement, Israël s'accepte-t-il comme un État de la région ? Au fond de lui-même, Israël, marqué tant par les massacres du passé que par la guerre et le terrorisme, demeure une forteresse angoissée. Le grand slogan « La terre contre la paix » implique que l'État hébreu abandonne notamment la Cisjordanie, occupée depuis 1967, mais assurant à Israël une certaine profondeur stratégique dans une région minuscule. Le territoire de la Palestine n'excède pas celui d'une poignée de départements français.

Quel avenir pour les Palestiniens ? Depuis 1948, à travers une succession d'épreuves (vagues de réfugiés, répressions par les « frères » arabes), un peuple palestinien est né, représenté par l'Organisation de libération de la Palestine (OLP), et revendiquant un cadre politique propre. Ces données sont admises. En 1993, le processus d'Oslo, lancé par la reconnaissance mutuelle d'Israël et de l'OLP,

vise à édifier progressivement une forme d'État palestinien à Gaza et en Cisjordanie. Près de dix ans plus tard, le processus, pourtant engagé avec enthousiasme, est gravement enlisé. Les colonisations juives en Cisjordanie disloquent cette région, enferment les Palestiniens dans les parties les plus pauvres, et rendent impossible l'instauration d'un État viable. De plus, l'Intifada, insurrection quasiment permanente des Palestiniens, s'est enracinée, suscitant un terrorisme extrême (attentats-suicides). Le processus d'Oslo est remis en cause tant par le gouvernement israélien que par l'Autorité palestinienne, dirigée par Yasser Arafat (assisté d'un Premier ministre depuis mars 2003).

Les perspectives sont encore sombres. Il ne peut y avoir de paix sans un minimum de confiance : le projet de construction d'une « clôture de sécurité » de 600 km autour de la Cisjordanie marque au contraire la défiance (les Palestiniens l'appellent « le mur »). Il faut aussi une puissance capable de faire respecter des règles strictes aux parties prenantes. Les États-Unis devraient être cette puis-

sance. Mais ils semblent trop pencher en faveur d'Israël. Surtout ils sont engagés dans d'autres luttes, contre l'hyper-terrorisme mondial (guerre d'Afghanistan) et contre l'Irak (2003). L'unique issue possible au Proche-Orient consiste en une entente entre l'État hébreu et les Arabes. ■

Israël avant Israël

Fin XVIIᵉ s. La Révolution française lance le mouvement d'assimilation des Juifs en Europe.

Années 1840 Idée d'un État-tampon entre Turcs et Égyptiens.

Années 1890 Theodor Herzl réunit le 1ᵉʳ congrès sioniste ; il envisage la création d'un État juif.

1913 Le 1ᵉʳ congrès national arabe signe le réveil de la nation arabe.

1917 Déclaration Balfour (R.-U.) envisageant un « Foyer national pour le peuple juif ».

1922 La SDN entérine les accords de San Remo consacrés au sort des provinces arabes de l'ex-empire ottoman : mandat britannique sur la Palestine ; immigration et installation intensives des Juifs.

Années 1920 Création progressive du quasi-État (l'hébreu devient une des langues officielles, système scolaire et universitaire hébraïque, milices armées) ; premières émeutes arabes.

Années 1930 L'immigration s'intensifie. Plan de partage britannique, accepté par les Juifs, entériné par la SDN. Les Arabes le refusent.

1939 Début de la guerre, volte-face anglaise : priorité à l'indépendance de la Palestine sous direction arabe.

1947 Le Royaume-Uni se démet de son mandat ; l'ONU ratifie la création de deux États (région de Jérusalem sous statut spécial), mais est incapable de l'imposer. L'État d'Israël, proclamé, est immédiatement reconnu par les États-Unis et l'URSS. Les frontières proposées par l'ONU sont modifiées dès la première guerre israélo-arabe, déclenchée par les États arabes.

Inde
Le poids des castes

L'Inde est une très vieille terre. Depuis l'invasion des Aryens, les castes structurent la société indienne, répartissant la population entre des catégories rigides, inégales et fermées les unes aux autres. Les victimes les plus visibles de ce système sont les « intouchables », voués à toutes les tâches dégradantes. Les femmes sont prisonnières de ce carcan. Pourtant l'Inde change profondément, se modernise à vive allure. Les castes résisteront-elles au choc de la mondialisation ?

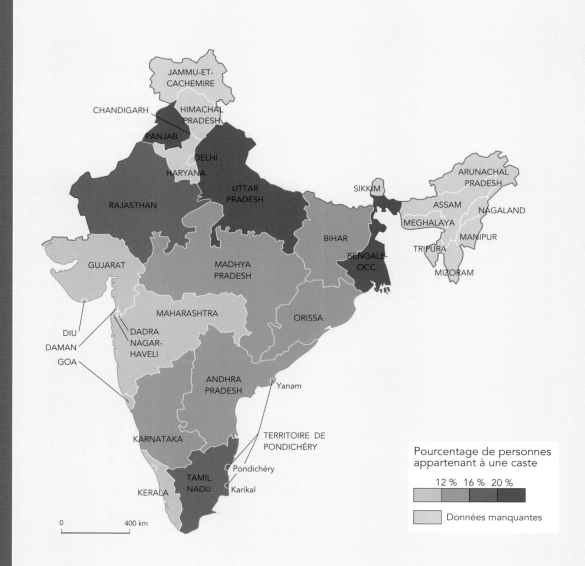

Pourcentage de personnes appartenant à une caste

12 % 16 % 20 %

Données manquantes

Inde
Analphabétisme et fécondité

Les taux de natalité reculent très fortement en Inde depuis 1950. Les statistiques de l'ONU montrent un lien quasi mécanique entre analphabétisme et fécondité : plus les femmes sont instruites, plus elles maîtrisent leur fécondité. Cette carte confirme parfaitement ces relations pour l'Inde du Nord. Néanmoins, l'Inde du Sud, ressentie en général comme la plus arriérée, a une natalité moins importante que celle du Nord.

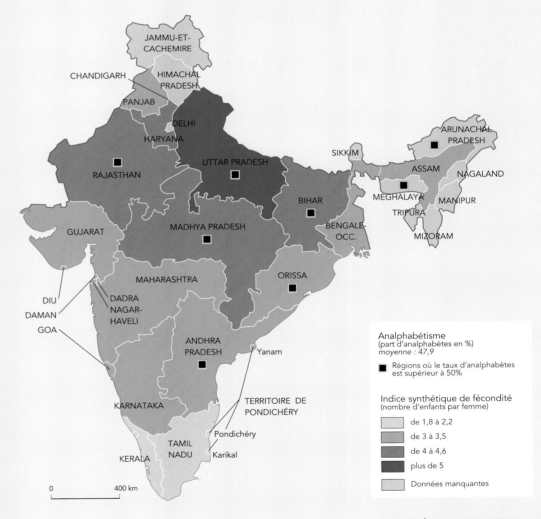

Analphabétisme
(part d'analphabètes en %)
moyenne : 47,9

■ Régions où le taux d'analphabètes est supérieur à 50%

Indice synthétique de fécondité
(nombre d'enfants par femme)

de 1,8 à 2,2
de 3 à 3,5
de 4 à 4,6
plus de 5
Données manquantes

Le Japon dans le monde

« ...un des trois grands pôles de l'économie mondiale... »

L E JAPON EST, avec les États-Unis et l'Union européenne, l'un des trois grands pôles de l'économie mondiale. La carte montre d'abord la dépendance quasi totale de l'archipel en matières premières : toute la richesse du Japon réside dans ses capacités transformatrices. Quant aux flux d'investissements japonais vers plusieurs parties du monde, ils proviennent des grandes entreprises nippones : elles ne peuvent se contenter d'exporter, il leur faut s'implanter dans les zones consommatrices et y créer des emplois pour faire accepter les marques japonaises. Aujourd'hui, le Japon est surtout un colosse malade, qui cherche à sortir d'une décennie de stagnation économique, et qui doit restructurer tout son secteur financier.

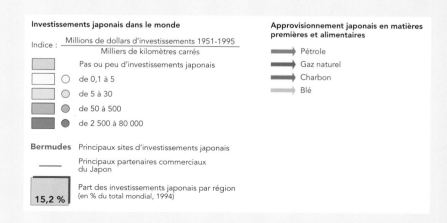

Investissements japonais dans le monde

Indice : $\dfrac{\text{Millions de dollars d'investissements 1951-1995}}{\text{Milliers de kilomètres carrés}}$

Pas ou peu d'investissements japonais

de 0,1 à 5

de 5 à 30

de 50 à 500

de 2 500 à 80 000

Bermudes Principaux sites d'investissements japonais

Principaux partenaires commerciaux du Japon

15,2 % Part des investissements japonais par région (en % du total mondial, 1994)

Approvisionnement japonais en matières premières et alimentaires

Pétrole

Gaz naturel

Charbon

Blé

Les grands ensembles régionaux

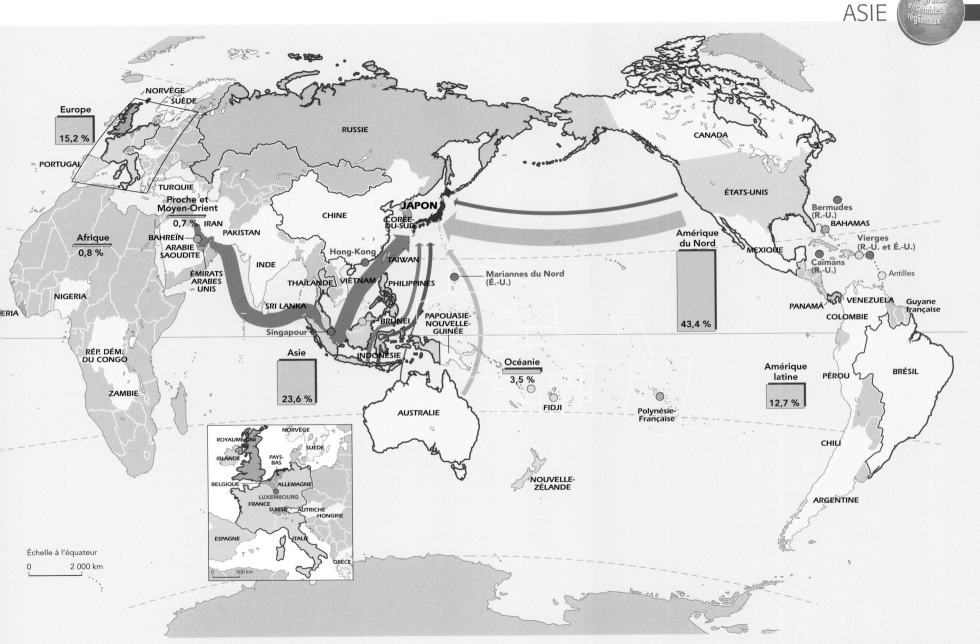

Europe
15,2 %

PORTUGAL

NORVÈGE
SUÈDE

TURQUIE
Proche et
Moyen-Orient
0,7 % IRAN

PAKISTAN

BAHREÏN
ARABIE
SAOUDITE

ÉMIRATS
ARABES
UNIS

Afrique
0,8 %

NIGERIA

RÉP. DÉM.
DU CONGO

ZAMBIE

RUSSIE

CHINE

INDE

SRI LANKA

THAÏLANDE VIÉTNAM

Hong-Kong

TAIWAN

PHILIPPINES

Singapour

BRUNEI

INDONÉSIE

JAPON

CORÉE-
DU-SUD

Marannes du Nord
(É.-U.)

PAPOUASIE-
NOUVELLE-
GUINÉE

Asie
23,6 %

AUSTRALIE

Océanie
3,5 %

FIDJI

Polynésie-
Française

NOUVELLE-
ZÉLANDE

CANADA

ÉTATS-UNIS

MEXIQUE

Amérique
du Nord

43,4 %

PANAMÁ

COLOMBIE

VENEZUELA

Guyane
française

PÉROU

BRÉSIL

Amérique
latine
12,7 %

CHILI

ARGENTINE

Bermudes
(R.-U.)

BAHAMAS

Vierges
(R.-U. et É.-U.)

Caïmans
(R.-U.)

Antilles

NORVÈGE

ROYAUME-UNI

IRLANDE

PAYS-
BAS

SUÈDE

ALLEMAGNE

BELGIQUE

LUXEMBOURG

FRANCE

SUISSE AUTRICHE

HONGRIE

ESPAGNE

ITALIE

GRÈCE

0   500 km

Échelle à l'équateur

0   2 000 km

L'Inde

Le Japon

« ...deux colosses –
démographique
ou économique –
à l'échelle mondiale... »

L'Inde

L'Inde est l'une de ces très vieilles terres, qui paraissent pouvoir tout digérer (conquêtes, dominations étrangères) et rester elles-mêmes. Ainsi le système des castes – répartition rigide et inégale de la population entre catégories fermées, ne pouvant se marier entre elles – remonte-t-il à des temps très anciens (invasions aryennes). Ni la pénétration de l'islam, ni la venue des Turcs (Empire moghol), ni la colonisation britannique n'altèrent cette rigidité, vecteur de soumission et d'immobilisme. Gandhi, le combattant de l'indépendance, lutte pour les « intouchables ». Pourtant la famille Nehru, venant de la caste la plus élevée, celle des brahmanes, a gouverné l'Inde indépendante pendant des décennies. La démocratie à l'occidentale, qui s'enracine dans cette Inde indépendante, s'accommode du système des castes.

Dans les années 1990, l'Inde, qui revendiquait l'autosuffisance économique, s'engage dans une mutation radicale. Endettée, souffrant d'un taux de croissance insuffisant pour faire face à l'augmentation de sa population, l'Inde s'ouvre et opte pour la modernisation. Une nouvelle Inde émerge alors, créatrice, dynamique, s'appropriant les technologies les plus avancées. La région de Bangalore, très vite suivie par d'autres, devient une Silicon Valley indienne, destination préférée de grandes firmes occidentales candidates à la délocalisation, dans le secteur des services (par exemple : les renseignements téléphoniques des chemins de fer britanniques) et des technologies (900 ingénieurs chez Texas Instruments, 2000 chez Microsoft, ...) : il y aurait plus d'ingénieurs à Bangalore (150 000) que dans la Silicon Valley (120 000).

Les castes résisteront-elles à ce choc de la mondialisation ? Des craquements se manifestent déjà. Des jeunes, des femmes réclament le libre choix de leur conjoint. Les castes, en ignorant les talents des plus démunis, entravent le développement économique. Mais les structures et les comportements se modifient très lentement. Si les castes s'avèrent de moins en moins légitimes dans une société ouverte sur les flux de la mon-

dialisation, les comportements de castes seront longs à s'effacer. L'Inde, si fière du pacifisme de Gandhi, est un pays dur et violent. Les castes les plus élevées se résigneront-elles sans drame à la perte de leurs privilèges ?

L'Inde veut être l'un des grands de la planète, mais elle doit remettre son passé en question. Terre de mystiques et de philosophes, l'Inde, en se modernisant, risque d'assister à l'évanouissement de sa richesse spirituelle. Peut-être est-ce le prix à payer pour une Inde authentiquement démocratique, où tous les hommes et les femmes seraient pleinement égaux...

Le Japon

Le Japon est un archipel montagneux, presque totalement dépourvu de ressources naturelles. Depuis l'ère Meiji, dans la seconde moitié du XIXe siècle, le Japon a opté pour la modernité industrielle, grosse consommatrice de matières premières. En outre, à la suite de son écrasement par les États-Unis en 1945, doté par son occupant d'une Constitution lui ôtant tout droit de faire la guerre, il est sous protection américaine.

La carte souligne les grandes dépendances du Japon à l'égard de produits bruts « stratégiques » : blé américain, pétrole du Moyen-Orient... L'économie japonaise apparaît vulnérable ; sa prospérité repose sur la libre circulation de certaines voies maritimes (océans Indien et Pacifique). Cette donnée confirme le caractère vital du lien avec les États-Unis, qui sont le gardien de cette libre circulation.

Le Japon est un atelier, une vaste machine à transformer. Or, il ne peut se contenter d'exporter des biens manufacturés. Le Japon a un statut spécifique : il est l'un des acteurs-clés du système économique occidental, mais il est perçu par l'Occident comme une nation asiatique, prompte à contourner les règles établies (par exemple, recours au dumping). D'où ces flux d'investissements japonais d'abord vers les États-Unis et l'Europe occidentale, afin d'y installer des usines qui offriront des produits japonais en employant la main-d'œuvre locale.

Dans les années 1970 et 1980, le Japon impressionne par son dynamisme exportateur. En ce début du

XXIe siècle, il n'est plus qu'un géant enlisé dans la stagnation économique. Le pays sait s'adapter aux plus terribles traumatismes (ouverture à coups de canon par les États-Unis en 1853, défaite de 1945) mais il est paralysé devant cetaines contradictions de la mondialisation, ne parvenant ni à restructurer ses banques ni à gérer les variations du cycle économique ! Le Japon devra négocier sa

place entre les deux premiers géants de la zone Asie-Pacifique, les États-Unis et la Chine. La voie de la puissance militaire lui est quasiment fermée, malgré les menaces de la Corée-du-Nord, car les pays asiatiques se méfient de tout retour de l'ambition impériale nippone. En revanche, le pays continue à surinvestir en recherche et développement, préparant une sortie de crise par le haut. ■

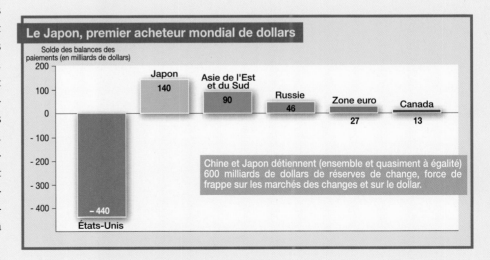

Le Japon, premier acheteur mondial de dollars

Solde des balances des paiements (en milliards de dollars)

Japon : 140
Asie de l'Est et du Sud : 90
Russie : 46
Zone euro : 27
Canada : 13
États-Unis : – 440

Chine et Japon détiennent (ensemble et quasiment à égalité) 600 milliards de dollars de réserves de change, force de frappe sur les marchés des changes et sur le dollar.

Les trois Chine

*« ...trois grandes zones
fortement contrastées
qui se partagent
une immensité... »*

L A CHINE, par ses empires successifs, par sa souche Han (95 % de la population), est homogène depuis des millénaires. Mais la Chine est imprévisible. D'où des convulsions incessantes, jusque dans l'ère maoïste (Révolution culturelle). En outre cette Chine est très inégale, avec ses trois composantes. La Chine maritime, littorale, est celle du commerce, des villes grouillantes d'activités ; elle a besoin d'une Chine ouverte pour s'épanouir. Puis vient la Chine intérieure, pauvre et dure, aux fleuves à la fois turbulents et nourriciers, le long desquels travaillent encore des centaines de millions de paysans. Enfin la troisième Chine est celle de l'Ouest, encore plus démesurée que les deux précédentes, avec ses déserts et ses montagnes. Pour les Han, cette Chine est leur « Far West », un espace à coloniser. D'où des tensions probablement croissantes avec les peuples originaires : Tibétains, Ouïgours. Ces trois Chine s'entremêlent, se déplacent, du fait, d'abord, des mouvements de populations.

Chine littorale Chine intérieure Chine de l'Ouest

○ Principales zones industrielles
◎ Zones économiques spéciales (Z.E.S.)
● Ports ou postes frontaliers ouverts au commerce international

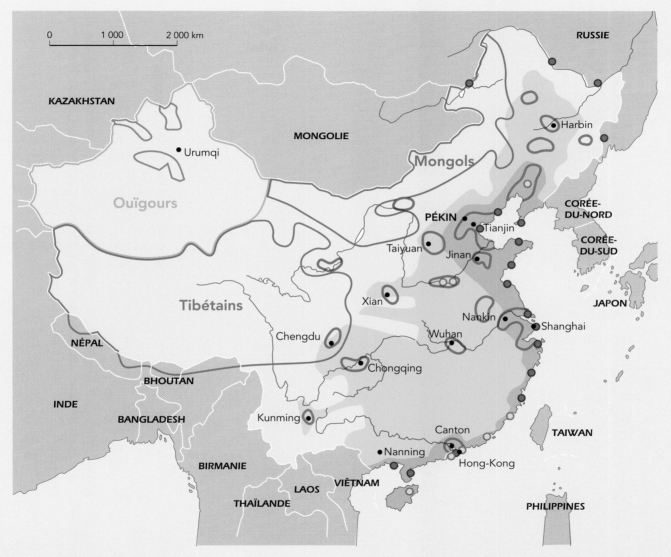

KAZAKHSTAN

MONGOLIE

RUSSIE

Urumqi

Mongols

Harbin

Ouïgours

CORÉE-
DU-NORD

PÉKIN
Tianjin

Taiyuan
Jinan

CORÉE-
DU-SUD

Tibétains

Xian

JAPON

Nankin
Shanghai

Chengdu

Wuhan

NÉPAL

Chongqing

BHOUTAN

INDE

BANGLADESH

Kunming

Canton

TAIWAN

Nanning

Hong-Kong

BIRMANIE

VIÊTNAM

LAOS

THAÏLANDE

PHILIPPINES

Les Chinois d'outre-mer

« …la diaspora chinoise :

deux mouvements

contraires

et complémentaires… »

L A CHINE domine l'Asie et rayonne tout autour d'elle. D'où une ou plutôt des diasporas chinoises. La carte montre deux mouvements contraires et complémentaires. Le premier mouvement est celui de Chinois du Sud et des régions maritimes, qui essaiment dans la péninsule indochinoise et bien au-delà. Le second mouvement est celui de l'épargne, accumulée par ces Chinois d'outre-mer, et revenant s'investir en Chine. Ces communautés chinoises sont le plus souvent le moteur des économies locales ; d'où, périodiquement, leur rejet violent par des populations originelles.

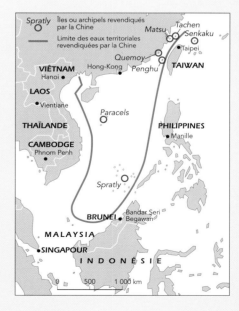

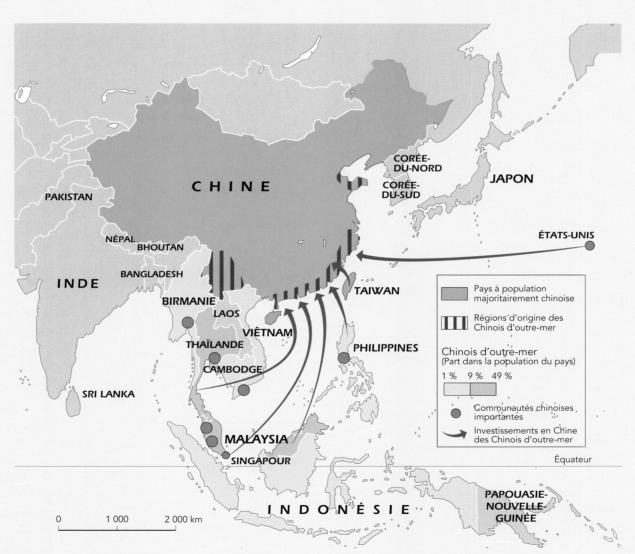

PAKISTAN

CHINE

CORÉE-
DU-NORD

CORÉE-
DU-SUD

JAPON

NÉPAL
BHOUTAN

BANGLADESH

INDE

BIRMANIE

LAOS

VIÊTNAM

THAÏLANDE

CAMBODGE

SRI LANKA

TAIWAN

ÉTATS-UNIS

PHILIPPINES

MALAYSIA

SINGAPOUR

INDONÉSIE

PAPOUASIE-
NOUVELLE-
GUINÉE

Pays à population
majoritairement chinoise

Régions d'origine des
Chinois d'outre-mer

Chinois d'outre-mer
(Part dans la population du pays)

1 %   9 %   49 %

Communautés chinoises
importantes

Investissements en Chine
des Chinois d'outre-mer

Équateur

0   1 000   2 000 km

Les trois Chine

Les Chinois d'outre-mer

« ...un avenir imprévisible
mais qui demeure
néanmoins très ouvert... »

L A CHINE EST UN MONDE – le cliché est exact. Il y a d'abord la terre chinoise elle-même, à la fois une et constamment déchirée de mille manières. L'histoire de la Chine est tragique, tout en produisant la civilisation peut-être la plus longue qui soit, avec des réalisations surhumaines comme non pas « la muraille » mais « les murailles » de Chine.

Cette unité convulsive, sans cesse détruite, sans cesse reconstituée,

36 millions : la diaspora chinoise dans le monde

Thaïlande	+	8 100 000
Malaysia	+	7 900 000
Indonésie	+	6 050 000
Singapour	+	3 150 000
Philippines	+	1 600 000
Viêtnam	+	970 000
...	+	1 230 000
	=	29 000 000

Répartition de la population d'origine chinoise par grande aire

Asie du Sud-Est	29 000 000
Sibérie Orientale	4 000 000
Amérique du Nord	1 500 000
Europe	700 000
Océan Pacifique	400 000

marque toujours les diverses Chine, notamment les trois grandes zones qui se partagent cette immensité. La Chine littorale, celle du commerce et des agglomérations actives vingt-quatre heures sur vingt-quatre, est tournée vers l'extérieur. La fermeture (ainsi sous Mao Zedong) la fige, l'ouverture (depuis les quatre modernisations de Deng Xiaoping à la fin des années 1970) l'épanouit. Ainsi, Shanghai aujourd'hui retrouve et multiplie la frénésie des affaires de l'entre-deux-guerres... Cette Chine est la vitrine économique d'un pays qui s'impose comme l'atelier du monde et qui tire la croissance du pays. Elle est en plein développement, attire les investisseurs étrangers ou non, en particulier taiwanais. C'est la Chine moderne, posée au bord de l'immense Pacifique, et liée aux Amériques.

La deuxième Chine, la Chine intérieure, c'est la Chine paysanne, la Chine dite éternelle. Pour le moment, la Chine demeure majoritairement agricole, la révolution maoïste ayant rêvé d'une Chine ouvrière autosuffisante mais ayant échoué à la réaliser (l'industrialisation se fait moins par les bras que par les machines et implique l'importation de techniques étrangères). Cette Chine médiane, de Pékin à la frontière du Viêtnam, est radicalement déstabilisée. L'exode rural, qui s'étale sur près de deux siècles dans les pays européens, est en train de se réaliser en Chine en quelques décennies et détruit des équilibres millénaires. Le choc se ressentira autant dans les campagnes qui se vident déjà que dans les villes ou plutôt les entassements urbains où affluent les paysans sans travail. Les sureffectifs dans l'agriculture dépassent les 100 millions de personnes.

La troisième Chine, la Chine de l'Ouest, reste encore éloignée de la mondialisation par les distances, les montagnes et les déserts. C'est une terre de colonisation, les Han soumettant notamment Tibétains et Ouïgours. Ces derniers, recensés comme « minorités », ne sont pas soumis à la politique d'un seul enfant par famille ; ils sont aujourd'hui plus nombreux. De plus, ces zones éloignées s'inscrivent elles aussi, à leur manière, dans la mondialisation. Ces ethnies dites minoritaires se rebellent, nouent des contacts au-delà des frontières avec d'autres minorités, d'autres opprimés.

L'empire du Milieu, protégé par une muraille en principe infranchissable, se croyait le monde. Depuis le milieu du XIXe siècle, la Chine, agressée par les Européens, apprend à ne plus être le monde.

Désormais, il y a des communautés chinoises presque partout dans le monde. C'est en Asie du Sud-Est qu'elles pèsent le plus lourd. Les quartiers chinois, les villes chinoises ne se cachent pas ; au contraire, la couleur, le néon s'y déchaînent. Dans toute cette zone tropicale, les Chinois contrôlent encore l'essentiel des réseaux commerciaux.

Ici aussi la modernité est porteuse de changements chaotiques avec, en premier lieu, la montée des nationalismes. Au Cambodge et au Viêtnam, la plupart des commerçants chinois ont été emportés par les communismes nationaux qui se sont approprié toute la vie sociale. En Malaysia et en Indonésie, les Chinois, cibles commodes en cas de mécontentement, doivent faire leur « juste » place aux populations locales, qui exigent leur part de l'enrichissement.

Un système économique chinois s'est développé dans toute l'Asie méri-

dionale. Cette réalité complexe, mouvante a-t-elle des implications politiques ? Les Chinois, s'ils sont très attachés à la terre de leurs ancêtres, ne sont pas les agents de Pékin. La carte « Les Chinois d'outre-mer » indique les flux d'investissements de ces Chinois vers la mère patrie. Ces mouvements n'expriment pas une loyauté pour le régime communiste, ils sont déterminés par un mélange de recherche méthodique du profit, d'orgueil national et de sentimentalité floue.

Le monde chinois ne peut être que profondément transformé par la renaissance de la Chine, qui, pendant

environ un siècle (des guerres de l'opium – 1839-1842, 1856-1860 – à la victoire de Mao Zedong en 1949), fut dépecée et humiliée. Cependant l'avenir de la Chine demeure très ouvert. Quand succédera-t-elle à l'Union soviétique en tant que nouvelle superpuissance, au moins économique ? Y a-t-il des risques que sa modernisation à grande allure provoque un de ces séismes périodiques qui ébranlent la Chine de fond en comble ? En définitive, la réponse se trouve dans la tête des Chinois, dans le rapport qu'ils ont avec leur histoire : sont-ils disposés à ne plus être les uniques « Fils du Ciel » ? ■

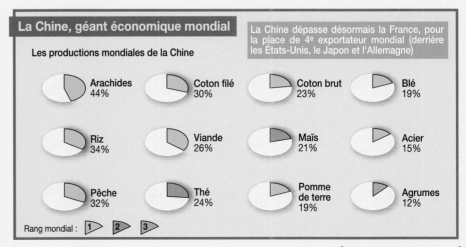

La Chine, géant économique mondial

La Chine dépasse désormais la France, pour la place de 4e exportateur mondial (derrière les États-Unis, le Japon et l'Allemagne)

Les productions mondiales de la Chine

Arachides 44%   Coton filé 30%   Coton brut 23%   Blé 19%

Riz 34%   Viande 26%   Maïs 21%   Acier 15%

Pêche 32%   Thé 24%   Pomme de terre 19%   Agrumes 12%

Rang mondial : 1   2   3

L'Amérique est longtemps restée le continent inconnu, celui qui, de la préhistoire à sa « découverte » par Christophe Colomb à l'extrême fin du XVe siècle, poursuivait une histoire isolée, hors de l'histoire du « monde ». La puissance du choc – militaire au départ – transforma le continent sur les plans démographique, culturel, politique, linguistique. Les peuples indigènes furent presque totalement anéantis.

L'Amérique, si elle est d'abord, sur une carte, l'autre île, la deuxième île face à la grande île Europe-Asie-Afrique, est loin d'être une. Conquise au sud et au-delà par les Espagnols et les Portugais, elle est, au nord, disputée principalement entre Français et Anglais. Ces derniers l'ayant emporté (traité de Paris, 1763), l'Amérique britannique, engendrant bientôt un superbe enfant, les États-Unis, prend son essor.

Depuis, surtout, les deux guerres mondiales, les États-Unis sont le laboratoire et le centre du monde. Laboratoire, parce qu'ils sont le premier champ d'expérience de la modernité, que celle-ci s'appelle démocratie, capitalisme, télévision, Internet ou même drogue. Centre, parce qu'ils sont les arbitres décisifs et victorieux des trois conflits planétaires du XXe siècle : les deux guerres mondiales, puis la guerre froide.

Aujourd'hui, le continent américain est mené par un pays sous tension : les États-Unis, tiraillés entre les aspects positifs de leur destinée mondiale – premier pays d'accueil d'immigrants – et les aspects négatifs – premier pays visé par l'hyper-terrorisme.

AMÉRIQUE

L'Amérique du Nord dans le monde

« ...les États-Unis, leader de l'économie du monde depuis un siècle... »

LES ÉTATS-UNIS – près du tiers du produit mondial brut – sont la locomotive de l'économie mondiale. Vainqueurs absolus des conflits du XXe siècle, pivot du système multilatéral planétaire (que pourtant ils n'aiment guère), les États-Unis, en outre, creusent considérablement leur avance au cours de la décennie 1990, en s'engageant à fond dans l'innovation technologique. Par ailleurs, sentant que l'adaptation à la mondialisation requiert des tremplins régionaux aussi vastes que possible, ils imaginent une zone panaméricaine de libre-échange. Une première étape est atteinte en 1992, avec l'Association de libre-échange nord-américaine (ALENA ou, selon le sigle anglo-américain, NAFTA).

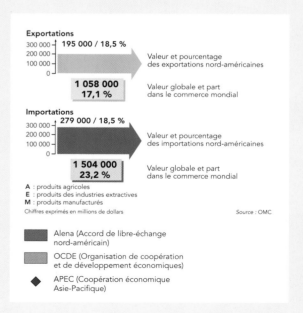

Exportations

300 000
200 000
100 000
0

195 000 / 18,5 %

Valeur et pourcentage des exportations nord-américaines

1 058 000 17,1 %

Valeur globale et part dans le commerce mondial

Importations

300 000
200 000
100 000
0

279 000 / 18,5 %

Valeur et pourcentage des importations nord-américaines

1 504 000 23,2 %

Valeur globale et part dans le commerce mondial

A : produits agricoles
E : produits des industries extractives
M : produits manufacturés

Chiffres exprimés en millions de dollars

Source : OMC

■ Alena (Accord de libre-échange nord-américain)

■ OCDE (Organisation de coopération et de développement économiques)

◆ APEC (Coopération économique Asie-Pacifique)

Les grands
ensembles
régionaux

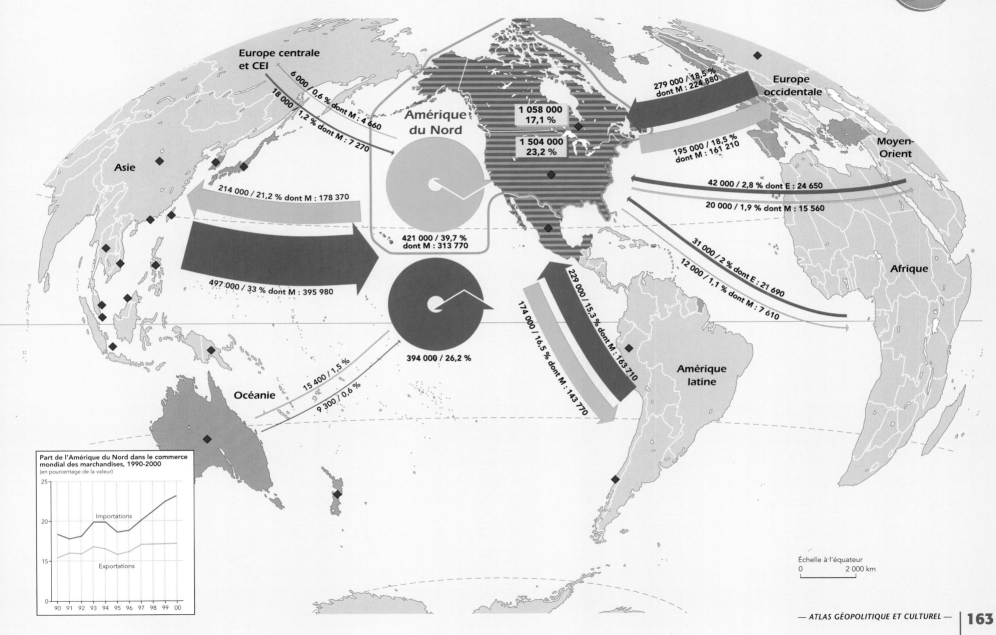

Europe centrale
et CEI

6 000 / 0,6 % dont M : 4 660

18 000 / 1,2 % dont M : 7 270

Amérique
du Nord

279 000 / 18,5 %
dont M : 224 880

Europe
occidentale

Moyen-
Orient

1 058 000
17,1 %

1 504 000
23,2 %

195 000 / 18,5 %
dont M : 161 210

Asie

214 000 / 21,2 % dont M : 178 370

42 000 / 2,8 % dont E : 24 650

20 000 / 1,9 % dont M : 15 560

421 000 / 39,7 %
dont M : 313 770

31 000 / 2 % dont E : 21 690

12 000 / 1,1 % dont M : 7 610

Afrique

497 000 / 33 % dont M : 395 980

174 000 / 16,5 % dont M : 143 770

229 000 / 15,3 % dont M : 163 710

394 000 / 26,2 %

Amérique
latine

Océanie

15 400 / 1,5 %

9 300 / 0,6 %

Part de l'Amérique du Nord dans le commerce
mondial des marchandises, 1990-2000
(en pourcentage de la valeur)

25

20

Importations

15

Exportations

0

90 91 92 93 94 95 96 97 98 99 00

Échelle à l'équateur

0   2 000 km

L'Amérique du Nord dans le monde

*« ...les États-Unis,
clef de voûte
du système financier
mondial... »*

LES ÉTATS-UNIS, depuis la fin du XIXe siècle, sont la première puissance économique mondiale. Cette position n'a jamais été menacée. En outre, depuis la Première Guerre mondiale, ils s'imposent comme les arbitres des équilibres politiques – et militaires – de la planète.

Du point de vue économique, l'Amérique du Nord est un ensemble organisé autour des États-Unis. Le Canada (en 1999, 30 millions d'habitants ; revenu national brut : 614 milliards de dollars) et le Mexique (en 1999, 97 millions d'habitants ; revenu national brut : 429 milliards de dollars) sont des nains face aux États-Unis (en 1999, 278 millions d'habitants ; revenu national brut : 8 880 milliards de dollars) ; la quasi-totalité des échanges de ces deux pays se font avec leur voisin. L'Île nord-américaine, avec ces trois composantes très inégales, commerce d'abord en son sein et apparaît dans une certaine mesure autosuffisante. En fait, cette autosuffisance est très relative, ainsi que l'illustre la dépendance pétrolière. Dès la fin de la Deuxième Guerre mondiale, les États-Unis cessent d'être autosuffisants pour leurs approvisionnements en pétrole. Ils déploient donc des efforts considérables pour s'implanter tant en Amérique latine (Venezuela...) qu'au Moyen-Orient (Arabie Saoudite, Iran...). Pour les États-Unis, leur dépendance pétrolière croissante devient une préoccupation politique constante. En dépit d'initiatives présidentielles pour une politique rigoureuse de l'énergie (Nixon, Carter...), le problème est toujours là et rappelle que l'Île américaine ne peut pas se désintéresser de certaines parties du monde (Caraïbes, Moyen-Orient...).

L'économie des États-Unis (31 % du produit brut mondial) est aujourd'hui la locomotive du monde. Qu'elle ralentisse, l'Europe, l'Asie et le Moyen-Orient peinent à avancer. Les États-Unis importent beaucoup plus qu'ils n'exportent, offrant d'utiles débouchés principalement aux pays émergents de l'Asie – l'Asie maritime est un fournisseur massif en matériels électroniques. Le dynamisme des États-Unis, s'il bouscule de nombreux secteurs dans le monde, de l'informatique au cinéma, contraint en particulier l'Europe à l'innovation et à la restructuration. La chute du dollar a des effets très contrastés. Entretenue par le déficit des échanges commerciaux des États-Unis avec le monde, elle dope l'industrie de nombreux pays : 80 % des bicyclettes et 70 % des jouets importés aux États-Unis proviennent de Chine. Mais la chute du dollar pèse lourd sur la croissance de ses partenaires européens.

Le poids économique des États-Unis n'est appréhendé que partiellement par les exportations et les importations, une part de ces flux ayant lieu au sein même des multinationales américaines entre maisons mères et filiales. Les flux d'investissements directs à l'étranger, d'abord tournés vers l'Europe, et élargis aux autres continents, renforcent la présence du pays, sous la forme d'entreprises adaptées à chaque aire d'implantation.

Les États-Unis, non sans réticences, et parfois même avec des réactions unilatérales (dans les années 1970, dépréciation du dollar puis, sous la pression américaine, abandon, pour les monnaies, des parités fixes au profit de taux de change flottants), sont la clef de voûte du système économique mon-

dial. À l'issue de la Deuxième Guerre mondiale, les États-Unis fixent les règles du jeu et définissent les institutions de régulation : Fonds monétaire international (FMI) ; Accord général sur les tarifs douaniers et le commerce (GATT). Le poids des États-Unis exige leur participation pour la gestion de tous les grands dossiers, de la dette à la libéralisation des échanges.

La puissance économique américaine n'est évidemment pas totale. Dans des secteurs dits stratégiques (aéronautique, espace...), les États-Unis ne disposent plus d'un quasi-monopole mais sont confrontés à une concurrence sérieuse, l'un des exemples les plus célèbres étant l'émergence de l'européen Airbus face à Boeing.

Les États-Unis, devant l'amplification de la compétition internationale, poussent à la déréglementation. Par ailleurs, ils promeuvent des zones régionales d'échanges non comme blocs fermés mais en tant que points d'appui vers des espaces plus vastes : l'ALENA, qui regroupe, outre les États-Unis, le Canada et le Mexique, est vouée à s'élargir en une zone panaméricaine de libre-échange ; la Coopé-

ration économique des pays de l'Asie et du Pacifique (APEC, selon son sigle anglo-américain), dont l'ambition est la création d'une zone de libre-échange pour tout le Pacifique. En 1995, les États-Unis sont l'un des États fondateurs de l'Organisation mondiale du commerce (OMC), admettant qu'eux aussi – pourtant première puissance économique mondiale – doivent se soumettre aux mêmes règles que tous les autres États, s'ils veulent un système mondial d'échanges libre et organisé. ■

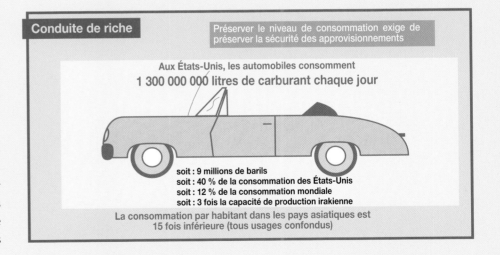

Conduite de riche

Préserver le niveau de consommation exige de préserver la sécurité des approvisionnements

Aux États-Unis, les automobiles consomment
1 300 000 000 litres de carburant chaque jour

soit : 9 millions de barils
soit : 40 % de la consommation des États-Unis
soit : 12 % de la consommation mondiale
soit : 3 fois la capacité de production irakienne

La consommation par habitant dans les pays asiatiques est
15 fois inférieure (tous usages confondus)

Les États-Unis
Présence militaire et économique

« ...l'unique puissance d'influence planétaire... »

LES ÉTATS-UNIS peuvent être définis comme la dernière des très grandes puissances impériales, à l'image de la Rome des empereurs. Cette puissance implique une présence multiforme, tant militaire qu'économique. Ces deux dimensions ne coïncident pas nécessairement : le Moyen-Orient, vital pour la sécurité de l'Occident et des États-Unis, est un marché secondaire ; en Asie-Pacifique, les multinationales américaines, lorsqu'elles investissent en Chine, sont attirées par 1,2 milliard de consommateurs. La carte montre les quatre zones privilégiées de la présence américaine : l'Amérique latine, l'Europe, l'Asie-Pacifique et le Moyen-Orient. Chacune de ces zones s'inscrit dans une stratégie globale : assurer la liberté des océans, certes sous contrôle américain.

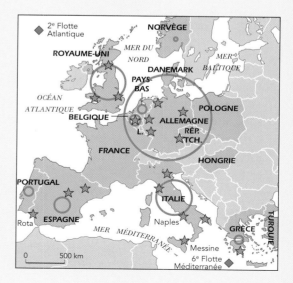

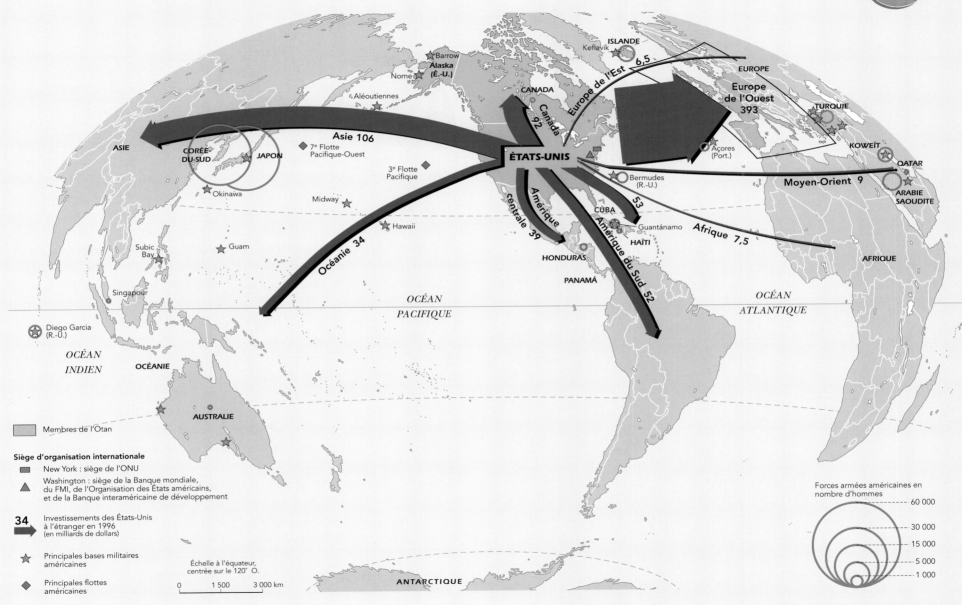

ISLANDE
Keflavík   6,5

EUROPE

CANADA   Europe de l'Est

Europe
de l'Ouest
393

TURQUIE

KOWEÏT

QATAR

Açores
(Port.)

ARABIE
SAOUDITE

Barrow
Alaska
(É.-U.)

Nome

Aléoutiennes

ASIE

CORÉE
DU-SUD   JAPON

7e Flotte
Pacifique-Ouest

Asie 106

Canada
92

ÉTATS-UNIS

Moyen-Orient 9

Okinawa

3e Flotte
Pacifique

Bermudes
(R.-U.)

Midway

Amérique
centrale 39

CUBA

Guantánamo

Afrique 7,5

AFRIQUE

Hawaii

Amérique du Sud 52

HAÏTI

Océanie 34

Guam

HONDURAS

Subic
Bay

PANAMÁ

Singapour

OCÉAN
PACIFIQUE

OCÉAN
ATLANTIQUE

Diego Garcia
(R.-U.)

OCÉAN
INDIEN   OCÉANIE

AUSTRALIE

ANTARCTIQUE

Membres de l'Otan

Siège d'organisation internationale

New York : siège de l'ONU

Washington : siège de la Banque mondiale,
du FMI, de l'Organisation des États américains,
et de la Banque interaméricaine de développement

34 Investissements des États-Unis
à l'étranger en 1996
(en milliards de dollars)

Principales bases militaires
américaines

Principales flottes
américaines

Échelle à l'équateur,
centrée sur le 120° O.

0   1 500   3 000 km

Forces armées américaines en
nombre d'hommes

60 000

30 000

15 000

5 000

1 000

Les États-Unis
Présence militaire et économique

« ...le gardien de l'équilibre militaire du monde... »

À L'ISSUE DE LA DEUXIÈME GUERRE MONDIALE, les États-Unis renoncent à leur tradition isolationniste et deviennent le gardien de l'équilibre mondial. De la fin des années 1940 à la chute du bloc communiste (1989) et à la dissolution de l'URSS (1991), la menace majeure vient du camp soviétique qui, en deux ans, s'écroule comme un château de cartes. Les stratèges militaires dressent un catalogue de dangers hétéroclites, à la fois distincts et souvent liés : conflits ethniques, « États voyous » *(Rogue States)*, phénomènes terroristes, chantage nucléaire, armes de destruction massive. La présence militaire des États-Unis dans le monde est en pleine redéfinition.

La présence américaine privilégie quatre régions : l'Amérique latine, l'Europe, l'Asie maritime et le Moyen-Orient. Ces choix obéissent à une démarche bien connue : assurer, sous la surveillance des États-Unis, la libre circulation dans les océans (Atlantique, Pacifique) qui les bordent, afin d'être en mesure d'accéder en permanence aux rives européennes et asiatiques de l'Île mondiale (Europe-Asie-Afrique), cette immensité où vivent la grande majorité des consommateurs.

L'Amérique latine passe très tôt sous la garde des États-Unis (doctrine du président Monroe, proclamée en 1823 : « L'Amérique aux Américains »). Pour la puissance jeune et vigoureuse des États-Unis, la totalité de l'Île américaine doit être protégée, sous le regard de Washington, contre toute ingérence extérieure. Depuis 1959, les États-Unis vivent avec cette épine qu'est le Cuba communiste de Fidel Castro, et enferment l'île dans un isolement qu'ils relâchent très prudemment aujourd'hui. Les relations entre les États-Unis et l'Amérique latine sont difficiles ; les premiers utilisent le gros bâton (« *big stick* ») dès qu'ils perçoivent que l'on veut toucher à leur « arrière-cour », la seconde ne réussit ni à se développer, ni à bâtir des structures politiques stables (poids du « caudillisme », des coups d'État militaires). Pourtant, timidement, non sans aléas (rechute de l'Argentine dans la mauvaise gestion économique), quelque chose paraît changer : les États-Unis sentent qu'ils ne peuvent plus intervenir à leur guise au sud du Rio Grande ; l'Amérique latine tente de s'organiser (notamment Mercosur, union douanière entre le Brésil, l'Argentine, le Paraguay et l'Uruguay).

L'Europe occidentale est l'alliée des États-Unis, à l'époque de la guerre froide (1947-1989). C'est en Europe que les deux blocs politico-militaires – atlantique, soviétique – se font face pendant quarante ans. Avec l'effondrement du camp soviétique en 1989-1991, la relation entre les États-Unis et l'Europe doit évoluer. Certes les États-Unis, qui demeurent le gardien de la sécurité européenne, s'impliquent, non sans réticences, dans les turbulences de l'après-guerre froide (Bosnie-Herzégovine, Kosovo). L'Europe, ou plus précisément l'Union européenne, doit assumer plus de responsabilités. En même temps, les États-Unis tiennent à rester le chef de l'Alliance atlantique. Quant aux grands États ouest-européens (Allemagne surtout, mais aussi France et, à un moindre degré, Royaume-Uni), ils réduisent leurs dépenses militaires au moment où ils doivent reconfigurer leur dispositif de défense (transformation d'armées de masse en forces de projection vers des théâtres lointains).

L'Asie-Pacifique (Japon, Corée-du-Sud…) est, après l'Europe occidentale, l'autre tête de pont établie par les États-Unis sur les rives de l'Île mondiale, à l'issue de la Deuxième Guerre mondiale. Mais, alors qu'en Europe se développe, à l'abri de l'Alliance atlantique, un pôle ouest-européen autonome (Communautés européennes, puis Union européenne), l'Asie-Pacifique a un parcours beaucoup plus agité : luttes de décolonisation, guerres de Corée et d'Indochine… Toute cette zone reste à construire : règlement de l'héritage de la Deuxième Guerre mondiale (Corée, Kouriles…) ; avenir du Japon, qui reste le protégé des États-Unis ; insertion de la Chine dans l'ordre régional et dans l'ordre mondial. Dans ces conditions, l'hégémonie américaine sur l'Asie-Pacifique peut-elle se transformer en un système plus équilibré, associant notamment le Japon, la Chine et la Russie ?

Le Moyen-Orient, de la Turquie au Pakistan, est la région où la puissance politico-militaire américaine est le plus lourdement engagée aujourd'hui. Cette zone est stratégiquement vitale au moins pour deux raisons : sa situation – carrefour, à la charnière de la Méditerranée, de la Russie, de l'Asie centrale, du sous-continent indien et de l'Afrique orientale ; le pétrole (deux tiers des réserves mondiales connues). Alors que l'Europe et l'Asie sont à peu près prévisibles, le Moyen-Orient ne l'est pas : conflits multiples (de la Palestine au Cachemire) ; régimes autoritaires et fragiles (ainsi l'Arabie Saoudite) ; développement économique incertain. C'est sans doute là que la puissance américaine rencontre les défis les plus difficiles, avec une interrogation centrale : le Moyen-Orient peut-il devenir une région comme les autres ? ■

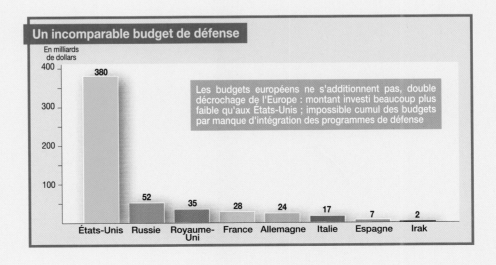

Un incomparable budget de défense

En milliards de dollars

Les budgets européens ne s'additionnent pas, double décrochage de l'Europe : montant investi beaucoup plus faible qu'aux États-Unis ; impossible cumul des budgets par manque d'intégration des programmes de défense

États-Unis	Russie	Royaume-Uni	France	Allemagne	Italie	Espagne	Irak
380	52	35	28	24	17	7	2

Les États-Unis
La première puissance mondiale

« ...30 % de la richesse mondiale pour 5 % de la population... »

L ES ÉTATS-UNIS produisent en 2003 30 % de la richesse mondiale, alors que leur population représente moins de 5 % de la population mondiale. Aucune autre puissance ne les égale. L'Union européenne à quinze a un produit brut global comparable à celui des États-Unis, mais un revenu par tête bien inférieur. Le Japon est enlisé dans la stagnation économique. La Russie, la Chine, l'Inde sont des puissances pauvres.

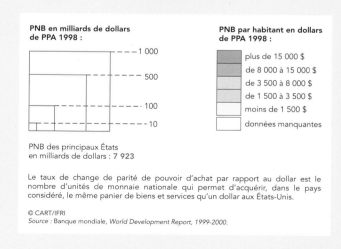

PNB en milliards de dollars de PPA 1998 :

— 1 000
— 500
— 100
— 10

PNB par habitant en dollars de PPA 1998 :

plus de 15 000 $
de 8 000 à 15 000 $
de 3 500 à 8 000 $
de 1 500 à 3 500 $
moins de 1 500 $
données manquantes

PNB des principaux États
en milliards de dollars : 7 923

Le taux de change de parité de pouvoir d'achat par rapport au dollar est le nombre d'unités de monnaie nationale qui permet d'acquérir, dans le pays considéré, le même panier de biens et services qu'un dollar aux États-Unis.

© CART/IFRI
Source : Banque mondiale, World Development Report, 1999-2000.

Les grands ensembles régionaux

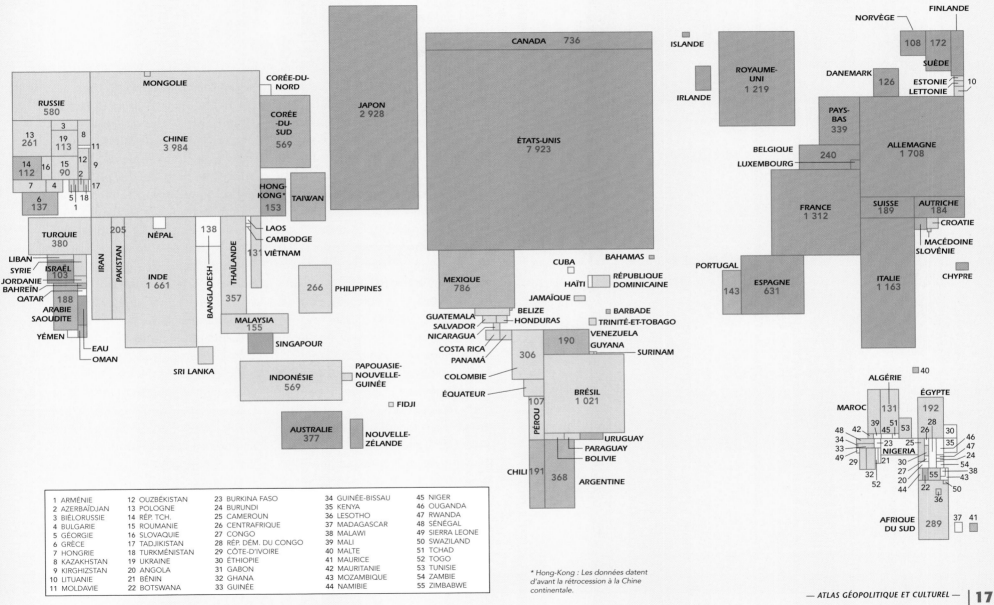

CANADA 736

ISLANDE

NORVÈGE   FINLANDE

ROYAUME-UNI 1 219

IRLANDE

DANEMARK

SUÈDE 108 | 172

ESTONIE   10
LETTONIE

PAYS-BAS 339

ALLEMAGNE 1 708

126

MONGOLIE

CORÉE-DU-NORD

RUSSIE 580

3

CHINE 3 984

CORÉE-DU-SUD 569

JAPON 2 928

ÉTATS-UNIS 7 923

BELGIQUE   240
LUXEMBOURG

13 261

19 113

8

11

14 112

16

15 90

12
2

9

17

7

4

5 18
1

6 137

HONG-KONG* 153

TAIWAN

FRANCE 1 312

SUISSE 189

AUTRICHE 184

CROATIE

MACÉDOINE
SLOVÉNIE

TURQUIE 380

IRAN

205

NÉPAL

138

LAOS

CAMBODGE

PORTUGAL

ESPAGNE 631

ITALIE 1 163

CHYPRE

PAKISTAN

THAÏLANDE

131 VIÊTNAM

CUBA

BAHAMAS

143

LIBAN
SYRIE
JORDANIE
BAHREÏN
QATAR

ISRAËL 103

188

INDE 1 661

357

HAÏTI

RÉPUBLIQUE DOMINICAINE

JAMAÏQUE

MEXIQUE 786

ARABIE SAOUDITE

YÉMEN

MALAYSIA 155

PHILIPPINES 266

BELIZE
HONDURAS

BARBADE

EAU
OMAN

SINGAPOUR

GUATEMALA
SALVADOR
NICARAGUA

TRINITÉ-ET-TOBAGO

VENEZUELA 190

ALGÉRIE

40

SRI LANKA

INDONÉSIE 569

PAPOUASIE-NOUVELLE-GUINÉE

COSTA RICA
PANAMÁ

306

GUYANA

SURINAM

ÉGYPTE

COLOMBIE

MAROC

131 192

FIDJI

ÉQUATEUR

BRÉSIL 1 021

48
42
39
51
45
53

28

26

30

AUSTRALIE 377

NOUVELLE-ZÉLANDE

PÉROU

107

URUGUAY

34
33
49

23

25

35

46
47
24

PARAGUAY
BOLIVIE

29

21

NIGERIA

30

54

32

27
20

55

38
43

CHILI 191

368

ARGENTINE

52

22
44

36

50

AFRIQUE DU SUD 289

37

41

1 ARMÉNIE	12 OUZBÉKISTAN	23 BURKINA FASO	34 GUINÉE-BISSAU	45 NIGER
2 AZERBAÏDJAN	13 POLOGNE	24 BURUNDI	35 KENYA	46 OUGANDA
3 BIÉLORUSSIE	14 RÉP. TCH.	25 CAMEROUN	36 LESOTHO	47 RWANDA
4 BULGARIE	15 ROUMANIE	26 CENTRAFRIQUE	37 MADAGASCAR	48 SÉNÉGAL
5 GÉORGIE	16 SLOVAQUIE	27 CONGO	38 MALAWI	49 SIERRA LEONE
6 GRÈCE	17 TADJIKISTAN	28 RÉP. DÉM. DU CONGO	39 MALI	50 SWAZILAND
7 HONGRIE	18 TURKMÉNISTAN	29 CÔTE-D'IVOIRE	40 MALTE	51 TCHAD
8 KAZAKHSTAN	19 UKRAINE	30 ÉTHIOPIE	41 MAURICE	52 TOGO
9 KIRGHIZSTAN	20 ANGOLA	31 GABON	42 MAURITANIE	53 TUNISIE
10 LITUANIE	21 BÉNIN	32 GHANA	43 MOZAMBIQUE	54 ZAMBIE
11 MOLDAVIE	22 BOTSWANA	33 GUINÉE	44 NAMIBIE	55 ZIMBABWE

* Hong-Kong : Les données datent d'avant la rétrocession à la Chine continentale.

Les États-Unis
La première puissance mondiale

« ...l'hyperpuissance
économique
est-elle nouvelle ?... »

L ES ÉTATS-UNIS (281 millions d'habitants) n'ont jamais été aussi puissants qu'en ce début de XXIᵉ siècle, sauf peut-être à l'issue de la Deuxième Guerre mondiale. En 1945, les États-Unis, victorieux, produisent à eux seuls la moitié de la richesse mondiale. Mais la situation est tout à fait exceptionnelle : l'Europe, l'Union soviétique, l'Asie sont ravagées par des années d'affrontements féroces. Par ailleurs, ce poids dans la production mondiale n'efface pas le défi de l'URSS qui, dans beaucoup d'esprits, est alors l'égale des États-Unis. Aujourd'hui, rien de tel. Le monde ne sort pas de la guerre, mais, au moins pour l'Europe et l'Asie-Pacifique, de décennies de croissance. Aucune puissance ne peut se comparer aux États-Unis. L'Union européenne (455 millions d'habitants) a un revenu moyen par tête inférieur d'environ un quart au revenu américain et demeure une association de vingt-cinq États avec des intérêts propres très marqués. Les autres colosses, Russie, Chine, Inde, sont des puissances pauvres, qui disposent de capacités d'empêchement ou de perturbation, et n'influencent que leur région et sa périphérie. Seuls les États-Unis peuvent se proclamer puissance globale.

La carte met en lumière la triade (États-Unis – Europe occidentale – Japon), organisée autour de la puissance des États-Unis. L'ensemble de l'Asie, qui concentre pourtant les plus grosses masses humaines, pèse moins lourd, en production, que les États-Unis. La Chine, avec son 1,2 milliard d'habitants, dispose d'un revenu national brut approchant les 1 000 milliards de dollars, mais les États-Unis ont un revenu neuf fois supérieur (8 900 milliards de dollars).

La richesse, la puissance des États-Unis peuvent justifier des réactions de haine qui étonnent les Américains. Au cours de la décennie 1990, les États-Unis creusent considérablement l'écart, même avec leurs deux partenaires majeurs : l'Europe occidentale et le Japon. Confirmant leur dynamisme, ils se lancent avec enthousiasme dans les révolutions technologiques (électronique, médias, biotechnologies et même finances) ; ils promeuvent, non sans à-coups, la « nouvelle économie » *(e-economy)*.

Il n'y a pas de puissance modeste.

Les États-Unis ne sauraient être différents de la France de Louis XIV ou de l'Angleterre victorienne. Mais le rayonnement des États-Unis ne résulte pas seulement de leur conviction messianique, il tient à des raisons tangibles. La société américaine est celle qui, pour la promotion de l'égalité des chances, se montre la plus persévérante (par exemple, depuis les années 1960, politique de « discrimination positive »). En outre, les États-Unis prouvent à de nombreuses reprises (de la guerre contre le Japon impérial et l'Allemagne hitlérienne à l'opération d'Afghanistan) qu'une démocratie sait se défendre avec efficacité. Mais peut-elle lancer des guerres préventives ?

La puissance actuelle des États-Unis relance la question bien connue : les États-Unis sont-ils une nouvelle Rome, disposant d'une supériorité tellement écrasante que leur hégémonie est appelée à se consolider pour des décennies ?

Tout d'abord, il n'y a pas d'empire universel américain. Ni la Russie, ni la Chine, ni l'Inde, ni bien d'autres ne sont des provinces de l'empire. Ensuite, si Rome n'était maîtresse que du bassin méditerranéen, le monde d'alors était

trop vaste et vide pour la menacer. Rome, tout comme les autres empires traditionnels, imposait une emprise politique directe à ceux qu'elle dominait ; les États-Unis s'en tiennent à un pouvoir d'influence sur leurs protégés.

Aujourd'hui la Terre est petite, foisonnante et anarchique, n'importe quel endroit de la planète pouvant soudainement devenir dangereux (ainsi les frontières de l'Afghanistan au voisinage du Pakistan, en 2001). Déjà, au temps de la guerre froide, les États-Unis se sont définis comme le policier de la « liberté », intervenant sur tous les fronts. La guerre du Viêtnam (1964-1975) fut une meurtrière épreuve de vérité. Comment les États-Unis pourraient-ils contrôler à eux seuls, même avec leurs alliés, toute la planète, alors que jamais la circulation des hommes et des armes n'a été aussi aisée ?

De plus, le monde actuel s'occidentalise, se pénètre des valeurs occidentales de liberté, d'égalité, de droit au bonheur individuel. Ces valeurs universelles sont aussi des instruments au service de l'Europe puis des États-Unis. La décolonisation se fait en prenant appui sur les idées apportées par les

colonisateurs. Réciproquement, la démocratie, le devoir de solidarité sont brandis pour convaincre l'Occident et en particulier les États-Unis d'ouvrir leurs marchés, à accepter une justice qui soit vraiment égale pour tous. L'isolationnisme, le refus d'instances supranationales (justice, paix), la tolé-

rance différenciée aux dictatures (Irak, Corée-du-Nord), aux massacres (Kurdes, Tchétchènes) et au conflit israélo-palestinien nourrit une opposition multiforme à l'hyperpuissance. La puissance américaine ne peut se contenter d'imposer, il lui faudra un jour écouter et négocier. ■

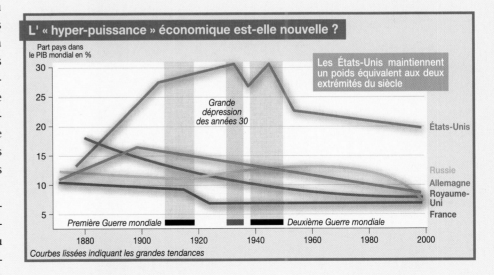

L' « hyper-puissance » économique est-elle nouvelle ?

Part pays dans le PIB mondial en %

Les États-Unis maintiennent un poids équivalent aux deux extrémités du siècle

Grande dépression des années 30

États-Unis

Russie
Allemagne
Royaume-Uni
France

Première Guerre mondiale   Deuxième Guerre mondiale

1880   1900   1920   1940   1960   1980   2000

Courbes lissées indiquant les grandes tendances

Les États-Unis
Les minorités ethniques

« ...une Histoire marquée

par des vagues

de peuplement

qui se poursuivent

et se renouvellent

encore aujourd'hui... »

L'HISTOIRE DES ÉTATS-UNIS est scandée par ses vagues de peuplement. Aux XVIIIᵉ et XIXᵉ siècles, les Européens affluent ; ils détruisent presque totalement les populations originelles (Indiens) ; ils « importent », dans le Sud, des Africains. À partir de la fin du XIXᵉ siècle, l'expansion continentale s'achève, et les États-Unis se ferment d'abord aux Asiatiques. Depuis la fin de la Deuxième Guerre mondiale, les immigrants affluent à nouveau, souvent clandestinement : réfugiés indochinois et surtout « Latinos » hispanophones. Même si les États-Unis tentent de se barricader, le flux annuel d'immigrants atteint un niveau comparable à celui des décennies du peuplement des États-Unis, dans la seconde moitié du XIXᵉ siècle. La diversité ethnique marque les États-Unis, mais l'impact est très complexe, chacune des communautés n'ayant rien d'un bloc monolithique mais, au contraire, étant traversée par de multiples clivages.

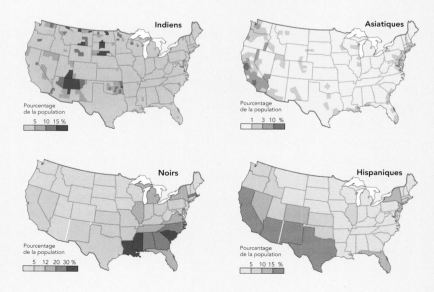

Indiens

Pourcentage
de la population
5   10 15 %

Asiatiques

Pourcentage
de la population
1   3 10 %

Noirs

Pourcentage
de la population
5   12 20 30 %

Hispaniques

Pourcentage
de la population
5   10 15 %

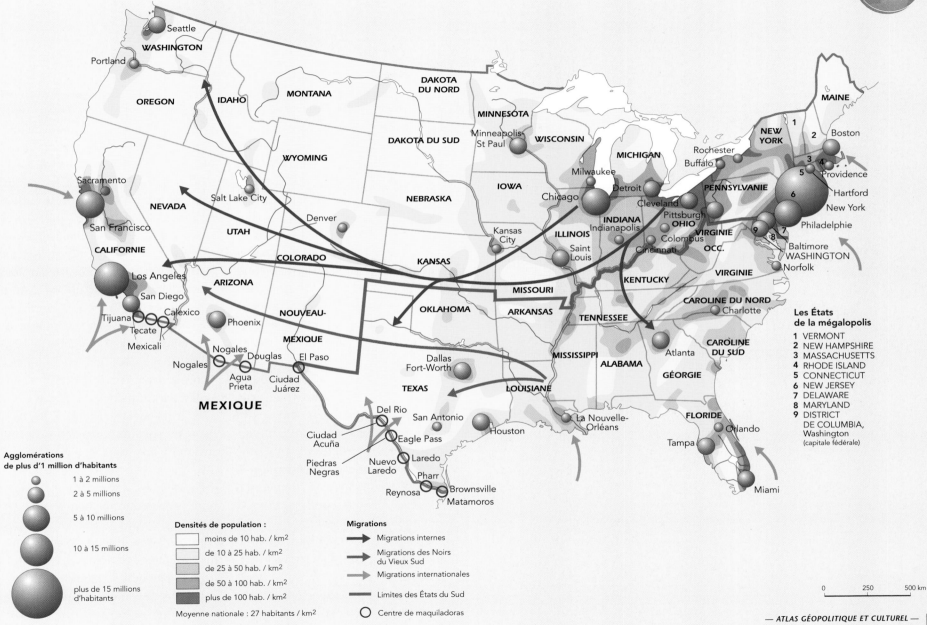

WASHINGTON
Seattle
Portland
OREGON
IDAHO
MONTANA
DAKOTA DU NORD
MAINE
NEW YORK
1
2 Boston
MINNESOTA
Minneapolis St Paul
WISCONSIN
MICHIGAN
Rochester
Buffalo
3 4
5 Providence
Hartford
6
New York
Milwaukee
Detroit
Cleveland
PENNSYLVANIE
Sacramento
NEVADA
Salt Lake City
WYOMING
DAKOTA DU SUD
IOWA
NEBRASKA
Chicago
Pittsburgh
9 7 Philadelphie
8
San Francisco
Denver
Kansas City
ILLINOIS
INDIANA
Indianapolis
OHIO
Colombus
VIRGINIE
OCC.
Baltimore
WASHINGTON
Norfolk
CALIFORNIE
UTAH
COLORADO
KANSAS
Saint Louis
Cincinnati
VIRGINIE
Los Angeles
ARIZONA
MISSOURI
KENTUCKY
CAROLINE DU NORD
Charlotte
San Diego
NOUVEAU-
OKLAHOMA
ARKANSAS
TENNESSEE
CAROLINE DU SUD
Tijuana
Calexico
Tecate
Phoenix
MEXIQUE
El Paso
Atlanta
GÉORGIE
Mexicali
Nogales
Douglas
Dallas Fort-Worth
MISSISSIPPI
ALABAMA
Nogales
Agua Prieta
Ciudad Juárez
TEXAS
LOUISIANE
FLORIDE
Orlando
MEXIQUE
Del Rio
San Antonio
La Nouvelle-Orléans
Tampa
Ciudad Acuña
Eagle Pass
Houston
Piedras Negras
Laredo
Nuevo Laredo
Pharr
Reynosa
Brownsville
Matamoros
Miami

Les États de la mégalopolis

1 VERMONT
2 NEW HAMPSHIRE
3 MASSACHUSETTS
4 RHODE ISLAND
5 CONNECTICUT
6 NEW JERSEY
7 DELAWARE
8 MARYLAND
9 DISTRICT DE COLUMBIA, Washington (capitale fédérale)

Agglomérations de plus d'1 million d'habitants

- 1 à 2 millions
- 2 à 5 millions
- 5 à 10 millions
- 10 à 15 millions
- plus de 15 millions d'habitants

Densités de population :

- moins de 10 hab. / km²
- de 10 à 25 hab. / km²
- de 25 à 50 hab. / km²
- de 50 à 100 hab. / km²
- plus de 100 hab. / km²

Moyenne nationale : 27 habitants / km²

Migrations

→ Migrations internes
→ Migrations des Noirs du Vieux Sud
→ Migrations internationales
— Limites des États du Sud
○ Centre de maquiladoras

0   250   500 km

Les États-Unis
Les minorités ethniques

« …ex pluribus unum,
*la devise d'un pays
convaincu d'être
une patrie idéale… »*

LES ÉTATS-UNIS sont un pays d'immigrants. Pour ces immigrants, la terre américaine est à conquérir, mais au prix de l'extermination quasi complète des habitants originaires, les Indiens Peaux-Rouges. Cette terre décrétée vierge permet d'entreprendre ce qu'il n'est pas possible de faire en Europe : l'utilisation à grande échelle d'esclaves amenés d'Afrique pour travailler dans les plantations du Sud ; l'invention d'une démocratie d'autant plus novatrice qu'elle n'est prisonnière d'aucun héritage ; la priorité accordée à la liberté individuelle, placée au-dessus de toutes les autres valeurs (égalité, fraternité).

L'unité du peuple américain réside dans la conviction que, béni par Dieu, il est totalement maître de son avenir et peut enfin bâtir cette patrie idéale, inspirée tant de la Bible que des philosophes des Lumières. La ferveur quasi religieuse que suscitent les attentats du 11 septembre 2001 confirme la profondeur de ce sentiment presque messianique qu'ont les Américains d'être la nation élue, porteuse d'un message universaliste.

Les États-Unis sont, selon leur devise, « *Ex pluribus unum* », « De plusieurs, un seul », un dans la diversité – union sans fusion des composantes de la population des États-Unis. La vitalité des minorités ethniques ne doit pas faire oublier le socle WASP (*White Anglo-Saxon Protestant*), cette majorité blanche, aux origines très diverses (britannique, allemande, italienne…), et soudée par la réussite des États-Unis (le fameux « *melting pot* »). Ce noyau, même érodé et contesté, sous-tend le projet américain ; beaucoup de « Latinos » n'ont qu'une aspiration : être de bons Américains, reconnus comme tels. Aujourd'hui la société américaine deviendrait un « *salad bowl* », une « salade composée » dont les éléments gardent leur identité (les multiples communautés ethniques mais aussi religieuses, sexuelles…), liés plus ou moins par une « vinaigrette » (les institutions américaines).

Les Indiens, descendants de l'Amérique précolombienne, sont les grandes victimes du projet américain. Nomades habitués à une nature libre, ils sont méthodiquement détruits et refoulés. Leurs arrière-petits-enfants restent souvent parqués dans des réserves de l'Ouest, qui, pour se procurer des ressources financières, ont obtenu de l'État américain le droit d'ouvrir des casinos.

Les Noirs, désormais nommés Africains-Américains ou Afro-Américains (selon le vocabulaire « politiquement correct »), ont été amenés de force pour travailler comme esclaves dans les plantations du Sud. Après l'abolition de l'esclavage à la suite de la guerre de Sécession, le statut des Noirs ne commence à s'améliorer qu'un siècle plus tard, dans les années 1960 : « déségrégation », « discrimination positive » – quotas au profit des Noirs. Aujourd'hui les Noirs demeurent parmi les défavorisés – échec scolaire, chômage, prison. Pourtant quelque chose change ; des Noirs incarnent désormais la réussite : le golfeur Tiger Woods ; la conseillère pour la sécurité nationale du président George W. Bush, Condolezza Rice…

Les Asiatiques, détestés et rejetés à la fin du XIXᵉ siècle, réussissent aujourd'hui à s'insérer avec discrétion. Ainsi les réfugiés d'Indochine, arrivés dans le sillage de la débâcle américaine au Viêtnam (1973-1975), placent-ils de nombreux enfants dans les meilleures universités.

Les Hispaniques – les « Latinos » – furent longtemps cantonnés à des emplois bien précis (travaux agricoles). Ils représentent aujourd'hui plus de 12 % de la population des États-Unis. Eux non plus ne forment pas un bloc : « Cubains » de Floride, « Mexicains » du Texas… En outre, beaucoup connaissent le succès, qui privilégie leur intégration.

L'impact politique du facteur ethnique est extrêmement complexe. En ce qui concerne la politique intérieure, les minorités ethniques sont réputées voter à gauche, pour le Parti démocrate, défenseur des pauvres. Ce n'est plus vrai : nombre de membres de minorités se perçoivent comme des gens établis, attachés à leur position sociale et votent républicain. Quant à la politique étrangère des États-Unis, elle serait en partie otage du facteur ethnique, les options de cette politique étant dictées par le poids relatif des communautés (juive, polonaise, balte…). L'examen attentif de la diplomatie américaine est loin de confirmer cette « ethnicisation » : certes le lobby juif pèse lourd, les États-Unis défendant Israël comme un petit frère en danger ; à l'inverse la forte population africaine-américaine des États-Unis n'a guère ébranlé l'indifférence de ce pays pour l'Afrique. Les attentats du 11 septembre 2001 ont révélé la profonde unité de l'opinion américaine face à la tragédie. Les États-Unis connaissent de graves phénomènes d'exclusion, qui frappent surtout les Noirs. Mais le projet américain de promesse d'une vie meilleure garde sa crédibilité, surtout après une décennie de croissance ininterrompue, dans un pays classé comme « mûr » industriellement. ∎

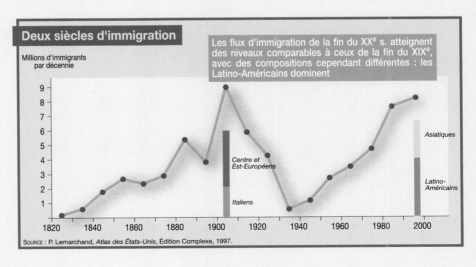

Deux siècles d'immigration

Les flux d'immigration de la fin du XXᵉ s. atteignent des niveaux comparables à ceux de la fin du XIXᵉ, avec des compositions cependant différentes : les Latino-Américains dominent

Millions d'immigrants par décennie

Centre et Est-Européens

Italiens

Asiatiques

Latino-Américains

SOURCE : P. Lemarchand, *Atlas des États-Unis*, Édition Complexe, 1997.

L'Amérique latine dans le monde

« ...une terre longtemps

déchirée, écrasée

par son puissant voisin... »

S I L'AFRIQUE EST LE CONTINENT ABANDONNÉ, l'Amérique latine est la région en marge. Ravagée par les colonisateurs européens, cette Amérique accède tôt à l'indépendance, au début du XIXᵉ siècle. À l'inverse des États-Unis, et en partie à cause d'eux, l'Amérique latine reste longtemps une terre déchirée, comme écrasée par son puissant voisin du Nord. Pourtant, depuis les années 1980, elle paraît mûrir : installation et consolidation de la démocratie ; insertion dans les échanges mondiaux ; édification d'organisations économiques régionales.

Part de l'Amérique latine dans le commerce mondial des marchandises, 1990-2000
(en pourcentage de la valeur)

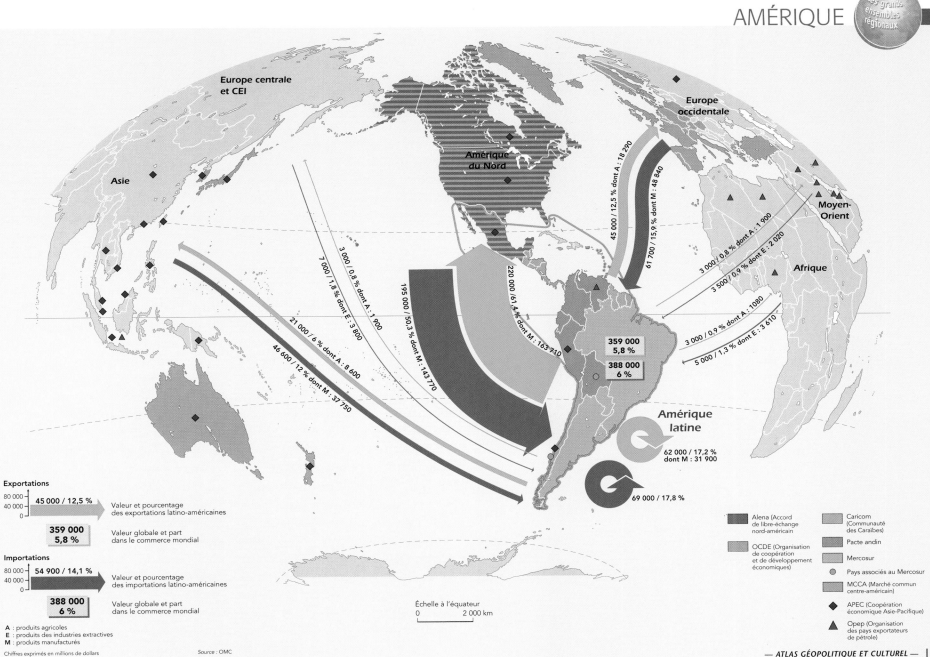

Europe centrale
et CEI

Europe
occidentale

Asie

Amérique
du Nord

Moyen-
Orient

Afrique

45 000 / 12,5 % dont A : 18 290

61 700 / 15,9 % dont M : 48 840

3 000 / 0,8 % dont A : 1 900

3 500 / 0,9 % dont E : 2 020

3 000 / 0,9 % dont A : 1 080

5 000 / 1,3 % dont E : 3 610

3 000 / 0,8 % dont A : 1 900

7 000 / 1,8 % dont E : 3 800

21 000 / 6 % dont A : 8 600

46 600 / 12 % dont M : 37 750

195 000 / 50,3 % dont M : 143 770

220 000 / 61,4 % dont M : 163 710

359 000
5,8 %

388 000
6 %

Amérique
latine

62 000 / 17,2 %
dont M : 31 900

69 000 / 17,8 %

Exportations

80 000
40 000
0

45 000 / 12,5 %   Valeur et pourcentage
des exportations latino-américaines

359 000
5,8 %   Valeur globale et part
dans le commerce mondial

Importations

80 000
40 000
0

54 900 / 14,1 %   Valeur et pourcentage
des importations latino-américaines

388 000
6 %   Valeur globale et part
dans le commerce mondial

A : produits agricoles
E : produits des industries extractives
M : produits manufacturés

Chiffres exprimés en millions de dollars

Source : OMC

Échelle à l'équateur
0   2 000 km

Alena (Accord
de libre-échange
nord-américain

OCDE (Organisation
de coopération
et de développement
économiques)

Caricom
(Communauté
des Caraïbes)

Pacte andin

Mercosur

Pays associés au Mercosur

MCCA (Marché commun
centre-américain)

APEC (Coopération
économique Asie-Pacifique)

Opep (Organisation
des pays exportateurs
de pétrole)

L'Amérique latine dans le monde

« …"si loin de Dieu,
si près des États-Unis",
et pourtant,
depuis les années 80,
un continent s'éveille… »

L A CARTE MET EN LUMIÈRE deux traits essentiels de l'Amérique latine : le lien avec les États-Unis, partenaire lourd, incontournable ; des échanges substantiels avec l'Europe occidentale, pour des raisons historiques (colonisation par l'Espagne et le Portugal), mais aussi du fait de la dynamique attractive de la construction européenne.

L'Amérique latine (comme l'Afrique) est-elle maudite ? Cette question continue de marquer toute l'histoire de cette région. L'Amérique centrale et du Sud est la première zone à subir, au XVIᵉ siècle, le choc frontal de la colonisation européenne. Ce choc est d'autant plus épouvantable que l'Amérique, depuis des millénaires, est un monde préservé notamment de certains microbes qui, apportés par les Européens, déciment sa population. L'Amérique latine accède à l'indépendance un peu par hasard, les armées napoléoniennes occupant la péninsule Ibérique et brisant tout lien entre les colonies et les métropoles. L'Amérique latine ne se décolonise pas : les populations d'origine restent totalement soumises ; quant aux colons, ils tiennent à leurs privilèges.

L'Amérique latine n'a ni la nature accueillante de l'Amérique du Nord ni ses élites ambitieuses, convaincues d'une « destinée manifeste » (comme aux États-Unis). Tout au long du XIXᵉ siècle et jusqu'aux lendemains des deux guerres mondiales, l'Amérique latine est exotique et pittoresque, décor parfait pour les albums de Tintin. « Si loin de Dieu, si près des États-Unis », se lamente Porfirio Díaz (1830-1915), un temps président du Mexique. L'Amérique latine, ne décollant pas, se laisse périodiquement tenter par des millénarismes, explosions aussi violentes qu'éphémères de paysans misérables, d'Indiens abrutis de malheur.

Dans les années 1980, l'Amérique latine paraît se réveiller. Du Mexique à l'Argentine, du Brésil au Chili, elle enterre la tradition soit du Parti révolutionnaire unique (Mexique), soit du caudillisme (coups d'État menés par des militaires, convaincus d'incarner la justice) et se rallie, semble-t-il irréversiblement, à la démocratie. Elle multiplie les gestes raisonnables : abandon, par le Brésil et l'Argentine, de leurs projets d'arme nucléaire ; lancement de processus d'intégration économique, le seul à avoir un début de réelle matérialisation étant le Mercosur, union douanière entre le Brésil, l'Argentine, le Paraguay et l'Uruguay ; assainissements financiers.

Les acquis sont substantiels. L'Amérique latine s'ancre dans le monde : elle accroît ses échanges avec l'extérieur et noue un dialogue avec l'Europe par l'ébauche d'un partenariat entre l'Union européenne et le Mercosur (sommet de Rio de Janeiro, en juin 1999). Les États-Unis, gardien trop présent de l'Île américaine, sentent, non sans de brutaux coups d'arrêt, que les rapports entre le Nord et le Sud doivent être plus équilibrés. À cet égard, l'entrée du Mexique dans l'Association de libre-échange nord-américaine (ALENA ou NAFTA) modifie profondément sa relation avec le voisin nord-américain. Les États-Unis aident le Mexique (notamment lors de sa crise financière de 1994), le Mexique admet que son économie doit vivre en symbiose avec celle des États-Unis. Les « maquiladoras », ces usines implantées au Mexique, mais fabriquant pour les États-Unis, contribuent à « fixer » des populations attirées vers le Nord.

En même temps, que d'oscillations ! Le Venezuela, avec l'élection à sa présidence en 1998 de l'Indien Hugo Chávez, se laisse séduire par un populisme proche du castrisme, au moment même où Cuba « dollarise » la partie touristique de son économie. La Colombie ne sort pas de son étrange guerre civile : enlèvements, guérillas… Surtout la réussite majeure de l'Amérique latine, le Mercosur, est très menacée. Le Brésil, beaucoup plus lourd que ses trois partenaires réunis, laisse filer sa monnaie et met gravement en péril les exportations de ses voisins. L'Argentine, après s'être assigné une ambition démesurée (parité « intangible » entre le dollar américain et le peso argentin), s'écroule. Tout se passe comme si l'Amérique latine était incapable d'assumer longtemps des disciplines. Ainsi la corruption demeure-t-elle un mal endémique…

L'Amérique latine est-elle condamnée à retomber dans ses errements du passé ? Des changements importants devraient résister : protection des droits de l'homme, règlement pacifique des litiges, promotion de la coopération économique. Le temps du caudillisme

paraît définitivement révolu. En Argentine, la dictature des généraux, au tournant des années 1970-1980, est un échec aussi bien économique que politique. Au Chili, la dictature de Pinochet (1973-1988) redresse l'économie du pays mais laisse des souvenirs très douloureux ; en 1998, Pinochet est arrêté à Londres, il est finalement

sauvé d'un procès par son grand âge. Les apprentis dictateurs n'oublieront pas cet épisode. L'Amérique latine peut-elle trouver sa voie propre de développement, et sans les aides et contraintes extérieures ? La question reste ouverte. L'élection au Brésil, de Lula da Silva réussit à conjuguer des espoirs de justice aussi forts que ceux du développement économique. ∎

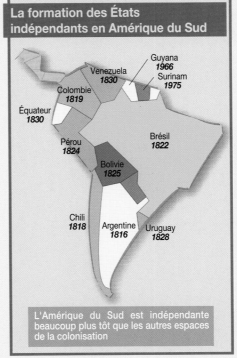

La formation des États indépendants en Amérique du Sud

Guyana *1966*
Surinam *1975*
Venezuela *1830*
Colombie *1819*
Équateur *1830*
Pérou *1824*
Brésil *1822*
Bolivie *1825*
Chili *1818*
Argentine *1816*
Uruguay *1828*

L'Amérique du Sud est indépendante beaucoup plus tôt que les autres espaces de la colonisation

La déforestation

L'Amérique latine est dotée de l'une des plus belles richesses naturelles de la planète : la forêt amazonienne. Comme toutes les forêts équatoriales, l'Amazonie est pénétrée, dévorée par la pression des hommes, ici, essentiellement, des paysans pauvres en quête de terres.
Le processus est doublement destructeur : stérilisation des sols, très fragiles dès qu'ils sont mis à nu ; anéantissement d'un immense patrimoine génétique naturel. Que faire ?
La démographie est là, incontournable : tous ces paysans doivent pouvoir vivre. Il faut donc penser les forêts non plus comme un don sacré et intouchable mais comme une ressource à gérer.

Équateur

Tropique du Capricorne

La forêt :

en 1890

actuelle

en 2050

Régions forestières
fortement menacées

Principaux axes routiers

Transamazonienne

0   1 000 km

Le trafic de la drogue

L'Amérique andine est l'une des grandes zones de production et de transformation de la drogue. La drogue obéit aux mêmes évolutions que les autres biens marchands : accroissement et industrialisation de la production ; conglomérats (cartels de Medellín et de Cali) ; mondialisation des échanges. Mais la drogue n'est pas un produit comme les autres : dangereuse et interdite, elle rapporte beaucoup d'argent et suscite des formes spécifiques de criminalité.

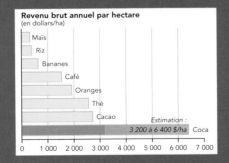

Revenu brut annuel par hectare
(en dollars/ha)

Maïs
Riz
Bananes
Café
Oranges
Thé
Cacao

Estimation :
3 200 à 6 400 $/ha Coca

0   1 000   2 000   3 000   4 000   5 000   6 000   7 000

Production et trafic de la drogue

- Coca (cocaïne)
- Pavot (héroïne)
- Cannabis (marijuana, haschisch)
- Pays où sont pratiquées la production et la transformation de la drogue
- ● Blanchiment de l'argent
- ○ Métropoles des mafias de la drogue («cartels»)
- ⇨ Grands courants de trafic

Échelle à l'équateur
0   500   1 000 km

La déforestation

Le trafic de la drogue

*« ...la maturité
de l'Amérique latine
se lit aussi dans sa capacité
à gérer des ressources
rares ou délicates... »*

LA DÉFORESTATION ET LA DROGUE illustrent les bouleversements de la mondialisation : exploitation industrielle de toutes les ressources, les hommes étant très nombreux (6 milliards) et réclamant beaucoup plus (en particulier, diversification des produits et des services) ; création de structures complexes de production et de commercialisation ; mondialisation des échanges... Dans cette perspective, l'Amérique latine, comme l'Asie du Sud-Est ou l'Afrique, fait partie de ces zones encore offertes, attirant les plus démunis et les plus avides.

La déforestation

La déforestation affecte toutes les régions équatoriales : massivement l'Asie du Sud-Est, les Japonais venant y chercher les quantités de bois que consomme une économie développée ; à un moindre degré l'Afrique, car celle-ci est encore lointaine, difficile d'accès. L'Amazonie, elle, est soumise d'abord à l'avancée inexorable des paysans brésiliens.

Cette destruction de la forêt amazonienne suscite deux séries de débats, présents dans tous les cas où une ressource menacée est en cause.

Quelle est l'ampleur du phénomène ? Les forêts d'Amérique du Sud, comme toutes les autres parties du monde, sont méthodiquement surveillées et photographiées par les satellites. Il est donc possible de mesurer les dégâts commis. Tout cela ne va pas sans controverses. Depuis qu'ils existent, les hommes s'approprient et perturbent la nature. Il est vrai qu'aujourd'hui l'importance de lapopulation humaine et la puissance des techniques entraînent des formes d'exploitation sans commune mesure avec celles du passé.

Que faire ? Deux démarches se présentent. La première est simple et nette : interdire l'exploitation des forêts équatoriales. Mais toute interdiction, surtout si elle vise un bien convoité, tend à être tournée, à moins que ne soit mise sur pied une surveillance efficace. La seconde démarche est tristement réaliste : elle traite les forêts équatoriales (ou les éléphants, ou les grands lieux de spiritualité) comme des biens marchands, dont il faut organiser la rentabilisation économique, afin de protéger leur survie ou leur renouvellement (notamment, à l'incitation du Fonds monétaire international et de la Banque mondiale, allègement ou transformation de dettes publiques pour des opérations de reboisement – « *swaps* » dette contre nature –). Alors que reste-t-il du mystère, de la sacralité de ces forêts ?

La drogue

La drogue, elle aussi, est un bien à part, qui n'échappe pas à la loi de l'offre et de la demande, au progrès technique, à la toute-puissance du consommateur constamment en quête de produits plus sophistiqués.

Dans l'Amérique andine, la coca satisfaisait traditionnellement des besoins précis et contrôlés. Avec l'Europe vient le progrès technique ; la coca se transforme en cocaïne, les effets du produit sont décuplés. Survient alors, dans les dernières décennies du XXe siècle, un enchaînement très connu : industrialisation de la production et du raffinage ; élargissement de la demande, la cocaïne atteignant des clientèles de plus en plus diverses et même très pauvres (avec le crack) ; délocali-

sation des cultures (le pavot longtemps asiatique s'implante en Amérique)… Il y a aujourd'hui un marché mondial de la drogue ; le trafic devient planétaire. L'Afrique, traditionnellement en marge des circuits, devient une plaque tournante du commerce, entre l'Europe et l'Asie, parce que ses cadres législatifs, ses moyens policiers sont très réduits.

La drogue soulève la même alternative que les forêts équatoriales. Les deux mêmes options surgissent. La première choisit toujours l'interdiction et se centre sur le producteur : ici, éradiquer les champs de coca, de pavot… Cette politique, soutenue par les États-Unis en

Colombie, exige non seulement d'être capable de frapper des régions inaccessibles (la drogue poussant évidemment dans ce genre d'endroit) mais encore d'offrir aux paysans des cultures alternatives, fournissant des revenus comparables à ceux de la drogue. L'autre option parie sur l'incitation et regarde vers le consommateur : l'usage de la drogue, au lieu d'être interdit, est autorisé dans certaines conditions afin de connaître le drogué et éventuellement de le pousser à se désintoxiquer (politique des Pays-Bas).

Qu'il s'agisse des forêts équatoriales ou de la drogue, l'Amérique latine est

l'une de ces zones encore anarchiques, où le trafic – commerce illégal et clandestin – demeure possible. De ce point de vue, elle doit prouver qu'elle peut s'organiser elle-même, la maturité d'un continent se mesurant aujourd'hui notamment – mais pas seulement – à sa capacité à gérer ses ressources les plus rares ou les plus délicates. Derrière la déforestation et la drogue surgit la question de l'État en Amérique latine : l'État doit cesser d'être l'instrument d'oligarchies et devenir l'instance qui organise et surveille son territoire, en prenant en considération toutes les composantes de sa population. ■

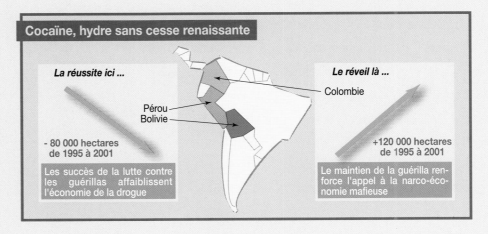

Cocaïne, hydre sans cesse renaissante

La réussite ici …

Colombie

Pérou
Bolivie

- 80 000 hectares
de 1995 à 2001

Les succès de la lutte contre les guérillas affaiblissent l'économie de la drogue

Le réveil là …

+120 000 hectares
de 1995 à 2001

Le maintien de la guérilla renforce l'appel à la narco-économie mafieuse

Des grandes découvertes au XVIᵉ siècle aux deux guerres mondiales, l'Europe est le centre du monde. Les rivalités entre ses grandes puissances font et défont les équilibres de la planète. À l'issue de la Deuxième Guerre mondiale, l'Europe se retrouve divisée et mise sous tutelle par deux superpuissances, les États-Unis et l'Union soviétique.

Avec l'écroulement du camp soviétique et la dissolution de l'URSS, l'Europe, qui n'est plus le premier théâtre de la guerre froide, devient un continent parmi d'autres. À l'ouest, les États-Unis, du fait même de leur victoire dans les trois conflits du XXᵉ siècle (guerres mondiales, guerre froide) restent l'ultime gardien de la paix européenne mais font face à une multitude de défis, de l'affirmation de la Chine aux abcès des Balkans et du Moyen-Orient (Palestine, Irak…). À l'est, non seulement la Russie doit se refonder mais encore le jeu politique se complique à l'infini, avec l'entrée en scène de toutes sortes d'acteurs : Chine, Inde, nouveaux États d'Asie centrale… L'Europe d'aujourd'hui est confrontée à trois enjeux majeurs : maintenir et approfondir la paix chez elle, préserver et élargir l'acquis institutionnel du dernier demi-siècle ; organiser et développer sa périphérie, des pays baltes au Maroc, tout en veillant à associer ceux qui sont au-delà : espace ex-soviétique, Afrique… ; enfin, rester une machine à créer de la richesse et à échanger. Sans dynamique d'interdépendances, l'Europe se retrouverait aux marges de l'histoire et de la prospérité.

EUROPE

L'Europe dans le monde

« ...un des deux grands pôles du système commercial mondial avec les États-Unis... »

L A CARTE MONTRE QUE L'EUROPE – principalement occidentale – est aujourd'hui une vigoureuse machine à produire et à échanger. Cette Europe réalise près des deux tiers de son commerce en son sein. Elle est, avec les États-Unis, l'un des deux grands pôles du système commercial mondial (le Japon ayant perdu beaucoup par ses difficultés économiques, depuis les années 1990). Du point de vue économique, l'Europe occidentale – l'Union européenne – a trois priorités : demeurer compétitive ; maîtriser son élargissement ; promouvoir des règles mondiales aussi ouvertes et stables que possible.

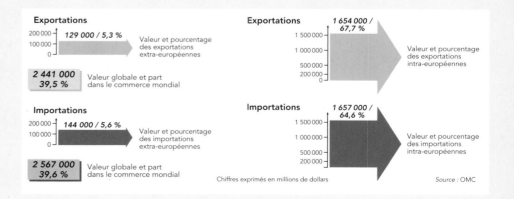

Exportations

200 000
100 000
0

129 000 / 5,3 % Valeur et pourcentage des exportations extra-européennes

2 441 000 / 39,5 % Valeur globale et part dans le commerce mondial

Importations

200 000
100 000
0

144 000 / 5,6 % Valeur et pourcentage des importations extra-européennes

2 567 000 / 39,6 % Valeur globale et part dans le commerce mondial

Exportations

1 500 000
1 000 000
500 000
200 000
0

1 654 000 / 67,7 % Valeur et pourcentage des exportations intra-européennes

Importations

1 500 000
1 000 000
500 000
200 000
0

1 657 000 / 64,6 % Valeur et pourcentage des importations intra-européennes

Chiffres exprimés en millions de dollars

Source : OMC

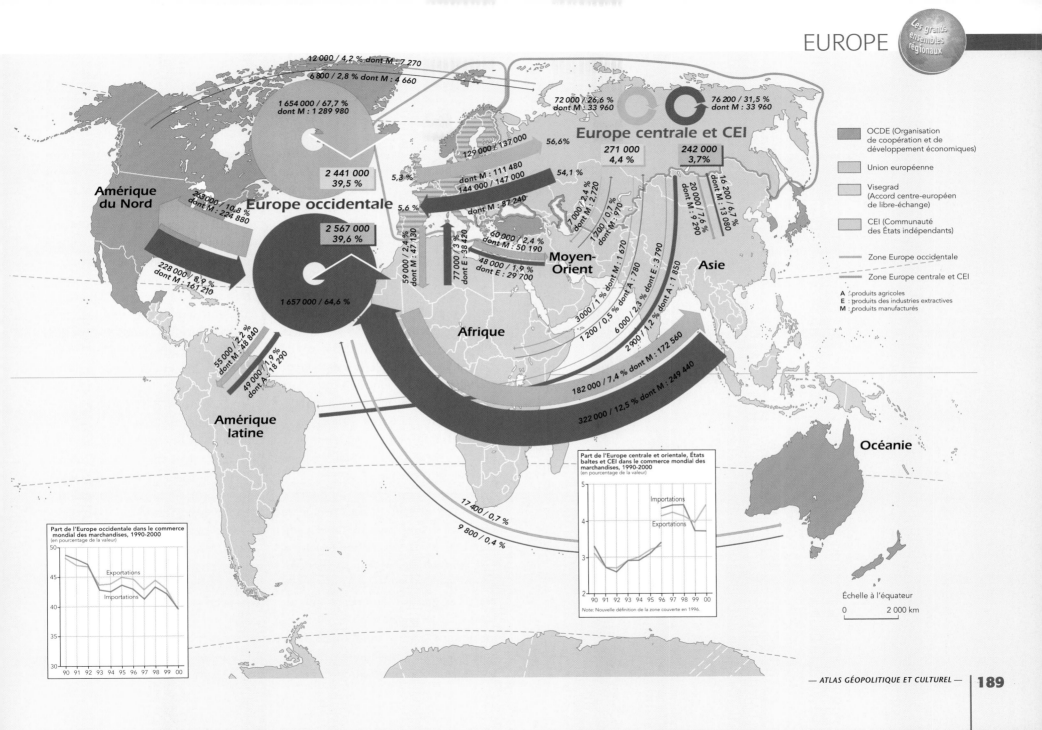

Les grands ensembles régionaux

12 000 / 4,2 % dont M : 7 270
6 800 / 2,8 % dont M : 4 660

1 654 000 / 67,7 %
dont M : 1 289 980

72 000 / 26,6 %
dont M : 33 960

76 200 / 31,5 %
dont M : 33 960

Europe centrale et CEI

2 441 000
39,5 %

129 000 / 137 000

56,6 %

271 000
4,4 %

242 000
3,7 %

Amérique
du Nord

5,3 %

dont M : 111 480
144 000 / 147 000

54,1 %

20 000 / 7,6 %
dont M : 9 290

16 200 / 6,7 %
dont M : 13 080

263 000 / 10,8 %
dont M : 224 880

Europe occidentale

5,6 %

dont M : 87 240

7 000 / 2,4 %
dont M : 2 720

1 700 / 0,7 %
dont M : 970

2 567 000
39,6 %

59 000 / 2,4 %
dont M : 47 130

77 000 / 3 %
dont E : 38 420

60 000 / 2,4 %
dont M : 50 190

Moyen-
Orient

Asie

228 000 / 8,9 %
dont M : 161 210

48 000 / 1,9 %
dont E : 29 700

1 657 000 / 64,6 %

3 000 / 1 % dont M : 1 670

6 000 / 2,3 % dont E : 3 790

Afrique

55 000 / 2,2 %
dont M : 48 840

49 000 / 1,9 %
dont A : 18 290

1 200 / 0,5 % dont A : 780

2 900 / 1,2 % dont A : 1 850

2 900 / 1,2 % dont M : 172 560

182 000 / 7,4 % dont M : 249 440

322 000 / 12,5 % dont M : 249 440

Amérique
latine

Océanie

Légende

OCDE (Organisation
de coopération et de
développement économiques)

Union européenne

Visegrad
(Accord centre-européen
de libre-échange)

CEI (Communauté
des États indépendants)

Zone Europe occidentale

Zone Europe centrale et CEI

A : produits agricoles
E : produits des industries extractives
M : produits manufacturés

17 400 / 0,7 %

9 800 / 0,4 %

Part de l'Europe centrale et orientale, États baltes et CEI dans le commerce mondial des marchandises, 1990-2000
(en pourcentage de la valeur)

Importations

Exportations

90 91 92 93 94 95 96 97 98 99 00

Note: Nouvelle définition de la zone couverte en 1996.

Part de l'Europe occidentale dans le commerce mondial des marchandises, 1990-2000
(en pourcentage de la valeur)

Exportations

Importations

90 91 92 93 94 95 96 97 98 99 00

Échelle à l'équateur

0   2 000 km

L'Europe dans le monde

« …trois impératifs fondamentaux dont dépend son avenir… »

L'EUROPE, ou plutôt l'Union européenne, est une puissante machine à produire et à échanger. Depuis la fin de la Deuxième Guerre mondiale, la construction européenne, qui prend forme en Europe occidentale et donne naissance à l'Union européenne en 1993, multiplie les interdépendances de toutes sortes entre les États participants : à l'origine, des années 1950 aux années 1970, six (France, Allemagne de l'Ouest, Italie, Belgique, Luxembourg et Pays-Bas) ; en 1995, quinze (outre les six fondateurs, le Royaume-Uni, l'Irlande, le Danemark, la Grèce, l'Espagne, le Portugal, l'Autriche, la Finlande et la Suède) ; en 2004, vingt-cinq ; dans l'avenir, plus encore.

L'Union européenne commerce d'abord en son sein : les deux tiers de ses échanges se font entre les États membres. Cette dynamique commerciale est très attractive d'abord pour les États géographiquement et historiquement proches. Les États est-européens qui, au temps de la guerre froide, faisaient partie du système communiste, font aujourd'hui plus de la moitié de leurs échanges avec l'Union européenne…

Les liens avec l'est de l'Europe encore modestes, les économies de cette zone étant relativement pauvres et ayant beaucoup de retard à rattraper, croissent vite : l'Europe est appelée à constituer une vaste zone unifiée, incluant ou du moins associant la Russie.

Les États-Unis, même si les échanges entre les deux rives de l'Atlantique représentent moins de 10 % des échanges extérieurs de l'Union européenne, sont le partenaire-clé de cette Union. Les États-Unis et l'Union européenne représentent près de la moitié du commerce mondial ; ils partagent une responsabilité décisive dans la promotion de règles internationales, aidant au développement des autres continents.

Les échanges extérieurs de l'Union, suivant une loi générale, tendent à augmenter avec les zones en croissance et à décliner avec les zones en stagnation. L'Asie-Pacifique, pourtant lointaine et dominée par les États-Unis et le Japon, devient importante pour l'Union européenne, dont les entreprises ne peuvent ignorer ces marchés énormes en pleine expansion : Chine, Inde… L'Union européenne est profondément liée à l'Afrique par un très long partenariat, renouvelé par l'accord de Cotonou en juin 2000, associant à l'Union 77 États d'Afrique, des Caraïbes et du Pacifique, pour encore vingt ans ; or l'Afrique, qui ne propose que des produits bruts, est de plus en plus marginale dans les échanges de l'Union.

L'Europe d'aujourd'hui se définit par le commerce et la démocratie pluraliste. Il en résulte, pour elle, trois impératifs fondamentaux.

L'Union européenne ne peut pas être une forteresse commerciale. Il lui faut un monde ouvert, où tout circule facilement. En même temps, c'est une association de pays pour la plupart riches, anxieux de perdre ce qu'ils ont acquis. L'une des priorités de l'Union européenne est donc d'organiser et de développer sa périphérie. Le chantier est immense : contribuer au règlement des abcès de cette périphérie (ex-Yougoslavie, mais aussi peut-être Maghreb) ; enraciner la démocratie ; ouvrir les marchés ; investir afin de mieux fixer des populations en quête d'emploi et d'un meilleur niveau de vie. Il s'agit de combiner deux types de flux : flux de capitaux de l'Europe riche vers sa périphérie, flux d'hommes de

cette périphérie vers cette Europe vieillissante.

L'Union européenne a besoin de paix, de stabilité. Ici le défi est planétaire. L'Union européenne peut être analysée comme un club de nations riches et établies. L'un de ses impératifs est de participer à l'édification d'un système économique et politique mondial ouvert et pacifique, faisant entrer les zones les moins développées dans une dynamique d'enrichissement. L'Union doit accepter d'être plus responsable et promouvoir, avec les États-Unis, le Japon et probablement d'autres, un partenariat pour le déve-

loppement, la démocratie et la paix, veillant au respect de la diversité et du pluralisme. L'un des enjeux majeurs est le cycle de négociations commerciales multilatérales, lancé par la conférence de Doha (Qatar) en novembre 2001, et qui doit promouvoir des normes à vocation planétaire dans des domaines essentiels : propriété intellectuelle, investissements…

L'Union européenne doit rester l'une des zones avancées de la planète. Si elle ne se maintient pas dans le peloton de tête de la compétition économique, elle n'aura pas les ressources nécessaires pour organiser et développer sa

périphérie et elle ne pèsera guère dans le jeu mondial. L'Union ne peut se soustraire à l'exigence des avantages comparatifs, imposant à chaque pays, à chaque région d'exploiter le mieux possible ses atouts, compte tenu du niveau de développement atteint. L'Europe ne sera plus le centre du monde économique qu'elle fut il y a un siècle et demi. À l'horizon 2020, elle sera un des grands ensembles régionaux, pesant 7 % de la population mondiale et son économie moins de 20 % : elle sera dépassée à la fois par les États-Unis, à l'ouest, et l'ensemble Inde-Chine-Japon, à l'est. ■

L'élargissement de l'Europe, de 15 à 25, en 2004

	Population (en millions)	PIB/hab (en milliers d'euros)	PIB total (en milliards d'euros)
Union européenne avant mai 2004 (15 pays)	380	15	8 824
Pays ayant adhéré en 2004 :			
Estonie	1,4	4,5	
Lettonie	2,4	3,6	
Lituanie	3,7	3,8	
Pologne	38,6	5,1	
République tchèque	10,3	6,2	
Slovaquie	5,4	4,2	407
Hongrie	10,5	5,7	
Slovénie	2,0	10,5	
Malte	0,4	10,3	
Chypre	0,8	15,1	
Union européenne élargie (25 pays)	455		9 231
Apport démographique	+ 17 %		
		Apport économique (PIB)	+ 5 %

Densité de la population

« ...l'Europe, une des zones les plus densément peuplées de la planète... »

L'EUROPE, ce « petit cap de l'Asie » (Paul Valéry), se caractérise par de très fortes densités humaines. C'est là le produit d'une très longue histoire toujours en cours. À partir du Moyen Âge, l'Europe invente la modernité, modifiant radicalement la condition matérielle de ses habitants : vigoureuse croissance démographique, grâce, notamment, à l'hygiène et à la médecine ; industrialisation et urbanisation massives ; développement d'immenses agglomérations (Londres, Paris, Amsterdam-Rotterdam...). L'Europe d'aujourd'hui a hérité de ces dynamiques chaotiques, concentrant les populations le long des côtes (Méditerranée, Manche, mer du Nord, Baltique) et des fleuves (par exemple, axe Rhin-Rhône, Danube).

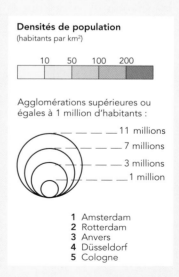

Densités de population
(habitants par km²)

10   50   100   200

Agglomérations supérieures ou égales à 1 million d'habitants :

— — — — 11 millions
—————— 7 millions
— — — 3 millions
— — — 1 million

1 Amsterdam
2 Rotterdam
3 Anvers
4 Düsseldorf
5 Cologne

Les grands
ensembles
régionaux

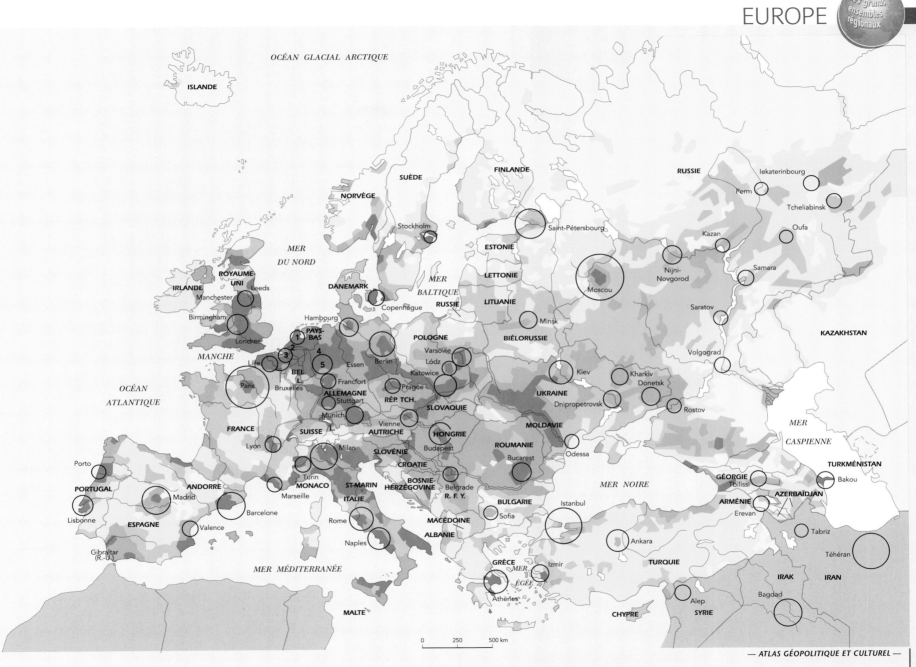

OCÉAN GLACIAL ARCTIQUE

ISLANDE

SUÈDE

NORVÈGE

FINLANDE

RUSSIE

Iekaterinbourg

Perm

Tcheliabinsk

Stockholm

Saint-Pétersbourg

Oufa

MER
DU NORD

ESTONIE

Kazan

LETTONIE

Samara

MER
BALTIQUE

Nijni-
Novgorod

Moscou

ROYAUME-
UNI

DANEMARK

RUSSIE

Leeds

Copenhague

LITUANIE

Saratov

IRLANDE

Manchester

Minsk

BIÉLORUSSIE

Volgograd

KAZAKHSTAN

Birmingham

Hambourg

Londres

PAYS-
BAS

POLOGNE

MANCHE

1

2

4

Lille

3

5

Essen

Varsovie

Lódz

Berlin

Kiev

Kharkiv

Donetsk

Rostov

MER
CASPIENNE

OCÉAN
ATLANTIQUE

BEL.
L.

Paris

Bruxelles

Francfort

Katowice

Prague

Dnipropetrovsk

UKRAINE

ALLEMAGNE

Stuttgart

RÉP. TCH.

SLOVAQUIE

FRANCE

Munich

SUISSE

Vienne

AUTRICHE

Lyon

HONGRIE

Budapest

MOLDAVIE

Odessa

MER NOIRE

TURKMÉNISTAN

Bakou

Milan

SLOVÉNIE

CROATIE

ROUMANIE

Bucarest

GÉORGIE

Tbilissi

AZERBAÏDJAN

Porto

Turin

ST-MARIN

BOSNIE-
HERZÉGOVINE

ARMÉNIE

PORTUGAL

ANDORRE

MONACO

ITALIE

Belgrade

R. F. Y.

Istanbul

Erevan

Madrid

Marseille

BULGARIE

Tabriz

Lisbonne

Barcelone

Rome

MACÉDOINE

Sofia

Ankara

Téhéran

ESPAGNE

Valence

Naples

ALBANIE

TURQUIE

IRAK

IRAN

Gibraltar
(R.-U.)

GRÈCE

MER
ÉGÉE

Izmir

Bagdad

MER MÉDITERRANÉE

Athènes

Alep

SYRIE

MALTE

CHYPRE

0   250   500 km

Densité
de la population

*« ...contre l'exode rural
et la congestion urbaine,
un mouvement
de "rurbanisation"... »*

L'EUROPE est l'une des zones les plus peuplées de la planète. Cette densité de population s'explique d'abord par des facteurs généraux, qui pourraient se retrouver ailleurs : l'Europe, pointe de l'immense Eurasie, est submergée depuis des siècles par des peuples venus de l'Est qui, bloqués par l'océan, se mêlent aux peuples locaux, se sédentarisent et se civilisent. L'Europe offre toutes sortes d'avantages naturels : climats modérés, plaines fertiles, abondance de fleuves et de mers.

La densité de population tient aussi à l'histoire de l'Europe. Celle-ci est, à partir de la Renaissance, le laboratoire de la modernité. Progrès de l'hygiène et de la médecine, amélioration des rendements agricoles, développement de l'industrie : toutes ces transformations font de l'Europe le premier continent de la transition démographique. Les sociétés traditionnelles se caractérisent par des populations stagnantes ou en très lente augmentation, une très forte natalité (les femmes ont de dix à vingt grossesses) se combinant avec une très forte mortalité, notamment infantile. L'Europe moderne rompt cet

équilibre, grâce à une chute très marquée de la mortalité infantile. Au XIXe siècle, l'Europe explose démographiquement (à l'exception de la France, qui pratique la limitation des naissances dès le début du XIXe siècle). Elle déporte ou fait émigrer ses surplus d'hommes et de femmes vers les terres considérées comme à prendre : Amérique du Nord, Afrique du Sud, Australie... Cette pression démographique, accompagnée de l'industrialisation, de l'urbanisation et de l'épanouissement de l'idée nationale, contribue à exaspérer de violentes tensions tant entre classes qu'entre peuples.

La carte montre l'aboutissement de ces évolutions multiformes et turbulentes. Les populations européennes ont abandonné ou abandonnent les campagnes pour se concentrer le long des fleuves ou sur les côtes. L'Europe la plus peuplée se situe le long de ce que des géographes appellent la « banane bleue », cette bande courbée qui va du sud de l'Angleterre à l'Italie, en passant par la vallée du Rhin et l'Allemagne. La distribution géographique des populations ne résulte pas

seulement des évolutions technico-économiques. Elle est aussi le fruit de circonstances politiques : Londres, Paris, Vienne, Berlin et Saint-Pétersbourg sont bâtis par la persévérance de monarques soucieux d'affirmer leur pouvoir et leur rayonnement.

Aujourd'hui cette répartition des populations européennes soulève deux grands défis.

L'abandon ou même la désertification de vastes espaces.

De l'Écosse à l'Espagne, du centre de la France à l'Italie du Sud, des régions se vident ou/et demeurent peu développées, les populations étant attirées vers les pôles de richesse : sud de l'Angleterre, régions parisienne et lyonnaise, Benelux, sud de l'Allemagne, nord de l'Italie... Quel avenir pour ces zones dites périphériques ? L'Union européenne leur consacre des aides substantielles avec une certaine efficacité (essentiellement infrastructures désenclavant ces territoires). Ces régions se trouvent parfois de nouvelles vocations : tourisme, opérations écologiques... D'où des formes de « rurbanisation », installation de citadins dans des campagnes remodelées en fonction de leurs besoins. Il persiste cependant un réel déséquilibre entre les grands axes (Europe rhénane, triangle Barcelone-Lyon-Milan) riches et des périphéries pauvres, qui peuvent redevenir de simples friches. Avec l'exode rural massif des deux derniers siècles, la gestion des campagnes est à redessiner, la dimension écologique s'affirme en tant que telle et doit être prise en compte en termes économiques et financiers.

La congestion des zones les plus développées.

Régions londonienne et parisienne, bouches du Rhin, sud de l'Allemagne, nord de l'Italie sont autant de régions menacées de congestion : réseaux de transport (quels qu'ils soient) saturés, administration de plus en plus lourde de ressources élémentaires (air, eau...), insécurité... Toutes sortes de solutions sont essayées autour de deux idées en général combinées : interdiction (de stationner, de circuler...) ; tarification : ce qui était gratuit devient payant (par exemple, établissement de péages à l'entrée des agglomérations les plus encombrées, telle Londres). Comment vivre avec l'automobile, cet instrument de liberté qui envahit les vieilles villes européennes ? L'âme de l'Europe est inséparable de ses villes. Dans ces conditions, il ne saurait y avoir que des bricolages insatisfaisants.

L'espace, dans les zones très peuplées d'Europe, est un bien de plus en plus rare et, pour le moment, difficilement extensible. Il n'existe pas de remède miracle ; il faut donc associer limitation et incitation, politique des prix et préservation d'un accès minimal de tous à cet espace. ■

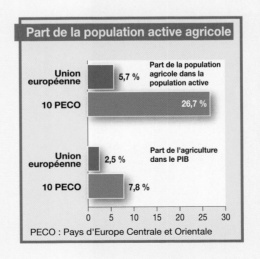

Part de la population active agricole

Union européenne — 5,7 % — Part de la population agricole dans la population active

10 PECO — 26,7 %

Union européenne — 2,5 % — Part de l'agriculture dans le PIB

10 PECO — 7,8 %

0 5 10 15 20 25 30

PECO : Pays d'Europe Centrale et Orientale

Poids et dynamique de la population

« ...l'Europe attire des hommes en quête d'un emploi et d'une vie meilleure... »

L'EUROPE est, avec les autres pays occidentaux, la zone de la transition démographique. C'est dans cette zone que s'effectue le grand basculement d'un équilibre forte natalité / forte mortalité vers un équilibre faible natalité / faible mortalité. L'Europe d'aujourd'hui (surtout sa partie occidentale) est une région riche et vieillissante. Elle attire tous ceux qui sont en quête d'un emploi et d'une vie meilleure. D'où l'un des grands défis de l'Union européenne : quelle politique de l'immigration ? Dans les années 1970, les pays ouest-européens se ferment à l'immigration. Ce choix de forteresse sera de plus en plus difficile à tenir : au sein de l'Union européenne, besoins d'une main-d'œuvre jeune et diversifiée ; aux frontières de l'Union, pressions de l'Est et surtout du Sud pour entrer.

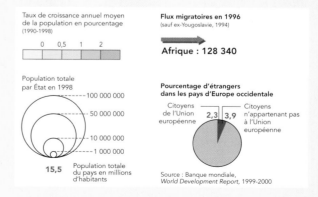

Taux de croissance annuel moyen de la population en pourcentage (1990-1998)

0   0,5   1   2

Population totale par État en 1998

100 000 000
50 000 000
10 000 000
1 000 000

15,5 Population totale du pays en millions d'habitants

Flux migratoires en 1996
(sauf ex-Yougoslavie, 1994)

Afrique : 128 340

Pourcentage d'étrangers dans les pays d'Europe occidentale

Citoyens de l'Union européenne   **2,3** | **3,9**   Citoyens n'appartenant pas à l'Union européenne

Source : Banque mondiale, *World Development Report*, 1999-2000

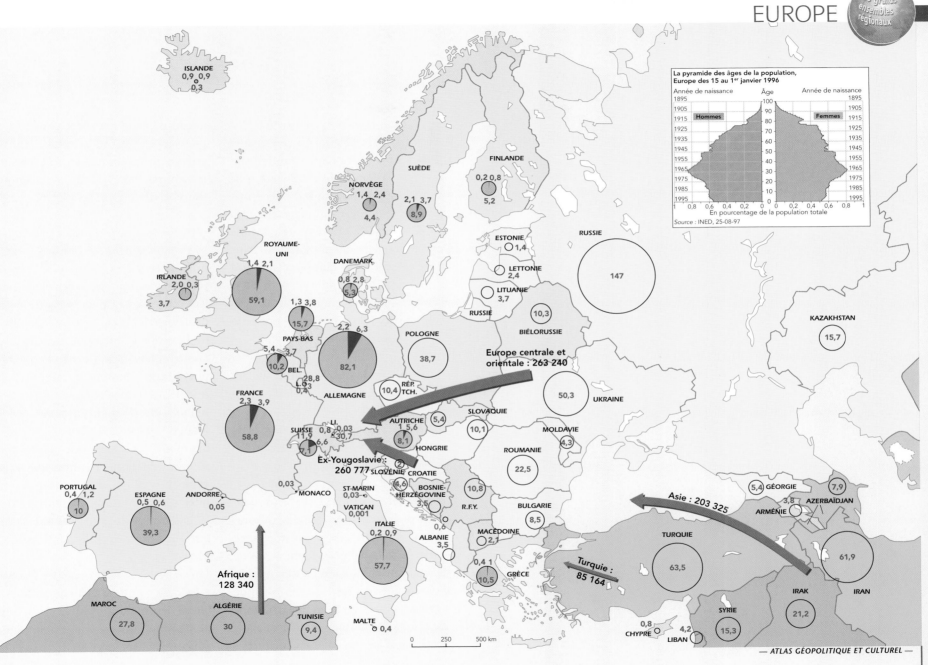

La pyramide des âges de la population,
Europe des 15 au 1er janvier 1996

Année de naissance   Âge   Année de naissance
1895   100   1895
1905   90   1905
1915   Hommes   80   Femmes   1915
1925   70   1925
1935   60   1935
1945   50   1945
1955   40   1955
1965   30   1965
1975   20   1975
1985   10   1985
1995   0   1995
      1 0,8 0,6 0,4 0,2   0   0,2 0,4 0,6 0,8 1
           En pourcentage de la population totale

Source : INED, 25-08-97

ISLANDE
0,9 0,9
  0,3

FINLANDE
0,2 0,8
5,2

SUÈDE
2,1 3,7
8,9

NORVÈGE
1,4 2,4
4,4

RUSSIE

147

ROYAUME-
UNI
1,4 2,1
59,1

DANEMARK
0,8 2,8
5,3

ESTONIE
1,4

LETTONIE
2,4

LITUANIE
3,7

KAZAKHSTAN

15,7

IRLANDE
2,0 0,3
3,7

1,3 3,8
15,7

RUSSIE

BIÉLORUSSIE
10,3

PAYS-BAS
5,4 3,7
10,2
BEL.
2,2 6,3
82,1

POLOGNE

38,7

Europe centrale et
orientale : 263 240

FRANCE
2,3 3,9
58,8

28,8
L. 0,3
0,4
ALLEMAGNE

RÉP.
TCH.
10,4

UKRAINE

50,3

AUTRICHE
1 5,6
8,1

SLOVAQUIE

5,4

10,1

MOLDAVIE
4,3

LI.
0,8 0,03
30,7
SUISSE
11,9
6,6
7,1

HONGRIE

ROUMANIE

22,5

GÉORGIE
5,4

7,9

Ex-Yougoslavie :
260 777 SLOVÉNIE
2
CROATIE
4,6

Asie : 203 325

3,8
ARMÉNIE

AZERBAÏDJAN

PORTUGAL
0,4 1,2
10

ESPAGNE
0,5 0,6
39,3

ANDORRE
0,05

0,03
MONACO

ST-MARIN
0,03

VATICAN
0,001

BOSNIE-
HERZÉGOVINE
3,5

R.F.Y.

10,8

BULGARIE

8,5

0,6

MACÉDOINE
2,1

TURQUIE

63,5

IRAN
61,9

ITALIE
0,2 0,9
57,7

ALBANIE
3,5

0,4 1
GRÈCE
10,5

Turquie :
85 164

IRAK
21,2

Afrique :
128 340

MAROC
27,8

ALGÉRIE
30

TUNISIE
9,4

MALTE
0,4

SYRIE
15,3

0,8
CHYPRE

4,2
LIBAN

0 250 500 km

Poids et dynamique de la population

« …un des trois grands pôles de prospérité de la planète, avec l'Amérique du Nord et le Japon… »

L A CARTE MONTRE UNE EUROPE vieillissante. Les facteurs sont les mêmes dans tous les pays : l'enrichissement de la population, l'élévation de son niveau d'éducation, l'émancipation des femmes et l'allongement de la durée de la vie entraînent un contrôle plus rigoureux des naissances. Dans cette perspective, l'Europe occidentale qui, avec l'Amérique du Nord et le Japon, est l'un des grands pôles de prospérité de la planète, se présente comme un laboratoire.

Par ailleurs, la carte confirme que les évolutions démographiques sont produites tout autant par des facteurs matériels (augmentation du niveau de vie) que par des données psychologiques. L'Europe orientale, beaucoup plus pauvre que l'Europe occidentale, coupée largement de l'extérieur, pendant des décennies, par le communisme, connaît elle aussi une forte baisse de sa natalité. Du point de vue de l'évolution de la natalité, l'Europe est homogène, quel que soit le niveau de développement économique. L'Europe est homogène aussi en matière de mortalité : pour les décès dits « prématurés »

(avant 65 ans), le cancer constitue la première cause. La France se distingue cependant par un taux de surmortalité masculine élevé, dû aux consommations élevées d'alcool et de tabac.

La richesse de l'Europe occidentale, son vieillissement en font un puissant pôle d'attraction pour toute sa périphérie et surtout pour ceux qui veulent échapper à la misère et à une forme de désespoir. Ainsi, les trois « grands » de l'Europe occidentale (Allemagne, France et Royaume-Uni) accueillent le plus grand nombre de migrants, la force d'attraction économique se combinant à des éléments spécifiques : la France et le Royaume-Uni sont évidemment les premiers pays de destination des ressortissants de leurs anciennes colonies ; l'Allemagne est limitrophe de l'Europe pauvre et a des liens anciens avec la Turquie (d'où l'importance de la communauté turque dans ce pays).

La carte indique également la faiblesse des migrations internes au sein de l'Union européenne, notamment par comparaison avec les flux externes

vers l'Union. Cette faiblesse tient à des obstacles culturels (tout ressortissant d'un État membre de l'Union, qui veut s'implanter dans un autre État de l'Union, doit faire un investissement lourd, pour s'acclimater à sa terre d'accueil) et aussi au poids des avantages acquis : changer d'État de résidence, c'est risquer de perdre en termes de couverture de santé, de retraite. L'un des enjeux de l'Union européenne est de créer un authentique espace de libre circulation des hommes, afin d'amortir les écarts de développement, les habitants des zones les moins dynamiques devant pouvoir se déplacer vers les zones en expansion.

Aujourd'hui l'un des grands défis de l'Europe occidentale – ou de l'Union européenne – est bien : quelle politique d'immigration ? Au milieu des années 1970, les États ouest-européens, confrontés à la montée du chômage, ferment leurs frontières à l'immigration. L'Allemagne, qui gardait l'un des droits d'asile les plus généreux, l'a restreint dans les années 1990 du fait de l'afflux de réfugiés d'ex-Yougoslavie. L'immigration continue clandestine-

ment, avec des effectifs très réduits. Mais le dilemme demeure. L'Europe riche vieillit, elle a besoin d'une main-d'œuvre qui doit assumer les dures besognes et accomplir des tâches complexes pour lesquelles les formations nécessaires n'ont pas été développées (débat en Allemagne sur la venue d'informaticiens indiens). Les populations craignent cette immigration, perçue comme source d'insécurité et de concurrence inéquitable. D'où le succès, parfois éphémère, parfois durable, de mouvements plus ou moins xénophobes, accusant les immigrés de détourner à leur profit les bénéfices de l'État-providence. De plus, des

comportements de communautés musulmanes exaspèrent l'anxiété des populations d'accueil : en France, controverses autour du voile, ou plutôt du foulard islamique ; au Royaume-Uni, sympathies pour Ben Laden dans les banlieues-ghettos…

L'Union européenne doit remettre en cause ce refus de l'immigration, facteur de stagnation économique et de rigidité sociale. Si l'Union veut rester prospère, elle a besoin d'un renouvellement des générations, que n'assurent plus ses taux de natalité. L'Europe se veut terre exemplaire de la démocratie ; or le premier des droits de

l'homme n'est-il pas le droit pour chacun de chercher le bonheur là où il croit pouvoir le trouver ? La question des migrations humaines est appelée à connaître des bouleversements, tant au nom de la liberté des individus que du fait de la porosité des frontières. La fermeture des frontières est d'une efficacité très relative. L'enjeu démographique à long terme exige de développer des concertations, des coopérations entre États d'émigration et États d'immigration. La question de la politique d'immigration se double de la politique d'intégration (ou de non-intégration, tel le communautarisme à l'anglaise) et de respect des différences. ■

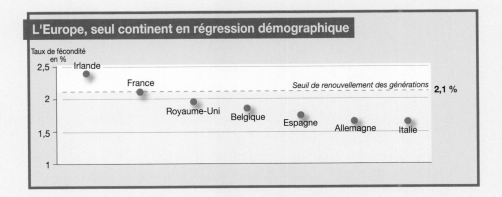

L'Europe, seul continent en régression démographique

États, nations et régions en Europe

« ...l'Union européenne regroupe des États-nations mais se compose aussi de régions transfrontières... »

L'EUROPE (avec les États-Unis) a inventé l'idée d'État-nation. Mais chaque construction est particulière, avec, à un extrême, le cas exceptionnel de la France façonnée par son État et, à l'autre extrême, des nations-fédérations de régions (Italie, Allemagne, mais aussi Espagne, Royaume-Uni). L'Union européenne rassemble des États, elle se compose aussi de régions, parfois transfrontières. Certaines régions rêvent de se constituer en États-nations, au moment où l'idée d'une nation européenne est sinon en gestation, au moins en débat. L'État-nation classique est modelé dans et par la guerre, qui exige et justifie l'homogénéité des peuples. La compétition économique tend à le remplacer et appelle des pactes étatiques plus souples, de nouveaux équilibres entre unité et diversité.

Organisation des pouvoirs

- États fédéraux
- États décentralisés ou en voie de décentralisation
- États centralisés

Nationalisme

- ☆ Revendications nationalistes
- ★ Revendications nationalistes s'accompagnant d'actes de terrorisme

États-nations

1871-1990 Dates de constitution de l'État-nation (unité nationale fondée sur une organisation étatique et l'accession à l'indépendance)

Fonction publique

⦿ Pays où la proportion de fonctionnaires dans la population active est supérieure à 20 %

ISLANDE 1918/1944

FINLANDE 1917

SUÈDE 1523

NORVÈGE 1814-1905

ESTONIE 1919-1991

RUSSIE 1533-1613

LETTONIE 1919-1991

DANEMARK 1537

LITUANIE 1919-1991

RUSSIE

Écosse

Irlande du Nord

IRLANDE 1921

ROYAUME-UNI 1650-1707

PAYS-BAS 1609

BIÉLORUSSIE 1991

POLOGNE 1918

UKRAINE 1991

Flandre

BELGIQUE 1830

L. 1867

ALLEMAGNE 1871-1990

RÉP. TCH. 1993

SLOVAQUIE 1993

FRANCE 1461-1483

LI. 1719

SUISSE 1291-1648

AUTRICHE 1867-1919

HONGRIE 1867-1919

MOLDAVIE 1991

Pays basque

SLOVÉNIE 1991

Padanie

ROUMANIE 1859

CROATIE 1991

BOSNIE-HERZÉGOVINE 1991

R. F. Y. 1878

BULGARIE 1878

PORTUGAL 1252

Catalogne

Corse

ITALIE 1861-1870

Monténégro

Kosovo

MACÉDOINE 1991

ESPAGNE 1492

ALBANIE 1912

GRÈCE 1830

TURQUIE 1923

0   250   500 km

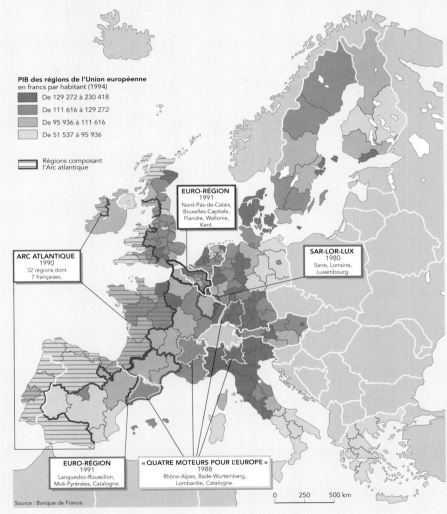

PIB des régions de l'Union européenne
en francs par habitant (1994)

- De 129 272 à 230 418
- De 111 616 à 129 272
- De 95 936 à 111 616
- De 51 537 à 95 936

☐ Régions composant l'Arc atlantique

EURO-RÉGION
1991
Nord-Pas-de-Calais, Bruxelles-Capitale, Flandre, Wallonie, Kent.

ARC ATLANTIQUE
1990
32 régions dont 7 françaises.

SAR-LOR-LUX
1980
Sarre, Lorraine, Luxembourg.

EURO-RÉGION
1991
Languedoc-Roussillon, Midi-Pyrénées, Catalogne.

« QUATRE MOTEURS POUR L'EUROPE »
1988
Rhône-Alpes, Bade-Wurtemberg, Lombardie, Catalogne.

Source : Banque de France

0   250   500 km

États, nations et régions en Europe

« ...la construction européenne
va-t-elle engendrer
une nation européenne ?... »

À LA FIN DU XVIIIE SIÈCLE, la Révolution française, dans le sillage de l'Insurrection américaine, invente l'idée de nation. Désormais chaque peuple, sur un territoire donné, pourra se gouverner souverainement. Utopie pleine d'avenir, qui imaginait une Europe partagée entre des nations, chacune ayant son espace à elle, reconnu par les autres. En fait l'âge national en Europe (de la Révolution française aux deux guerres mondiales) est d'une extrême violence : chaque nation se construit contre d'autres et dispute férocement sa terre à d'autres. Ces passions perdurent, comme le rappellent les déchirements de l'ex-Yougoslavie dans les années 1990.

L'Europe d'aujourd'hui est, dans l'ensemble, faite d'États acceptant leurs frontières, aussi injustes soient-elles. Les États – France, Allemagne, Royaume-Uni... – se sont apaisés, soucieux de coexister et de travailler ensemble (construction européenne). Il existe une société des États démocratiques européens, attachés au statu quo territorial.

D'où deux questions, à la fois distinctes et liées, l'une surgissant à l'intérieur des États, l'autre au-dessus des États : les régions sont-elles en train de remplacer les États-nations ? La construction européenne va-t-elle transcender les États dits nationaux et accoucher d'une nation européenne ?

Dans le sillage des aspirations libertaires des années 1960 se développent les revendications régionalistes, de l'Écosse à la Catalogne, de la Flandre à la Padanie (Italie du Nord). Cette dynamique centrifuge résulte de plusieurs facteurs : affirmation du droit à la différence, du droit de chaque « groupe » (par exemple, région, ethnie...) à être lui-même ; impératif de décentralisation, les États se transformant de machines à faire la guerre en systèmes devant favoriser la flexibilité en vue de la compétition économique ; multiplication des échanges directs « horizontaux » (entre régions, entre communes, entre associations...) ; enfin développement de structures européennes, offrant aux régions un protecteur en principe moins contraignant que l'État.

L'éventail des aspirations régionalistes est vaste : à un extrême, un désir

très raisonnable d'autonomie, de gestion plus libre (chaque région exploite ses dons) ; à l'autre extrême, une ambition quasi étatique (faire de la région une entité souveraine), exprimée par les indépendantismes (basque, écossais, flamand…).

Ces pressions régionalistes, parmi d'autres éléments, appellent une redéfinition des pactes étatiques, ces « contrats » entre tous les ressortissants d'un même État. Les éclatements d'États, analogues à ceux de la Yougoslavie, de l'Union soviétique et de la Tchécoslovaquie, ne vont-ils pas s'enchaîner ? Quand les minorités tendent à ériger leur identité en absolu, les États se raidissent contre ce qu'ils ressentent comme une agression. Ainsi, en Espagne, pourtant très respectueuse des autonomies régionales, le bras de fer entre Madrid et le nationalisme basque de l'ETA.

Confrontée d'abord au défi économique, l'Europe se construit comme ensemble économique, puis comme ensemble politique. Ce processus peut-il créer une forme de nation européenne ?

Cette interrogation paraît ridicule. Les États-nations d'Europe, même les plus récents (comme l'Italie et l'Allemagne), sont des structures solides, tenues par des liens extrêmement forts (culture, éducation, solidarité sociale…). Les peuples sont attachés à leur État.

En même temps, ces États sont remodelés par la construction européenne et par des mutations plus larges. La construction européenne insère les États membres dans des cadres supranationaux, quasi fédéraux, entraînant des partages ou des transferts de compétence considérables, de l'organisation des échanges à la monnaie, bientôt à la police et à la justice. L'État en général est de moins en moins une entité souveraine, maître absolu de son territoire et de sa population ; c'est de plus en plus une instance qui doit rendre des comptes tant à sa population qu'aux organisations internationales ou même à des mouvements privés (organisations non gouvernementales). L'Europe, en tant que continent, n'a pas de frontières : elle est projet politique ; elle doit choisir ses frontières géographiques. Sur cet espace, elle doit construire les différents étages d'une souveraineté qui se décline selon la dimension politique, militaire, sociale, et pas seulement économique.

L'unité politique de l'Europe – et son élargissement à des pays moins riches – est un processus original, qui appelle des formes de solidarité entre les États, les peuples qui la composent. Les vieilles nations se sont faites dans et par la guerre. L'Europe se bâtit dans et par la paix, son aiguillon étant moins un ennemi dit héréditaire que l'adaptation à la mondialisation, qui met en compétition tant les entreprises que les États et les continents. Comment cette logique peut-elle susciter une conscience politique commune qui, pour se développer, aura besoin d'une sorte de peuple européen ? ∎

L'Europe des décisions micro-économiques

Localisation des grandes entreprises européennes

France	50
Allemagne	48
Royaume-Uni	45
Italie	12
Espagne	9

Les grandes entreprises sont concentrées dans 3 pays

Près de 150 des 200 plus importantes entreprises européennes sont concentrées dans ces 3 pays

Euro
et Schengen

« ...entre unité et diversité,
un équilibre délicat... »

LA CONSTRUCTION EUROPÉENNE, lancée en 1950 par la déclaration Monnet-Schuman, vise à faire vivre pacifiquement ensemble, grâce à des dynamiques communes (marché unique, union monétaire...), les États européens. D'où l'émergence d'un cadre européen, initialement à six, depuis 1995 à quinze, dans l'avenir peut-être à vingt-cinq ou plus : les Communautés européennes insérées depuis 1993 dans l'Union européenne. Ce cadre n'associe que ceux qui veulent et peuvent être associés. D'où des dispositifs à géométrie variable : les accords de Schengen sur la libre circulation des personnes ne comprennent pas, pour le moment, le Royaume-Uni et l'Irlande, mais incluent deux États non membres de l'Union (Norvège et Islande) ; l'euro n'est pas adopté, actuellement, par le Royaume-Uni, le Danemark et la Suède.

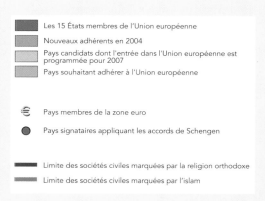

Les 15 États membres de l'Union européenne

Nouveaux adhérents en 2004

Pays candidats dont l'entrée dans l'Union européenne est programmée pour 2007

Pays souhaitant adhérer à l'Union européenne

€ Pays membres de la zone euro

● Pays signataires appliquant les accords de Schengen

Limite des sociétés civiles marquées par la religion orthodoxe

Limite des sociétés civiles marquées par l'islam

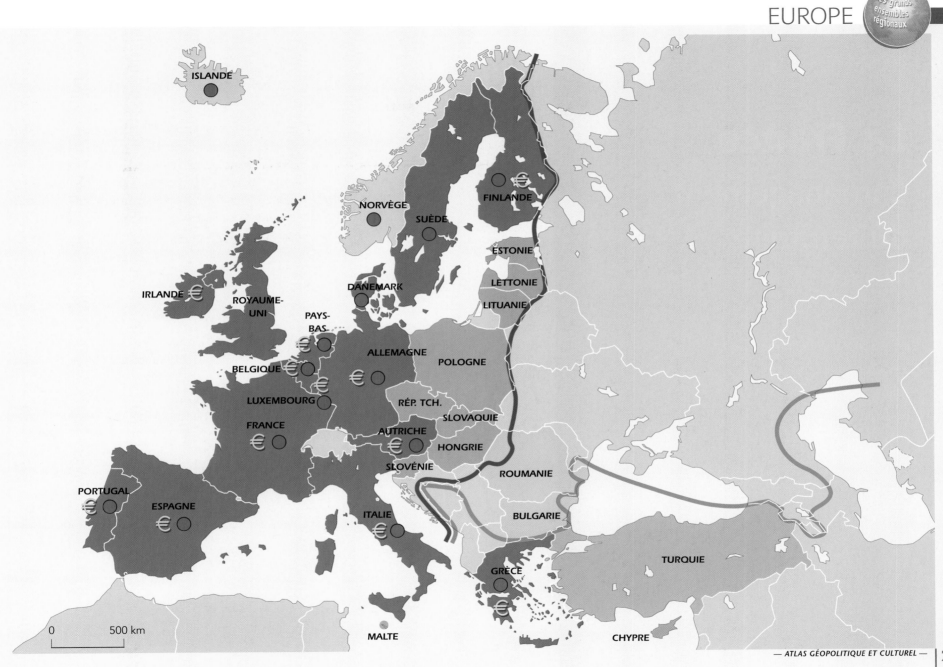

Les grands ensembles régionaux

ISLANDE

FINLANDE

NORVÈGE

SUÈDE

ESTONIE

DANEMARK

LETTONIE

LITUANIE

IRLANDE

ROYAUME-
UNI

PAYS-
BAS

ALLEMAGNE

POLOGNE

BELGIQUE

LUXEMBOURG

RÉP. TCH.

SLOVAQUIE

FRANCE

AUTRICHE

HONGRIE

SLOVÉNIE

ROUMANIE

PORTUGAL

ESPAGNE

ITALIE

BULGARIE

TURQUIE

GRÈCE

0   500 km

MALTE

CHYPRE

La France

L'aménagement du territoire

« ...un réel rééquilibrage
de l'espace français
contre la domination
de Paris... »

LA FRANCE S'EST STRUCTURÉE autour du pôle parisien. Paris régnerait sur le désert français (Jean-François Gravier, 1955). Alors l'État jacobin, toujours volontariste, lance au début des années 1960 une ambitieuse politique d'aménagement du territoire. Quarante ans plus tard, si Paris pèse encore très lourd, plusieurs facteurs – interventions de l'État, aides de la Communauté européenne, investissements d'entreprises étrangères – ont favorisé un réel rééquilibrage.

Politiques d'aménagement de l'Union européenne

Régions en «retard de développement»
en cours d'adaptation économique

Zones en déclin industriel,
en reconversion économique

Zones rurales fragiles,
en diversification économique

Aucune aide européenne

Politiques françaises d'aménagement du territoire

Caen   Limites et capitales régionales

● Métropoles d'équilibre (1964) et «satellites»

◆ Villes nouvelles (Loi Boscher 1970)

★ Pôles de conversion (1984)

Schémas directeurs de transport

Schéma directeur routier
et autoroutier (1995)

Schéma directeur ferroviaire
à grande vitesse (1992)

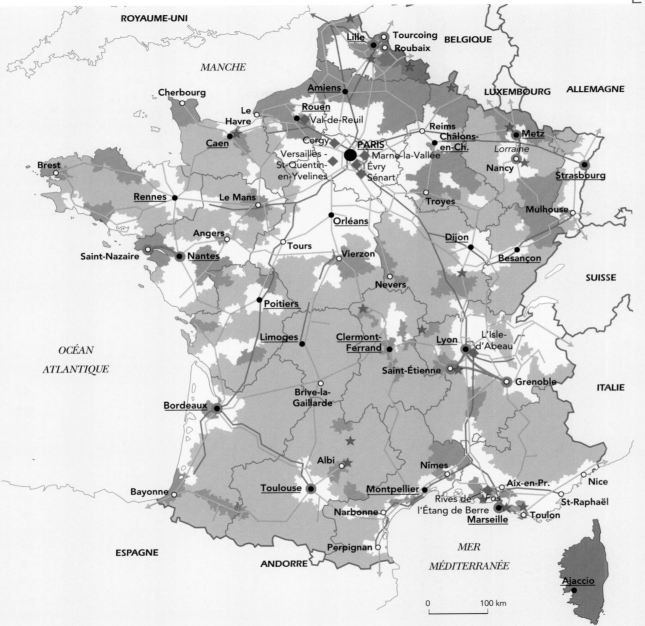

ROYAUME-UNI

MANCHE

Cherbourg

Le Havre

Brest

Caen

Rennes

Le Mans

Saint-Nazaire

Nantes

Angers

OCÉAN

ATLANTIQUE

Lille   Tourcoing
          Roubaix   BELGIQUE

LUXEMBOURG   ALLEMAGNE

Amiens

Rouen
Val-de-Reuil

Cergy
Versailles -
St-Quentin-
en-Yvelines

PARIS

Reims
**Châlons-
en-Ch.**

Marne-la-Vallée
Évry
Sénart

Lorraine

Nancy

Metz

Strasbourg

Troyes

Mulhouse

Orléans

Tours

Vierzon

Dijon

Besançon

SUISSE

Poitiers

Nevers

Limoges

**Clermont-
Ferrand**

Lyon   L'Isle-
          d'Abeau

Saint-Étienne

Grenoble

ITALIE

Brive-la-
Gaillarde

Bordeaux

Bayonne

Albi

Toulouse

Nîmes

Montpellier

Aix-en-Pr.   Nice

Fos

Rives de
l'Étang de Berre

St-Raphaël

Marseille   Toulon

Narbonne

ESPAGNE

Perpignan

ANDORRE

*MER
MÉDITERRANÉE*

Ajaccio

0   100 km

La France
La pollution

« ...des enjeux
économico-financiers
qui freinent les solutions
écologiques... »

LA POLLUTION et ses différentes formes vont de pair avec le développement économique. De nombreuses mesures à but écologique ont été adoptées. Mais, au-delà des principes (principe pollueur-payeur, développement durable) sur lesquels l'accord se fait assez facilement, les véritables enjeux sont économico-financiers : comment évaluer les coûts exacts des pollutions ? À qui revient-il de les assumer ?

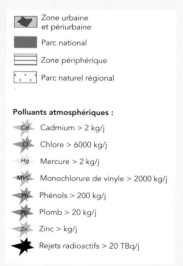

Zone urbaine
et périurbaine

Parc national

Zone périphérique

Parc naturel régional

Polluants atmosphériques :

Cd   Cadmium > 2 kg/j

Cl   Chlore > 6000 kg/j

Hg   Mercure > 2 kg/j

MVC Monochlorure de vinyle > 2000 kg/j

Ph   Phénols > 200 kg/j

Pb   Plomb > 20 kg/j

Zn   Zinc > kg/j

Rejets radioactifs > 20 TBq/j

Caps et Marais
d'Opale

Pb

Scarpe-
Escaut

Cd

Cl

Zn

Avesnois

Boucles de
la Seine normande

Vosges
du Nord

Marais du
Cotentin et
du Bessin

Pb

Zn

Vexin
français

Lorraine

Cl

Cd

Montagne
de Reims

Pb

Hg

Normandie
Maine

Perche

Haute
vallée de
Chevreuse

Forêt
d'Orient

Cl

Ballons des
Vosges

Armorique

Brière

Gâtinais
Français

Loire
Anjou
Touraine

Pb

Morvan

Brenne

Haut
Jura

Périgord-
Limousin

Zn

Bauges

Pb

Vanoise

Volcans
d'Auvergne

Livradois-
Forêz

Chartreuse

Pilat

Écrins

Landes de
Gascogne

Causses
du Quercy

Monts
d'Ardèche

Vercors

Queyras

Cévennes

Lubéron

Mercantour

Cl

Grands Causses
Haut Languedoc

Verdon

Hg

Camargue

MVC

Ph

Pyrénées
occidentales

Port-Cros

Corse

0   100 km

Euro et Schengen

La France
L'aménagement du territoire

La France
La pollution

Euro et Schengen

La construction européenne lancée en 1950 vise à créer entre les États participants un espace commun de libre circulation (biens, services, capitaux et personnes), se prolongeant en une union politique. Cette dynamique associative, qui est une remarquable réussite, ne cesse d'être tiraillée entre deux exigences. D'un côté, l'Union européenne doit être une et conférer à tous les États membres les mêmes droits et obligations. De l'autre côté, cette Union repose sur le libre consentement des peuples : n'y participent que ceux qui veulent y participer.

Schengen et l'euro fournissent deux illustrations de cet équilibre délicat entre unité et diversité. L'espace Schengen de libre circulation totale des personnes ne réunit que treize des quinze de l'Union (le Royaume-Uni et l'Irlande n'acceptent pas, pour le moment, d'en faire partie). De même, l'euro n'inclut que douze des quinze (le Royaume-Uni, le Danemark et la Suède n'adhèrent pas à la monnaie unique).

Comment combiner le maintien d'un cadre unique européen et ces cercles multiples de solidarité ? Ce problème ne saurait que s'approfondir avec l'élargissement à l'Est de l'Union européenne : les futurs États membres sont beaucoup moins développés et n'ont guère de pratique de cette intégration multilatérale qu'est la construction européenne. L'élargissement à l'Est entraînera certainement, au sein de l'Union, l'émergence d'un « noyau dur », la formation d'un groupe restreint d'États, incluant l'Allemagne et la France, et approfondissant, d'abord entre eux, les dimensions fédérales de l'Europe : défense commune, peut-être même mécanisme gouvernemental supranational… Mais comment ne pas donner aux autres membres de l'Union, à ceux qui ne seront pas de ce club, le sentiment d'être exclus, au moment même où ils s'embarquent dans l'aventure européenne ? Le club devra rester ouvert à tous ceux qui rempliront les conditions pour y entrer.

La France,
l'aménagement du territoire

La France a été faite par et autour de Paris. D'où le déséquilibre entre la capitale et la province. À partir des années 1950 se met en place une politique vo-

lontariste d'aménagement du territoire avec, en 1963, la création de la DATAR (Délégation à l'aménagement du territoire et à l'action régionale).

Quarante ans plus tard, un rééquilibrage de l'espace français s'est opéré : le Nord et l'Est trouvent un nouveau souffle ; Toulouse se modernise notamment autour de l'aéronautique ; la région Rhône-Alpes s'ancre dans la « banane bleue », axe de richesse européen qui va du sud de l'Angleterre au nord de l'Italie…

Ce rééquilibrage est dû en partie à l'action de l'État, à ses subventions, aux grands équipements (autoroutes, trains à grande vitesse), aux lois de décentralisation et de régionalisation. D'autres facteurs interviennent. Il y a le dynamisme, le souci de s'assumer de plusieurs régions. La construction européenne, avec son marché unique, est un stimulateur par les aides financières de fonds structurels européens et aussi par l'ouverture de l'espace français.

Ce rééquilibrage très positif produit cependant de nouvelles inégalités. Il existe aujourd'hui deux France : d'un côté, des pôles très concentrés de richesse (région parisienne, Rhône-Alpes,

Côte d'Azur…) ; de l'autre, d'immenses zones désertifiées par l'une des plus importantes révolutions « invisibles » qu'ait vécues la France : l'exode rural.

La pollution

Chaque société, chaque niveau de développement produit ses pollutions. Celles de la France d'aujourd'hui sont celles d'un pays dont l'agriculture s'est industrialisée (avec une détérioration des nappes phréatiques, dégradées notamment par les déjections animales) et qui dispose des grandes industries de base : sidérurgie, pétrochimie, nucléaire… Des chapelets de mesures sont prises. Mais y a-t-il, en France, une véritable politique de l'environnement ? Cette politique se heurte à au moins trois obstacles :

La taille du territoire français

Par comparaison avec ses voisins européens, la France est grande et peu peuplée. La prise de conscience des exigences de l'environnement est inséparable de perceptions très matérielles : sentiment d'encombrement, omniprésence d'usines, destruction visible d'éléments à forte valeur symbolique (ainsi les forêts pour les Allemands).

La culture technocratique

La France est une terre d'ingénieurs, de bâtisseurs de grands équipements. La nature est faite pour être soumise et aménagée. Les revendications écologistes sont aussi des demandes de démocratie.

La quasi-incapacité d'associer écologie et économie

La maîtrise des pollutions, la protection de l'environnement restent abordées de manière idéaliste ou polémique : il faut sauver la nature. Toute réflexion sur l'environnement ne peut oublier que la prospérité requiert un certain développement industriel ; cette réflexion doit être économique et politique : évaluation des coûts mais aussi des avantages des mesures écologiques ; répartition du fardeau entre les parties prenantes. ■

France, destination vacances

La France est la première destination mondiale

% du total mondial des arrivées/an   75 millions d'arrivées

France	11 %
Espagne	8 %
États-Unis	8 %
Italie	5 %
Chine	4 %
Royaume-Uni	4 %

La France cumule deux saisons touristiques et deux concentrations : sur les littoraux, l'été, en montagne, l'hiver

Mais la recette par touriste est beaucoup plus élevée ailleurs (la France est au 20e rang, loin derrière l'Australie, les États-Unis, l'Inde, l'Allemagne, l'Égypte, la Turquie, le Royaume-Uni, la Grèce, l'Italie, l'Espagne, la Suisse, l'Autriche…)

La France

L'évolution démographique et sociale

« …une modernisation résultat d'une profonde mutation… »

LA FRANCE, VIEILLE NATION PAYSANNE, connaît depuis la fin de la Deuxième Guerre mondiale une très profonde mutation : pays de campagne, elle s'urbanise autour de vastes agglomérations (Paris, Lyon, Toulouse…) ; terre à l'industrialisation lente, elle devient massivement manufacturière et commerçante. D'un côté, la France se banalise : elle est un pays occidental, riche, plutôt ouvert et vieillissant. De l'autre côté, peut-être pour la première fois dans son histoire, elle montre qu'elle peut s'adapter au monde, appartenir à une équipe – l'équipe européenne – et fort bien réussir.

Le développement économique s'avère inégalitaire. Mais la distribution des inégalités obéit à des facteurs complexes. La carte montrant les bénéficiaires du RMI (revenu minimum d'insertion) et les déclarations à l'ISF (impôt sur la fortune) fait apparaître que les plus riches et les plus pauvres habitent les mêmes régions. La carte sur le chômage confirme cette complexité des dynamiques : les régions où le chômage est le moins élevé sont tout aussi bien des régions dynamiques (Île-de-France, Rhône-Alpes…) que des régions tout simplement vides (Limousin, Auvergne…).

Les grands ensembles régionaux

Dynamique de la population

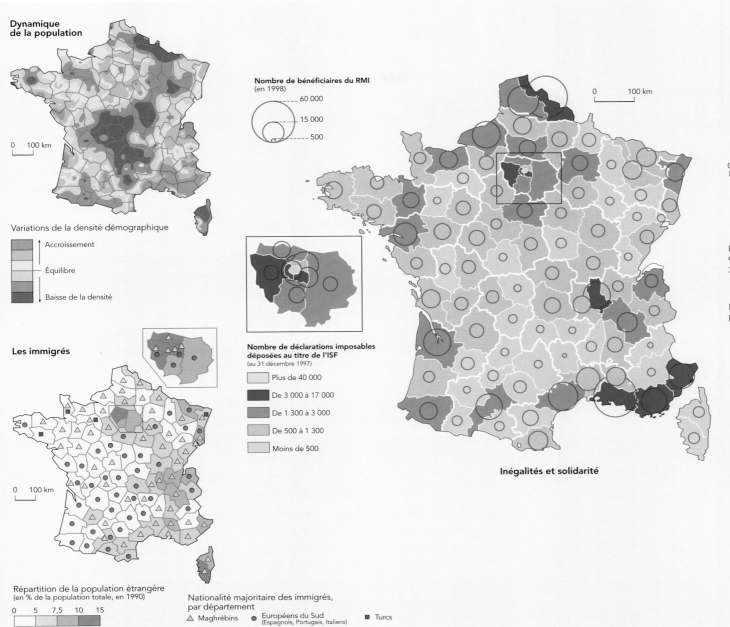

Variations de la densité démographique

↑ Accroissement

Équilibre

↓ Baisse de la densité

Les immigrés

Nombre de bénéficiaires du RMI
(en 1998)

60 000

15 000

500

Nombre de déclarations imposables déposées au titre de l'ISF
(au 31 décembre 1997)

Plus de 40 000

De 3 000 à 17 000

De 1 300 à 3 000

De 500 à 1 300

Moins de 500

Inégalités et solidarité

Répartition de la population étrangère
(en % de la population totale, en 1990)

0   5   7,5   10   15

Nationalité majoritaire des immigrés, par département

△ Maghrébins
● Européens du Sud
(Espagnols, Portugais, Italiens)
■ Turcs

Âge médian de la population

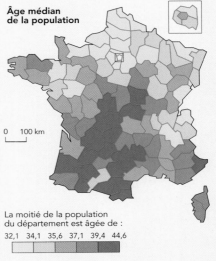

La moitié de la population du département est âgée de :

32,1   34,1   35,6   37,1   39,4   44,6

Moyenne d'âge de la population en France : 35,5 ans

Le taux de chômage

NORD-PAS-DE-CALAIS
HAUTE-NORMANDIE
PICARDIE
BASSE-NORMANDIE
ÎLE-DE-FRANCE
CHAMPAGNE-ARDENNE
LORRAINE
ALSACE
BRETAGNE
PAYS-DE-LA-LOIRE
CENTRE
BOURGOGNE
FRANCHE-COMTÉ
POITOU-CHARENTES
AUVERGNE
RHÔNE-ALPES
LIMOUSIN
AQUITAINE
MIDI-PYRÉNÉES
PROVENCE-ALPES-CÔTE D'AZUR
LANGUEDOC-ROUSSILLON
CORSE

Taux de chômage par région
(en % de la population active, en 1999)

10   11,75   14

La France
L'évolution démographique et sociale

« ...une européanisation, mais aussi une mondialisation de la France... »

DEPUIS la fin de la Deuxième Guerre mondiale, la France est devenue un pays réellement moderne. Nation rurale, la France a connu un considérable exode rural, les agriculteurs représentent désormais moins de 3 % de la population active. Parallèlement, les grands équipements se sont multipliés : autoroutes, trains à grande vitesse... Le développement économique, impulsé par l'État colbertiste et planificateur, acquiert des dynamiques propres : agglomérations bien vivantes (Paris, Lyon, Toulouse, Lille...), entreprises s'émancipant des pouvoirs publics.

Les trois cartes sur la répartition géographique de la population soulignent ces évolutions de fond, qui tendent à partager la France non en deux parties homogènes mais plutôt en deux types de régions.

D'un côté, des régions qui se vident et vieillissent. Ce qui les unit, c'est leur caractère rural. Qu'il s'agisse du Massif central ou des Pyrénées, des Ardennes ou de la Normandie intérieure, toutes ces zones, handicapées par la géographie (enclavement, éloignement des mers ou des grands axes), sont comme abandonnées et n'hébergent plus, à l'extrême, que des personnes âgées.

De l'autre côté, des régions dynamiques, jeunes et accueillant souvent des immigrés : région parisienne, Toulouse, Rhône-Alpes, Midi méditerranéen. Ici aussi, la géographie est essentielle : ces régions sont bien situées, proches de la mer ou de l'axe Rhin-Rhône-Italie du Nord.

Cette fragmentation, qui crée non des blocs, mais une mosaïque, se retrouve partout en Europe. Royaume-Uni, Allemagne, Italie, Espagne... sont tous soumis à cette tension entre des régions qui réussissent (en général, liées à ce qui fut la Lotharingie, l'Europe des marchands, des villes et des libertés) et des régions qui restent à la traîne.

La France d'aujourd'hui est inégale. Les inégalités ne suscitent pas des frontières nettes entre riches et pauvres. Au contraire, s'il existe bien des espaces pauvres (par exemple, le Limousin) ou des lieux de richesse (à l'évidence, Paris, Lyon...), les situations s'entremêlent dans les agglomérations. L'un des impacts majeurs de la mondialisation est de transformer les phénomènes inégalitaires : les lignes de partage entre

ceux qui s'adaptent et ceux qui ne s'adaptent pas passent désormais à l'intérieur même des professions, des classes sociales, des quartiers, des régions, comme si les inégalités se morcelaient à l'infini.

En synthèse, il y a deux France, avec de multiples nuances entre les zones extrêmes (par exemple, Paris et le Limousin). Cette problématique concerne de nombreux États de la planète. Pour un vieil État comme la France, son unité, ou plus précisément le contenu de cette unité, est en cause.

La France rêve de Français tous égaux et donc tous semblables (d'où l'obsession de faire des immigrés de « bons Français »). Cet idéal n'a jamais été aussi proche d'être atteint que dans les deux siècles allant de la Révolution française à la décennie gaullienne (1958-1969). Aujourd'hui ce rêve d'unité parfaite s'éloigne. La France, qui a aussi su accueillir, en pourcentage de sa population, les deux plus fortes communautés juives et musulmanes d'Europe, peine aujourd'hui à régler les frictions du communautarisme et les contre-effets du conflit israélo-palestinien.

La France est prise non seulement dans l'Europe mais aussi dans la mondialisation. Cette ouverture dissout « l'exception française », généralise, systématise la comparaison entre ce que l'on a et ce que l'autre a. Pour les Français, le choc est très démystificateur : tout ce qui était déclaré « français » (liberté, universalité, intelligence, créativité…) existait donc ailleurs.

L'État français ne peut plus être l'État omniscient et omniprésent. Cet État a encore un immense rôle à remplir : aider la population française à s'adapter, contribuer à maintenir un minimum de solidarité entre les Français. Mais il ne peut plus agir avec ses instruments traditionnels : législation, réglementation, fiscalité… L'État (dans une certaine mesure, comme la monarchie d'Ancien Régime) doit négocier avec toutes ses composantes : citoyens français, syndicats, entreprises, mais aussi investisseurs étrangers, instances européennes, organisations internationales.

L'immigration constitue un défi majeur pour l'avenir de la société française. Les immigrés doivent accepter cette société dans laquelle ils viennent, pour améliorer leur condition. En même temps, ils ont une identité, ils contribuent à la création de richesse.

Dans ces conditions, le pacte national est appelé à être renégocié pour faire vivre ensemble toutes les parties prenantes : citoyens français, régions, citoyens européens, immigrés mais aussi simples étrangers… Tout au long de son histoire, la France s'est réinventée. Pourquoi n'y parviendrait-elle pas cette fois-ci ? ∎

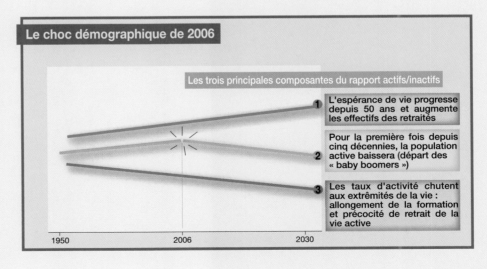

Le choc démographique de 2006

Les trois principales composantes du rapport actifs/inactifs

1 L'espérance de vie progresse depuis 50 ans et augmente les effectifs des retraités

2 Pour la première fois depuis cinq décennies, la population active baissera (départ des « baby boomers »)

3 Les taux d'activité chutent aux extrémités de la vie : allongement de la formation et précocité de retrait de la vie active

1950   2006   2030

La Belgique

« ...un laboratoire européen de la coexistence communautaire... »

L A BELGIQUE naît comme État en 1831, au carrefour de deux exigences bien européennes : d'un côté, le désir des Belges ou plus exactement des Wallons (francophones) d'exister par eux-mêmes ; de l'autre côté, l'impératif d'équilibre européen, l'Angleterre voulant avoir, en face de ses côtes, un État qui ne la menace pas. Aujourd'hui, la Belgique est toujours typiquement européenne, cette fois-ci comme laboratoire de coexistence entre plusieurs communautés : Wallons, Flamands, germanophones…

Densités de population

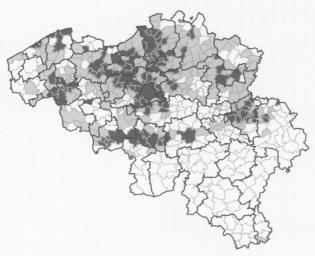

Nombre d'habitants par km²

200   500

Auteurs : F. Derwael et J.M. Halleux, ULg.
Source : INS, recensement 1991.

Source : B. Mérenne, H. Van der Haegen et E. Van Hecke (réd.),
La Belgique, Diversité territoriale.
SSTC/Crédit Communal, Bruxelles 1998.

Cadre administratif

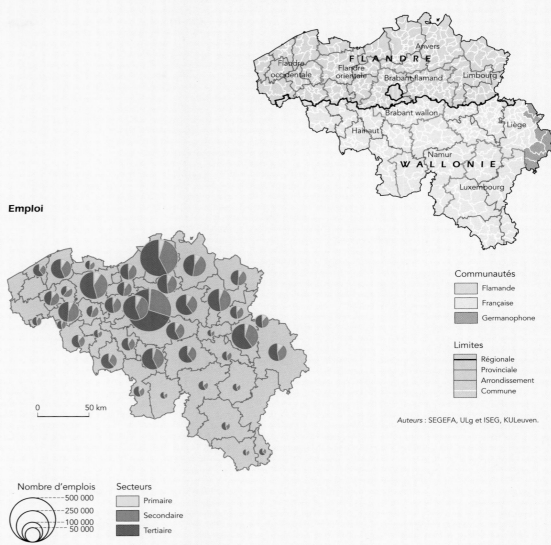

Emploi

Communautés

Flamande
Française
Germanophone

Limites

Régionale
Provinciale
Arrondissement
Commune

Auteurs : SEGEFA, ULg et ISEG, KULeuven.

0   50 km

Nombre d'emplois
500 000
250 000
100 000
50 000

Secteurs

Primaire
Secondaire
Tertiaire

Auteurs : A. Colard, P. Marissal, C. Vandermotten
et G. Van Hamme, ULB.
Source : INS, recensement 1991.

La Suisse

« …un État démocratique

qui longtemps aura défendu

sa neutralité par

le non-engagement

dans la communauté

des nations… »

L A SUISSE, c'est d'abord l'État neutre au cœur de l'Europe, terre de paix dans un continent en guerre quasi permanente. Cette exception suisse repose sur la très particulière unité de la « Confédération » helvétique, cette démocratie à la Rousseau. Jusqu'en mars 2002, la Suisse est l'un des deux seuls États du monde, avec le Vatican, à ne pas appartenir à l'Organisation des Nations unies (ONU). De même, jusqu'à présent, la Suisse dit « non » à l'entrée dans l'Union européenne.

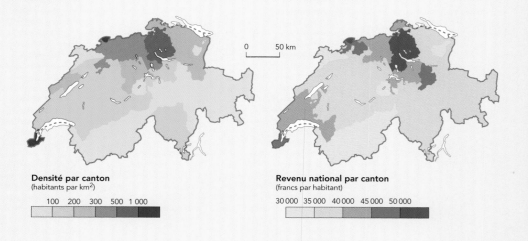

0   50 km

Densité par canton
(habitants par km^2)

100   200   300   500   1 000

Revenu national par canton
(francs par habitant)

30 000   35 000   40 000   45 000   50 000

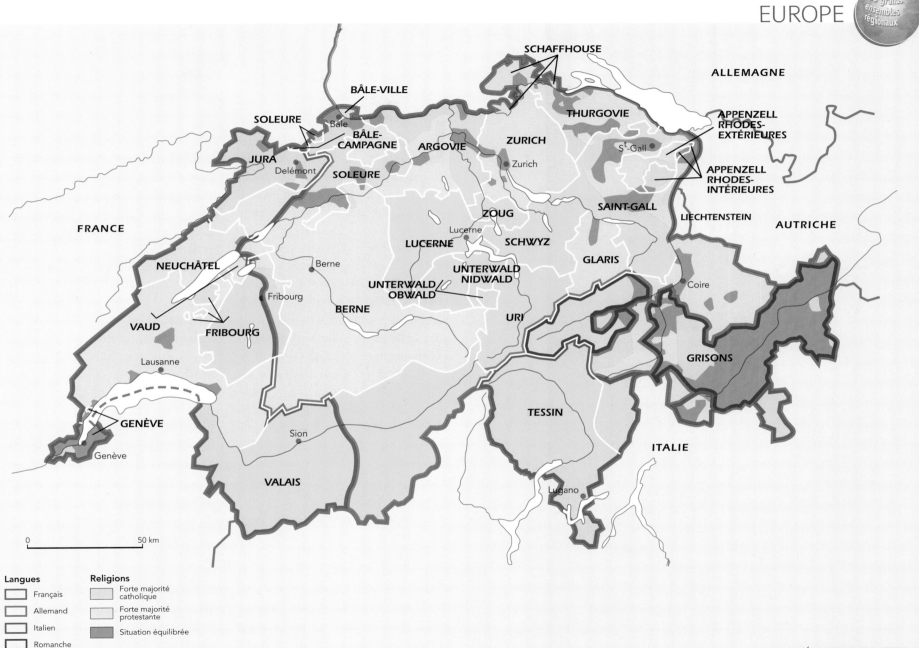

SCHAFFHOUSE

ALLEMAGNE

BÂLE-VILLE

SOLEURE

THURGOVIE

APPENZELL
RHODES-
EXTÉRIEURES

Bâle

BÂLE-
CAMPAGNE

ARGOVIE

ZURICH

St-Gall

JURA

Delémont

Zurich

APPENZELL
RHODES-
INTÉRIEURES

SOLEURE

ZOUG

SAINT-GALL

LIECHTENSTEIN

AUTRICHE

Lucerne

FRANCE

NEUCHÂTEL

LUCERNE

SCHWYZ

GLARIS

Berne

UNTERWALD
NIDWALD

Fribourg

UNTERWALD
OBWALD

Coire

VAUD

FRIBOURG

BERNE

URI

GRISONS

Lausanne

TESSIN

GENÈVE

Sion

Genève

ITALIE

VALAIS

Lugano

0   50 km

La Belgique

La Suisse

« …deux perspectives
radicalement différentes
face à l'Union européenne… »

L A BELGIQUE ET LA SUISSE sont toutes deux des produits de l'impératif d'équilibre européen. La Suisse est au cœur de l'Europe « l'État neutre », ce lieu étrange où se rencontrent les pires ennemis ; lors des deux guerres mondiales, c'est en Suisse que se nouent des tractations improbables entre belligérants et que se pratiquent aussi des trafics divers. (À l'extrême nord de l'Europe, la Suède au XXᵉ siècle, également neutre, connaît un destin analogue). La Belgique, à l'image de la Suisse, a été conçue neutre en 1831. Ce statut est balayé par les tourmentes du XXᵉ siècle : tant en 1914 qu'en 1940, l'armée allemande prend le chemin le plus facile pour envahir la France. La géographie pèse lourd : la Suisse, protégée par les montagnes, doit être contournée ; la Belgique, le « plat pays » de Jacques Brel, est un boulevard.

L'Europe d'aujourd'hui est en paix. Face à cette paix, la Belgique et la Suisse font des choix opposés. Dès les débuts de la construction européenne, la Belgique soutient une perspective fédérale et reçoit un précieux cadeau : Bruxelles est en fait (sinon en droit) la capitale de l'Union européenne. La Suisse, à l'opposé de la Belgique, n'a jamais été envahie. Elle reste fidèle à son chemin solitaire et se tient hors de la construction européenne. Mais, toujours prudente, elle rejoint l'ONU, le Conseil de l'Europe et appartient à l'Association européenne de libre-échange (AELE).

En ce début de XXIᵉ siècle, quel est le bilan ?

La Belgique

La Belgique est au centre de l'Europe en construction. Tout – la géographie, l'histoire, la préoccupation d'équilibre… – confirme Bruxelles comme capitale de l'Union européenne. La Belgique tire ainsi la leçon de l'échec de sa neutralité : celle-ci étant impossible à maintenir dans une Europe en guerre, il faut transformer l'Europe. D'où le rôle du Belge Paul Henri Spaak dans la réconciliation européenne.

Mais le défi de la Belgique est bien connu : dans quelles conditions Wallons (francophones) et Flamands (néerlandophones), auxquels s'ajoute une poignée de germanophones, peuvent-ils vivre ensemble ? Initialement la Belgique est un peu française, puis

l'équilibre se dégrade au détriment des Wallons : la Wallonie, terre de vieille industrie, est frappée par la restructuration des charbonnages, de la sidérurgie et du textile ; les Flamands font plus d'enfants et exploitent pleinement leur implantation dans la partie côtière, avec, notamment, Anvers.

Le pacte constitutionnel doit être renégocié : les Flamands réclament plus de pouvoir et renâclent à payer pour les Wallons. La réforme constitutionnelle de 1993 fait de la Belgique une fédération, et stipule une redistribution complexe des compétences autour des régions et des communautés. Au moment même où l'Europe s'unifie autour de Bruxelles, la Belgique paraît se décomposer.

La Belgique peut-elle éclater ? Deux raisons s'opposent : le caractère pacifique et consensuel de la société belge, fondée sur le commerce, et nourrie par les traditions de liberté municipale ; l'appartenance de la Belgique à l'Union européenne, dont l'un des fondements est le respect de ses États membres. La Belgique est à sa manière un laboratoire de l'Europe, ajustant sans cesse l'équilibre toujours instable entre unité et pluralité.

La Suisse

La Suisse, avec ses quatre langues, ses deux religions et le quart de sa population active constituée d'étrangers, est restée elle-même, maintenant son unité autour d'un certain conservatisme et du non-engagement. Elle demeure le coffre-fort de l'Europe. D'où un attachement jaloux à sa souveraineté, une méfiance profonde à l'encontre des disciplines internationales.

En 1992, c'est « non » à la participation à l'Espace économique européen (EEE), premier pas vers l'Union européenne. Mais la Suisse, soumise aux aléas de la volonté populaire, peut dire « oui ». En 1992, elle rejoint le Fonds monétaire international (FMI). De même, après avoir dit « non » en 1986, elle adhère à l'ONU en 2002.

La Suisse connaît des fêlures. Son passé la poursuit. À la fin des années 1990, les années 1939-1945 sont mises à nu et dévoilent que la Suisse, pour se préserver, a beaucoup cédé à l'Allemagne hitlérienne, que les banquiers suisses se sont approprié au passage ce que des Juifs leur avaient confié. La neutralité se révèle équivoque. La neutralité est toujours « en situation »,

non pas libérée des rapports de force mais les gérant plutôt d'une manière originale et intéressée.

La Suisse peut-elle rester seule ? L'atout de la neutralité se déprécie. L'Europe en guerre a besoin de la Suisse comme ultime lieu de négociation. L'Europe pacifiée est tout entière un espace de négociation. Tous les autres États de l'Europe dits neutres – Irlande, Autriche, Suède, Finlande – ont rejoint l'Union européenne. L'Union fixe les règles du jeu en matière économique, et

les grandes entreprises industrielles, les laboratoires pharmaceutiques suisses se plaignent de la non-appartenance de leur pays, exclu de l'élaboration de la législation européenne. Être neutre, c'est se retrouver en marge des chantiers importants.

Mais l'adhésion signifierait la renonciation à des privilèges : fin du protectionnisme agricole, mise en cause du secret bancaire, ouverture des réseaux suisses de communication aux réseaux européens. ■

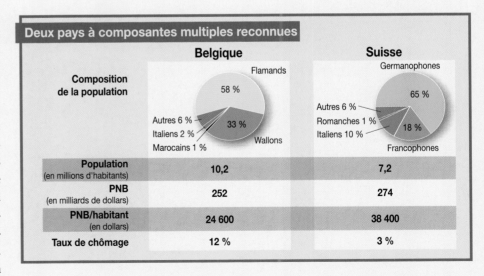

Deux pays à composantes multiples reconnues

	Belgique	Suisse
Composition de la population	Flamands 58 %, Autres 6 %, Italiens 2 %, Marocains 1 %, Wallons 33 %	Germanophones 65 %, Autres 6 %, Romanches 1 %, Italiens 10 %, Francophones 18 %
Population (en millions d'habitants)	10,2	7,2
PNB (en milliards de dollars)	252	274
PNB/habitant (en dollars)	24 600	38 400
Taux de chômage	12 %	3 %

Le Royaume-Uni

Les disparités économiques régionales

« ...première terre

de la révolution industrielle,

elle souffre d'une forte

inégalité entre le Nord

et le Sud... »

L E ROYAUME-UNI est l'État qui a le plus clairement, le plus systématiquement opté pour la liberté des échanges. Celle-ci implique que chaque nation fasse évoluer ses activités économiques en fonction des « avantages comparatifs » (Ricardo) dont elle dispose. Selon cette logique, le Royaume-Uni, première terre de la révolution industrielle, se tourne de plus en plus vers les services. Il en résulte une fragmentation du Royaume-Uni entre un Nord, anciennement industrialisé, appauvri, qui se restructure avec difficulté, et un Sud à la richesse insolente.

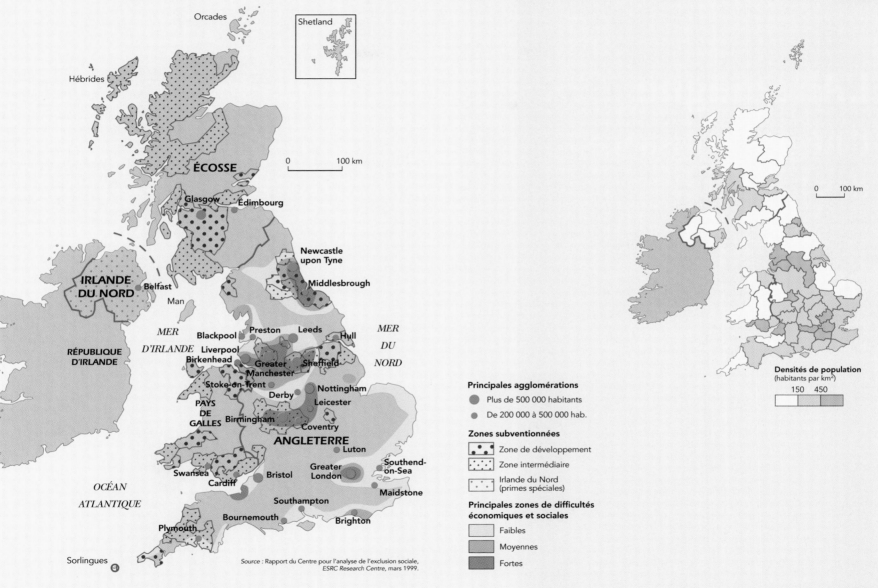

Orcades

Shetland

Hébrides

ÉCOSSE

0   100 km

Glasgow   Édimbourg

Newcastle
upon Tyne

**IRLANDE
DU NORD**   Belfast   Middlesbrough

Man

MER   Preston   Leeds   Hull   *MER*
Blackpool
D'IRLANDE   Liverpool   *DU*
Birkenhead   Greater   Sheffield   *NORD*
RÉPUBLIQUE   Manchester
D'IRLANDE   Stoke-on-Trent
Nottingham
Derby
Leicester
**PAYS
DE**   Birmingham
GALLES   Coventry
ANGLETERRE   Luton
Swansea   Southend-
on-Sea
Cardiff   Bristol   Greater
London
OCÉAN   Maidstone
ATLANTIQUE   Southampton
Bournemouth
Plymouth   Brighton

Sorlingues   *Source : Rapport du Centre pour l'analyse de l'exclusion sociale,
ESRC Research Centre, mars 1999.*

Principales agglomérations

⬤   Plus de 500 000 habitants

●   De 200 000 à 500 000 hab.

Zones subventionnées

Zone de développement

Zone intermédiaire

Irlande du Nord
(primes spéciales)

**Principales zones de difficultés
économiques et sociales**

Faibles

Moyennes

Fortes

0   100 km

Densités de population
(habitants par km²)

150   450

L'Allemagne

L'inégale puissance des Länder

« …tardivement unie
au XIXᵉ siècle (1871),
tardivement réunie
au XXᵉ siècle (1989)… »

L'ALLEMAGNE est la grande puissance industrielle de l'Europe. Elle reste le pays d'entreprises remarquables mais souffre d'être encore prisonnière d'un modèle protectionniste, le « capitalisme rhénan » qui lie de manière quasi organique industrie et finance allemandes. D'où une Allemagne éclatée – schématiquement – entre un Nord et un Est, très marqués par un lourd héritage industriel, et un Sud (Hesse, Bade-Wurtemberg, Bavière) qui s'insère bien dans la mondialisation.

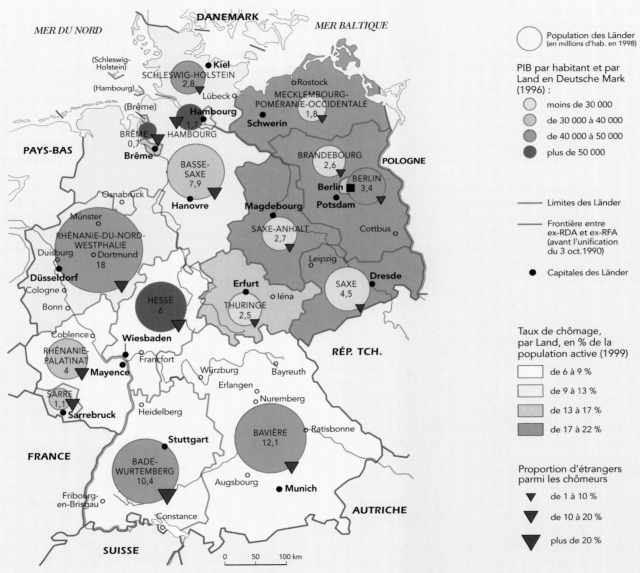

MER DU NORD

DANEMARK

MER BALTIQUE

(Schleswig-Holstein)

● Kiel
SCHLESWIG-HOLSTEIN
2,8

Lübeck ●

(Hambourg)

(Brême)

Hambourg
1,7
HAMBOURG

BRÊME
0,7
● Brême

PAYS-BAS

BASSE-SAXE
7,9

● Hanovre

Osnabrück ○

Münster ○

RHÉNANIE-DU-NORD-WESTPHALIE
18

Duisburg ○ ○ Dortmund
● Düsseldorf
Cologne ○
Bonn ○

HESSE
6

● Wiesbaden

Coblence ○

RHÉNANIE-PALATINAT
4

● Mayence

SARRE
1,1
● Sarrebruck

FRANCE

Fribourg-en-Brisgau ○

BADE-WURTEMBERG
10,4

Constance ○

Stuttgart ●

Heidelberg ○

Augsbourg ○

Fribourg ○

○ Rostock

MECKLEMBOURG-POMÉRANIE-OCCIDENTALE
1,8

● Schwerin

BRANDEBOURG
2,6

Berlin ● BERLIN
3,4
Potsdam ●

POLOGNE

● Magdebourg

SAXE-ANHALT
2,7

Cottbus ○

○ Leipzig

Erfurt ●
THURINGE
2,5
○ Iéna

SAXE
4,5

Dresde ●

RÉP. TCH.

Würzburg ○

Bayreuth ○

Erlangen ○

○ Nuremberg

BAVIÈRE
12,1

○ Ratisbonne

● Munich

AUTRICHE

SUISSE

0   50   100 km

Population des Länder
(en millions d'hab. en 1998)

PIB par habitant et par
Land en Deutsche Mark
(1996) :

○ moins de 30 000
● de 30 000 à 40 000
● de 40 000 à 50 000
● plus de 50 000

―――― Limites des Länder

―――― Frontière entre
ex-RDA et ex-RFA
(avant l'unification
du 3 oct.1990)

● Capitales des Länder

Taux de chômage,
par Land, en % de la
population active (1999)

de 6 à 9 %
de 9 à 13 %
de 13 à 17 %
de 17 à 22 %

Proportion d'étrangers
parmi les chômeurs

▼ de 1 à 10 %

▼ de 10 à 20 %

▼ plus de 20 %

Le Royaume-Uni

L'Allemagne

« ...deux grandes puissances européennes face au dilemme de la mondialisation... »

LE ROYAUME-UNI et l'Allemagne sont, avec la France, les trois pays les plus importants de l'Europe occidentale.

Chaque pays se saisit d'abord à travers son histoire. Depuis le XVIIe siècle, le Royaume-Uni est le laboratoire politique et économique de l'Europe, l'État où se cristallisent en premier les principales mutations de la modernité : libéralisme politique, vision géopolitique planétaire (avec la priorité donnée au contrôle des mers), révolution industrielle. Le Royaume-Uni, à la traîne de l'Europe durant les Trente Glorieuses (1945-1975), retrouve sa vocation pionnière avec le choc thatchérien (1979-1989). Pour la Dame de fer, mais aussi pour le travailliste Tony Blair, le Royaume-Uni doit se soumettre pleinement aux impératifs de la mondialisation : ouverture quasi totale sur l'extérieur, abandon des secteurs en déclin, spécialisation dans les domaines où le Royaume-Uni est le meilleur (importance centrale de la City).

L'impact majeur de ce choix est la cassure du Royaume-Uni entre la vieille Angleterre industrielle, appauvrie, et la région de Londres, deuxième capitale de la mondialisation aux côtés de New York.

L'Allemagne est en Europe la nation tardive. Unie en 1871, l'Allemagne est un géant européen qui, à deux reprises, sous Guillaume II puis sous Hitler, tente d'établir son hégémonie sur le continent. La défaite est terrible : en 1945, l'Allemagne est ravagée, occupée et bientôt divisée. Mais, tandis que le Royaume-Uni, paré des lauriers de la victoire aux côtés des États-Unis et de l'URSS, a beaucoup de mal à sortir de son rêve impérial, l'Allemagne accomplit une étonnante renaissance, couronnée par sa réunification en 1990.

L'Allemagne démocratique, bâtie sur le rejet radical du nazisme, se développe autour de deux choix fondamentaux. Le fédéralisme vise à renouer avec la diversité traditionnelle des Allemagnes, en laissant chaque land épanouir ses talents. L'économie sociale de marché assure un développement consensuel, fondé sur un dialogue institutionnalisé entre employeurs et salariés ainsi que sur une imbrication forte des industries et des banques.

Aujourd'hui ce modèle allemand est

en crise ou en mutation. Comme il y a deux Royaume-Uni, il y a deux Allemagne : une Allemagne qui a beaucoup de mal à sortir de son passé industriel (principalement l'ex-Allemagne de l'Est mais aussi la Ruhr, la Sarre) ; une Allemagne méridionale (Hesse, Bade-Wurtemberg, Bavière) moderne et dynamique. Ce contraste met en cause, dans une certaine mesure, le modèle allemand. Celui-ci, en privilégiant l'industrie et le consensus social, s'enfonce progressivement dans un immobilisme protectionniste. Ainsi l'Allemagne bloque-t-elle l'adoption d'une directive européenne qui vise à éliminer les barrières nationales aux prises de contrôle d'entreprises par des investisseurs étrangers…

Tant au Royaume-Uni qu'en Allemagne, il y a inégalité de développement selon les régions. Chez le premier, l'inégalité est portée par l'acceptation de la mondialisation dans tous ses effets. Chez la seconde, il s'agit au contraire d'une fermeture à la mondialisation, qui tend à maintenir le pays dans un système dépassé, et plus encore des excès du fédéralisme, qui peut engendrer des disparités mar-

quées entre les différents Länder en matière d'éducation. Leurs pouvoirs et leurs budgets sont sans commune mesure avec les régions de programme en France ; ainsi, pour des populations comparables, l'Île-de-France a un budget de 3,5 milliards d'euros, le dixième de celui de la Bavière..

Ces déséquilibres régionaux se retrouvent dans tous les États européens et ailleurs. Si ces déséquilibres s'inscrivent dans l'histoire longue de ces États, la mondialisation les modifie, les reformule et le plus souvent les exaspère (ainsi l'Italie du Nord contre l'Italie du Sud, la France des grands pôles – Paris, Lyon… – contre la France profonde…). À cet égard, le Royaume-Uni et l'Allemagne incarnent les deux réponses extrêmes face à la mondialisation.

Pour le Royaume-Uni, l'Europe doit se mettre dans le courant de la mondialisation, en accepter les exigences : adaptation constante, privatisation, déréglementation, flexibilité… Chacun doit être en mesure de s'adapter, la solidarité nationale se concentrant sur les plus pauvres. La culture britannique contient plusieurs éléments qui per-

mettent ce choix : sur l'échelle des valeurs, primauté de la liberté sur l'égalité, entraînant la persistance de valeurs et de pratiques aristocratiques, un vigoureux individualisme, enfin un sentiment très largement partagé que les classes sociales sont des données quasiment naturelles. L'Allemagne s'est reconstruite sur un modèle de type organique, dans lequel la vitalité des Länder se combine avec un très fort souci de cohésion sociale. D'où, face à la mondialisation, les tiraillements de l'Allemagne entre des réactions protectionnistes et des efforts d'adaptation.

Ces deux pays illustrent le dilemme de l'Europe riche et démocratique face aux bouleversements en cours : soit s'y soumettre, soit tenter de préserver un modèle social européen. La mondialisation impose une renégociation profonde tant de l'État-providence que du pacte national. Quelle solidarité entre les Britanniques, entre les Allemands, entre les Français… ? Mais aussi quelle solidarité entre les Européens ? ■

Allemagne, France, Royaume-Uni, trois pôles pour l'Europe ?						
	Population	PIB	Croissance du PIB-PPA	PIB/hab.	Taux de chômage	Dépenses militaires
Allemagne	82	2 100	1,6 %	25 600	12 %	29
France	60	1 450	1,8 %	24 200	10 %	32
Royaume-Uni	59	1 405	2,3 %	23 600	6 %	35
	(en millions d'habitants)	(en milliards d'euros)	(1990-2001 % par an)	(en euros)	(en %)	(en milliards d'euros)

Europe centrale et orientale

L'évolution de la Yougoslavie

« ...un conflit historique :

comment faire

correspondre nations

et territoires... »

L A YOUGOSLAVIE des années 1990 incarne le conflit fondamental de l'Europe centrale et orientale : frontières et peuples ne coïncident pas. D'où le projet de nettoyage ethnique : faire correspondre, par les armes si nécessaire, nations et territoires. La décennie 1990 est marquée par les guerres qui résultent de ce délire nationaliste. Le bilan est triste. La Yougoslavie est dissoute.

La Bosnie-Herzégovine, république multiethnique, survit malgré tout. Le peuple serbe est le perdant. La Serbie n'est désormais qu'un petit État enclavé, qui assume la plus lourde responsabilité dans la destruction de la Yougoslavie (procès Milosevic devant le Tribunal pénal international de La Haye), et se réduit comme une peau de chagrin (quasi-indépendance du Monténégro, administration du Kosovo par les Nations unies).

1991

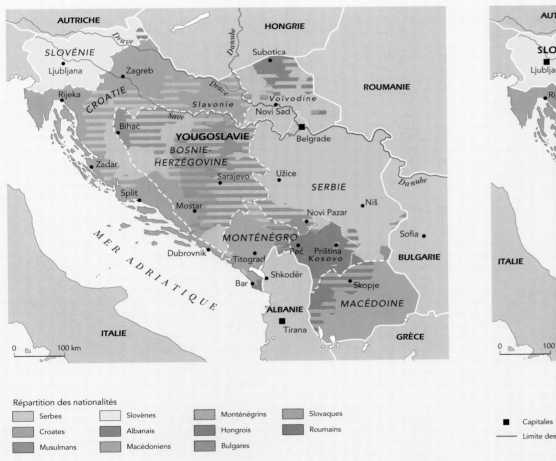

AUTRICHE

HONGRIE

Drave

Danube

SLOVÉNIE

Ljubljana

Subotica

Zagreb

ROUMANIE

Drave

Rijeka

CROATIE

Slavonie

Voïvodine

Novi Sad

Save

Bihać

YOUGOSLAVIE

Zadar

BOSNIE-
HERZÉGOVINE

Belgrade

Sarajevo

Užice

SERBIE

Danube

Mostar

Split

Novi Pazar

Niš

MONTÉNÉGRO

Sofia

Dubrovnik

Titograd

Peć

Priština

Kosovo

BULGARIE

Bar

Shkodër

Skopje

MER ADRIATIQUE

MACÉDOINE

ALBANIE

ITALIE

Tirana

GRÈCE

0   100 km

1999

AUTRICHE

HONGRIE

Drave

Danube

SLOVÉNIE

Ljubljana

Save

Zagreb

Voïvodine

CROATIE

ROUMANIE

Rijeka

Slavonie orientale

Novi Sad

Krajina

RÉP. SERBE
DE BOSNIE

Bihać

Brcko

Belgrade

Zadar

BOSNIE-
HERZÉGOVINE

SERBIE ET
MONTÉNÉGRO

FÉDÉRATION
CROATO-
MUSULMANE

Sarajevo

S E R B I E

Split

Gorazde

Mostar

Danube

Novi Pazar

Niš

MONTÉNÉGRO

Peć

Priština

Kosovo

Sofia

Dubrovnik

Podgorica

BULGARIE

MER ADRIATIQUE

Skopje

ALBANIE

MACÉDOINE

ITALIE

Tirana

GRÈCE

0   100 km

Répartition des nationalités

- Serbes
- Croates
- Musulmans
- Slovènes
- Albanais
- Macédoniens
- Monténégrins
- Hongrois
- Bulgares
- Slovaques
- Roumains

- ■ Capitales
- —— Limite des deux entités bosniaques
- ✩ Tensions politiques
- ✪ Conflit armé

Europe centrale et orientale

Les minorités

« ...une région qui doit,

à nouveau, être restructurée... »

L'EUROPE CENTRALE ET ORIENTALE est, pendant des siècles, une terre d'affrontements impériaux : Empire ottoman, Autriche, Russie, Allemagne. À l'issue de la Première Guerre mondiale, les vainqueurs, nations occidentales établies (France, Angleterre, États-Unis), décident de reconstruire cette région autour du principe national. Alors parfois l'on ressuscite une nation (Pologne) ; le plus souvent on bricole des nations de synthèse (Tchécoslovaquie, Yougoslavie). Tout ce dispositif se disloque avec l'effondrement du bloc soviétique, dans les années 1990. Aujourd'hui, à nouveau, l'Europe centrale et orientale est à rebâtir.

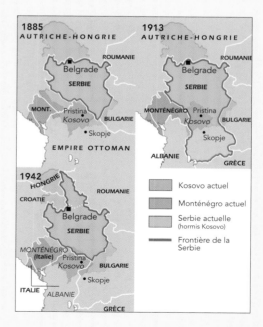

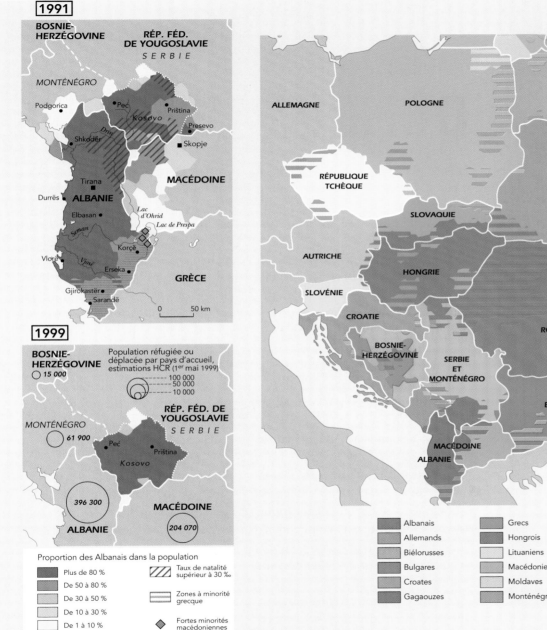

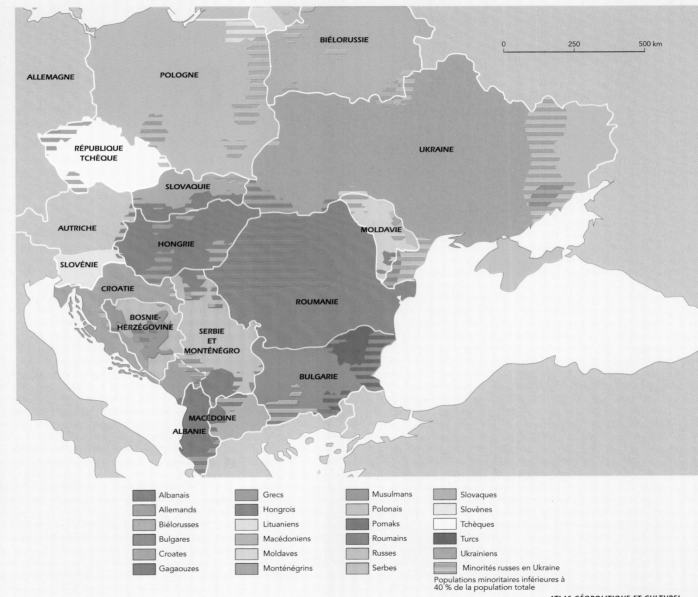

1991

BOSNIE-HERZÉGOVINE

RÉP. FÉD. DE YOUGOSLAVIE
SERBIE

MONTÉNÉGRO

Podgorica

Peć · Priština

Kosovo

Presevo

Shkodër

Skopje

Tirana

MACÉDOINE

Durrës

ALBANIE

Lac d'Ohrid

Elbasan

Lac de Prespa

Korçë

Vlorë

Erseka

GRÈCE

Gjirokastër

Sarandë

0 __ 50 km

1999

BOSNIE-HERZÉGOVINE
◯ 15 000

Population réfugiée ou déplacée par pays d'accueil, estimations HCR (1er mai 1999)
100 000
50 000
10 000

RÉP. FÉD. DE YOUGOSLAVIE
SERBIE

MONTÉNÉGRO
61 900

Peć · Priština

Kosovo

396 300

MACÉDOINE

ALBANIE
204 070

Proportion des Albanais dans la population

Plus de 80 %

De 50 à 80 %

De 30 à 50 %

De 10 à 30 %

De 1 à 10 %

Taux de natalité supérieur à 30 ‰

Zones à minorité grecque

Fortes minorités macédoniennes

Albanais
Allemands
Biélorusses
Bulgares
Croates
Gagaouzes

Grecs
Hongrois
Lituaniens
Macédoniens
Moldaves
Monténégrins

Musulmans
Polonais
Pomaks
Roumains
Russes
Serbes

Slovaques
Slovènes
Tchèques
Turcs
Ukrainiens
Minorités russes en Ukraine

Populations minoritaires inférieures à 40 % de la population totale

Europe centrale et orientale

« …un espace dont la démocratisation et la reconstruction passent avant tout par la pacification des peuples… »

DEPUIS LE MOYEN ÂGE, l'Europe centrale et orientale est un enjeu entre des ambitions impériales : Empire ottoman, Autriche, Russie, Allemagne… À la fin du XVIIIe siècle, la seule vieille nation de cette région, la Pologne, se retrouve partagée entre la Prusse, la Russie et l'Autriche, sans que l'Europe réagisse.

En 1917-1918, la révolution soviétique puis la victoire des démocraties occidentales mettent à bas les quatre empires : Russie des tsars, Autriche-Hongrie, Empire ottoman, Empire allemand. L'Europe centrale et orientale est redessinée par les vainqueurs autour de l'idée nationale. La Pologne renaît. Ailleurs on essaie de construire la Tchécoslovaquie, la Yougoslavie. L'histoire recommence. La région n'est bientôt qu'un enjeu entre une Allemagne frustrée d'espace et l'Union soviétique. De 1945 à 1989, l'Europe centrale et orientale connaît une forme de « paix » bloquée par l'empire soviétique. Les vieilles haines entre ethnies semblent effacées par la fraternité communiste.

En 1989, l'histoire, gelée pendant une quarantaine d'années, se remet en marche. En 1991, la Yougoslavie éclate dans la violence. En 1993, Tchèques et Slovaques divorcent pacifiquement. Ce qui manque à nouveau à cette Europe centrale et orientale, c'est un gardien, un protecteur. La Russie ? Non, les souvenirs de la vie commune sont trop détestables. L'Occident ? L'Europe centrale et orientale veut s'ancrer à l'ouest, en rejoignant les deux organisations qui comptent : l'Alliance atlantique, dirigée par les États-Unis, seuls capables de tenir tête à la Russie ; l'Union européenne, pôle de prospérité et de démocratie.

En même temps, il faut bien que l'Europe centrale et orientale sorte de son cauchemar et devienne une zone « normale », avec des frontières stables et des règles du jeu démocratiques.

Les frontières.

L'un des fondements de l'Europe démocratique actuelle est le statu quo territorial, l'inviolabilité des frontières issues de la Deuxième Guerre mondiale. L'Allemagne, lors de sa réunification en 1990, confirme son acceptation de ses frontières, soit la perte d'un tiers de son territoire de 1914. Ce

respect du statu quo territorial ne va pas sans acrobaties. En 1992, la communauté internationale reconnaît l'éclatement de la Yougoslavie, les frontières internes entre les républiques ex-yougoslaves sont maintenues.

En 1999, la crise du Kosovo montre avec éclat les contradictions de cet attachement aux frontières. L'Alliance atlantique se bat contre la « Yougoslavie » (Serbie plus Monténégro) afin de mettre fin à la répression des Albanais du Kosovo, province autonome de Serbie. Conformément au principe du statu quo territorial, l'enjeu n'est pas de séparer le Kosovo de la Yougoslavie, mais d'en promouvoir l'autonomie en son sein. Or tant la mise sous tutelle du Kosovo par la communauté internationale que la blessure faite aux Albanais par les Serbes rendent très incertaine la persistance du lien entre Kosovo et « Yougoslavie ». En résumé, comment concilier le maintien des frontières établies et le droit des peuples à disposer d'eux-mêmes ?

La démocratie.

La démocratie peut-elle fonctionner, si elle ne s'appuie pas sur un peuple constitué, se ressentant uni par un destin commun ? En France, aux États-Unis, en Allemagne, le peuple est forgé par le creuset d'une longue et tragique histoire, il se considère comme le lieu « naturel » d'expression de la citoyenneté des individus qui le composent. En Europe centrale et orientale, l'hétérogénéité ethnique, la jeunesse des États brouillent ou bloquent le processus démocratique, les franges extrémistes de chaque ethnie revendiquent un État propre. D'où les conflits yougoslaves des années 1990, des Serbes et des Croates réclamant une grande Serbie, une grande Croatie, tandis que la communauté internationale (Alliance atlantique, Union européenne) s'efforce de préserver les structures étatiques existantes.

Aujourd'hui l'objectif est de construire l'Europe centrale et orientale autour de deux principes : respect des frontières établies, protection des minorités au sein de chaque État (Pacte de stabilité en Europe en 1995, Pacte de stabilité pour l'Europe du Sud-Est en 1999). L'Union européenne promet aux États de la région, qui mettent en œuvre ces principes, de les accueillir rapidement.

Cette pacification de l'Europe centrale et orientale requiert des peuples raisonnables, capables de trouver un équilibre entre leurs aspirations identitaires et la préservation des États dont ils font partie. Le chemin à parcourir est encore très long. Il y a chez ces peuples une lassitude, un désir de mettre fin aux vieux cauchemars et de devenir « comme les autres » – aussi loin des dictatures que des mafias. En même temps la tentation nationaliste n'est pas morte, entretenue par le manque de développement économique. ∎

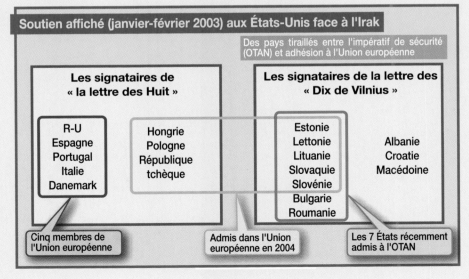

Soutien affiché (janvier-février 2003) aux États-Unis face à l'Irak

Des pays tiraillés entre l'impératif de sécurité (OTAN) et adhésion à l'Union européenne

Les signataires de « la lettre des Huit »		Les signataires de la lettre des « Dix de Vilnius »	
R-U Espagne Portugal Italie Danemark	Hongrie Pologne République tchèque	Estonie Lettonie Lituanie Slovaquie Slovénie Bulgarie Roumanie	Albanie Croatie Macédoine

Cinq membres de l'Union européenne

Admis dans l'Union européenne en 2004

Les 7 États récemment admis à l'OTAN

Le Bassin méditerranéen

Flux économiques et migratoires

« ...le face-à-face pluriséculaire de deux mondes culturels... »

L A MÉDITERRANÉE est l'une des zones de frottement entre riches et pauvres. Au nord, une Europe développée et démocratique, très soucieuse de préserver sa prospérité. Au sud, des pays arabo-musulmans qui, jusqu'à présent, n'ont pas réussi à s'engager dans un développement économique et politique stable. L'Europe, parce qu'elle vieillit et qu'elle est fondée sur l'ouverture et l'échange, doit à tout prix insérer ce Bassin méditerranéen dans les flux mondiaux. Simultanément le Sud arabo-musulman doit accepter la modernité. La tentation du repli identitaire est très forte des deux côtés, mais les conséquences d'un tel choix seraient terribles : le chaos et un irrémédiable déclin. Il faut donc transformer la Méditerranée en un espace d'échanges et de coopération. C'est ce que tente de faire l'Union européenne avec le processus de Barcelone, lancé en 1995.

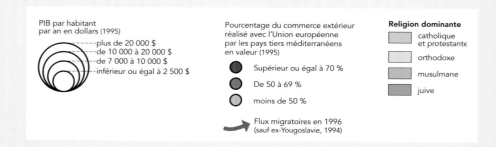

PIB par habitant
par an en dollars (1995)

- plus de 20 000 $
- de 10 000 à 20 000 $
- de 7 000 à 10 000 $
- inférieur ou égal à 2 500 $

Pourcentage du commerce extérieur
réalisé avec l'Union européenne
par les pays tiers méditerranéens
en valeur (1995)

- Supérieur ou égal à 70 %
- De 50 à 69 %
- moins de 50 %

Flux migratoires en 1996
(sauf ex-Yougoslavie, 1994)

Religion dominante

- catholique et protestante
- orthodoxe
- musulmane
- juive

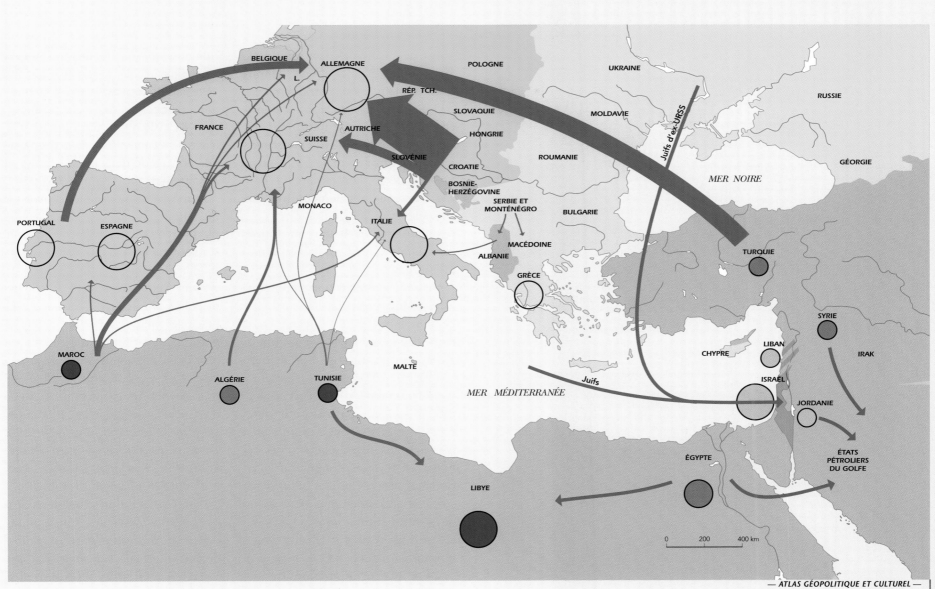

POLOGNE

UKRAINE

RUSSIE

BELGIQUE

ALLEMAGNE

RÉP. TCH.

L.

SLOVAQUIE

MOLDAVIE

FRANCE

AUTRICHE

HONGRIE

GÉORGIE

SUISSE

SLOVÉNIE

ROUMANIE

MER NOIRE

CROATIE

MONACO

BOSNIE-
HERZÉGOVINE

SERBIE ET
MONTÉNÉGRO

BULGARIE

PORTUGAL

ESPAGNE

ITALIE

MACÉDOINE

ALBANIE

TURQUIE

GRÈCE

SYRIE

MAROC

MALTE

CHYPRE

LIBAN

IRAK

ALGÉRIE

TUNISIE

MER MÉDITERRANÉE

Juifs

ISRAËL

JORDANIE

ÉGYPTE

ÉTATS
PÉTROLIERS
DU GOLFE

LIBYE

Juifs d'ex-URSS

0   200   400 km

Le Bassin méditerranéen

Flux économiques et migratoires

« ...entre la tentation du repli identitaire et la volonté de créer une zone d'échanges et de coopération... »

DEPUIS L'ÉMERGENCE DE L'ISLAM (VIIe siècle) et la chute de l'Empire romain, le Bassin méditerranéen est le lieu privilégié du face-à-face entre chrétienté et monde musulman. Ce face-à-face ne cesse d'entremêler guerres ouvertes (par exemple, lors des croisades ou de la colonisation) et échanges fructueux (également lors des croisades et de la colonisation).

Aujourd'hui, la relation entre le nord et le sud de la Méditerranée se situe à un tournant.

Au nord, la construction européenne est une incontestable réussite. Mais l'Union européenne a quelque chose d'une forteresse. Au milieu des années 1970, les pays ouest-européens redécouvrent le chômage et se ferment à l'immigration des travailleurs du Sud ; toutefois ils gardent chez eux d'importantes communautés musulmanes (notamment regroupement des familles, au taux de fécondité élevé). En ce début de XXIe siècle, l'islam représente un défi majeur pour les sociétés ouest-européennes, notamment pour les trois grands États de cette zone : Royaume-Uni, France et Allemagne. Il s'agit d'intégrer des millions de mu-

sulmans, alors que les mécanismes assimilateurs (école, fusion avec la nouvelle patrie) ne peuvent plus fonctionner comme il y a un siècle. D'où une peur de l'islam, renforcée par la violence des événements, de la guerre civile en Algérie dans les années 1990 aux attentats du 11 septembre 2001.

Le sud de la Méditerranée cumule les incertitudes. Aucun des États riverains n'a un avenir clair. Le royaume marocain se maintient mais sa transformation en monarchie moderne, institutionnelle est loin d'être accomplie. L'Algérie est malade à la fois de l'islamisme et du poids des militaires. La Tunisie réussit plutôt dans le domaine économique mais demeure soumise à un régime policier. La Libye du colonel Kadhafi est une survivance des dictatures arabes dites modernistes des années 1950-1960. L'Égypte, ce colosse démographique du monde arabe, n'a pas vraiment décollé. Enfin, le Proche-Orient reste enlisé dans le conflit israélo-palestino-arabe.

Dans ces conditions, comment faire de la Méditerranée une zone d'interdépendances dynamiques, recréation démocratique du « Mare nostrum » des Romains ? En 1995, l'Union euro-

péenne lance le processus de Barcelone, autour de trois axes : adoption de principes communs de sécurité ; multiplication des liens économiques ; dialogue entre les cultures. Pour le moment, ce processus demeure largement une coquille vide. Pour qu'il acquière un début de réalité, trois conditions complémentaires restent à réunir.

La stabilisation du sud et de l'est de la Méditerranée.

Toute dynamique d'interdépendances a besoin d'un socle sûr pour s'épanouir. L'espace concerné doit avoir surmonté ses problèmes fondamentaux : reconnaissance mutuelle des frontières ; acceptation de la configuration étatique ; règlement pacifique des différends ; adhésion des États à des principes communs (démocratie pluraliste, économie de marché). Le Bassin méditerranéen est marqué par trop d'abcès soit ouverts, soit mal cicatrisés : Macédoine, question kurde, conflit israélo-arabe, Algérie…

Des flux d'investissements du nord vers le sud.

Tout développement économique et social passe par l'ancrage de la zone à développer dans une zone développée. Tel

est, par exemple, l'esprit de l'Association de libre-échange nord-américaine (ALENA ou, selon le sigle anglo-américain, NAFTA) : le Mexique, notamment par l'implantation à sa frontière d'entreprises nord-américaines (les fameuses « maquiladoras »), est « accroché » à l'économie des États-Unis. Il faut donc « accrocher » le sud de la Méditerranée au nord. Les entreprises européennes se montrent très réticentes : ce Sud méditerranéen, avec ses violences, demeure bien incertain ; l'Asie-Pacifique, avec ses milliards de consommateurs et ses États forts, est bien plus attirante.

Des migrations du sud vers le nord.

Le Nord est riche et vieillit. Le Sud est

pauvre et jeune. Ce décalage radical entre les deux rives de la Méditerranée est porteur de lourdes tensions : le Nord craint d'être submergé par le Sud ; le Sud se ressent exclu par le Nord. L'Union européenne ne peut se dispenser d'une réflexion de fond sur le dossier de l'immigration : la baisse tendancielle de la natalité et l'augmentation considérable du nombre des retraités rendent nécessaire un afflux d'éléments jeunes pour maintenir la croissance. Si l'Union reste une forteresse qui refuse d'aborder cette question majeure, elle dépérira par manque de main-d'œuvre.

Le succès (ou l'échec) historique de

l'Union européenne se décidera sur sa capacité (ou son incapacité) à faire de sa vaste périphérie – schématiquement des pays baltes au Maroc – un espace de paix, de prospérité et de démocratie. Le chantier est immense et exaltant. L'Europe se retrouve en compétition avec ses deux grands partenaires. Les États-Unis n'envisagent-ils pas une zone panaméricaine de libre-échange ? Le Japon, s'il veut garder son statut de puissance économique, ne doit-il pas mieux promouvoir un espace asiatique d'interdépendances ? La mondialisation, loin d'effacer la géographie, en rappelle tout le poids : la richesse ne dure que si elle se diffuse. ∎

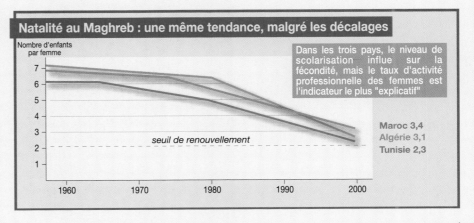

Natalité au Maghreb : une même tendance, malgré les décalages

Nombre d'enfants par femme

Dans les trois pays, le niveau de scolarisation influe sur la fécondité, mais le taux d'activité professionnelle des femmes est l'indicateur le plus "explicatif"

seuil de renouvellement

Maroc 3,4
Algérie 3,1
Tunisie 2,3

La Russie peut être définie comme un empire édifié sur une immensité. La Russie est le produit de la persévérance brutale des tsars, étendant systématiquement leur domaine, s'appropriant l'espace qui s'étire de l'Europe à la Chine, du pôle Nord à l'Himalaya.

Cette Russie si vaste, protégée par son climat extrême, est bâtie sur la hantise de l'invasion. Isolée, la Russie se convainc d'être la troisième Rome, cette terre exceptionnelle où Dieu ou l'Histoire trouveront une humanité innocente. D'où cette ambition de la Russie d'être la patrie de la vérité, qu'elle s'appelle orthodoxie, panslavisme ou communisme. Cette pureté doit être préservée par une coupure aussi hermétique que possible du monde, dans l'attente de l'Apocalypse salvatrice. En même temps, les grands tsars, de Pierre le Grand à Staline, d'Alexandre II à Gorbatchev, butent contre le retard de la Russie. Elle est le pays à la traîne, regardant l'Occident avec un mélange de dégoût et de fascination. Moderniser la Russie, la question est toujours là !

Aujourd'hui, les rêves impériaux sont sinon morts, au moins moribonds. La décolonisation de l'espace soviétique est irréversible. La Russie est-elle vouée à être une vaste friche, aux marges des espaces civilisés, ou peut-elle devenir une nation comme les autres, ouverte sur l'extérieur, pleinement démocratique ? En outre, si la Russie devient un État « normal », pourra-t-elle garder unie son immensité ?

RUSSIE
ET EX-URSS

Caucase et Caspienne

Les gisements pétroliers

« ...un nouvel eldorado

pétrolier ?... »

À LA FIN DU XXᵉ SIÈCLE, la Caspienne et son voisinage apparaissent comme un nouvel eldorado pétrolier. Les cinq États concernés (Russie, Azerbaïdjan, Kazakhstan, Turkménistan et Iran) se disputent la manne (en particulier, partage des eaux de la Caspienne), les compagnies occidentales se précipitent. Mais l'eldorado est décevant. Les réserves qu'il recèle ne sont en rien celles du Moyen-Orient, elles se comparent à celles de la mer du Nord (quelques décennies d'exploitation). L'eldorado est enclavé ; il faut des oléoducs sûrs pour conduire les hydrocarbures vers la mer. Enfin, la région se caractérise par des guerres endémiques : Kurdistan, Caucase, Afghanistan. Les attentats du 11 septembre 2001, orchestrés à partir de l'Afghanistan, rendent brutalement l'Asie centrale plus proche, plus dangereuse. La pacification, le développement de cette région se font plus pressants. Mais son désenclavement reste une tâche très complexe, aussi bien politique qu'économique et culturelle.

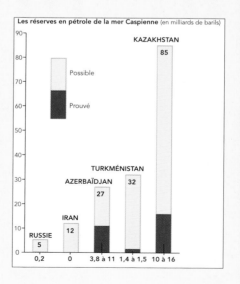

Les réserves en pétrole de la mer Caspienne (en milliards de barils)

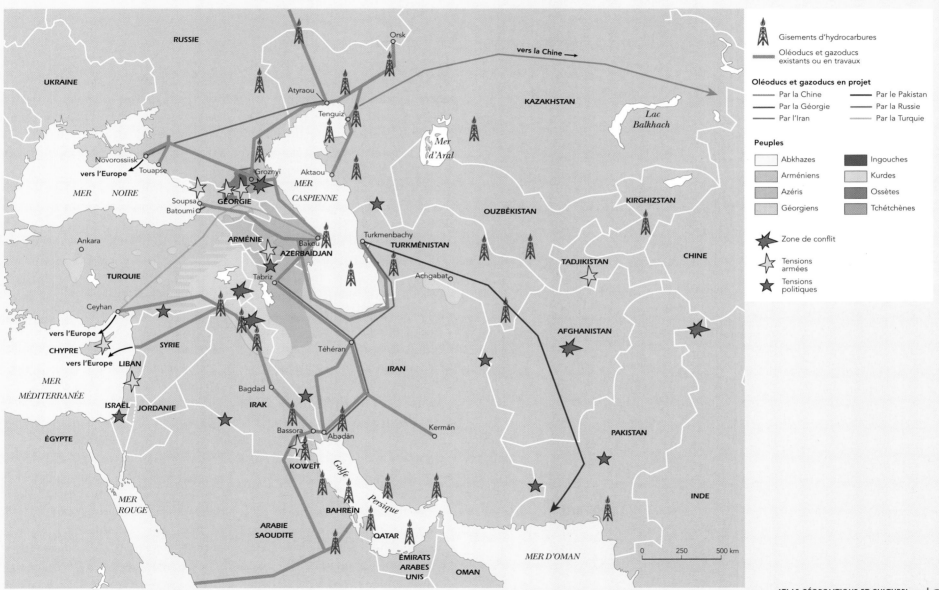

Les grands ensembles régionaux

Gisements d'hydrocarbures

Oléoducs et gazoducs existants ou en travaux

Oléoducs et gazoducs en projet

- Par la Chine
- Par le Pakistan
- Par la Géorgie
- Par la Russie
- Par l'Iran
- Par la Turquie

Peuples

- Abkhazes
- Ingouches
- Arméniens
- Kurdes
- Azéris
- Ossètes
- Géorgiens
- Tchétchènes

Zone de conflit

Tensions armées

Tensions politiques

RUSSIE

UKRAINE

Orsk

KAZAKHSTAN

Lac Balkhach

Atyraou

Tenguiz

Mer d'Aral

vers la Chine

Novorossiisk

Touapse

Groznyï

Aktaou

MER NOIRE

vers l'Europe

Soupsa

Batoumi

GÉORGIE

MER CASPIENNE

KIRGHIZSTAN

Ankara

ARMÉNIE

Bakou

Turkmenbachy

OUZBÉKISTAN

CHINE

AZERBAÏDJAN

TURKMÉNISTAN

TADJIKISTAN

TURQUIE

Tabriz

Achgabat

Ceyhan

vers l'Europe

AFGHANISTAN

CHYPRE

SYRIE

Téhéran

vers l'Europe

LIBAN

MER MÉDITERRANÉE

Bagdad

IRAN

PAKISTAN

ISRAËL

JORDANIE

IRAK

Kermān

ÉGYPTE

Bassora

Abadan

INDE

KOWEÏT

Golfe

MER ROUGE

BAHREÏN

Persique

ARABIE SAOUDITE

QATAR

MER D'OMAN

0   250   500 km

ÉMIRATS ARABES UNIS

OMAN

Caucase et Caspienne

Les gisements pétroliers

« ...un dixième des réserves
d'hydrocarbures,
une terre enclavée,
une insécurité liée à
des guerres endémiques... »

LE PÉTROLE reste la ressource stratégique par excellence. Les économies développées ne peuvent fonctionner sans pétrole. En outre, les deux tiers des réserves mondiales sont concentrés dans une région bien précise et instable, le Moyen-Orient, l'Arabie Saoudite détenant à elle seule un quart des réserves mondiales. Le besoin d'hydrocarbures demeure une obsession centrale des pays occidentaux. D'où leur souci de desserrer la contrainte pétrolière, tant par des économies d'énergie que par la découverte de nouveaux gisements.

Avec l'effondrement du monde soviétique, un vaste croissant, du Caucase à la Mongolie, l'Asie centrale, se trouve « dégelé ». Alors s'opère la dernière décolonisation. Échappant à l'emprise de Moscou, la zone se retrouve sur le marché des rivalités internationales, elle s'ouvre aux multinationales. La course aux hydrocarbures se déchaîne.

Cette région du Caucase, de la Caspienne, de l'Asie centrale apparaît comme un nouvel eldorado pétrolier. Le scénario n'est pas nouveau ; ainsi, dans les années 1970, avec les chocs pétroliers qui ont multiplié les prix des hydrocarbures, la mer du Nord est pendant un moment un petit Moyen-Orient. Mais il n'y a qu'un Moyen-Orient : deux tiers des réserves connues ; des mers proches, bien liées à l'Océan mondial. La zone Caucase-Caspienne disposerait de l'ordre d'un dixième des réserves connues.

Cette zone est enclavée. Partagée entre des États parfois récents ou fragiles, elle est structurellement incertaine. D'où les interminables débats et négociations sur les oléoducs. Quatre voies d'acheminement des hydrocarbures apparaissent possibles.

L'ouest. Les hydrocarbures seraient évacués par la Turquie et la Méditerranée. Le trajet est sûr... une fois franchi le Caucase, où s'enchevêtrent les conflits, de l'Abkhazie à la Tchétchénie.

Le nord. Ici, l'État-clé est la Russie. Or celle-ci ne peut-elle pas être un jour tentée de fermer les robinets des oléoducs, pour des raisons géostratégiques ?

L'est. Dans cette direction, il y a la Chine, qui, en plein décollage économique, n'a guère de réserves pétrolières. Elle convoite, elle aussi, le pétrole de l'Asie centrale, suivie de près par le Japon.

Le sud. Ici, le passage peut s'opérer par l'Iran avec son accès sur la mer d'Oman et l'océan Indien. Depuis la révolution khomeiniste (1979), l'Iran est classé comme un État dangereux. L'autre voie d'acheminement, par le Turkménistan, l'Afghanistan et le Pakistan, est encore moins sûre.

La position internationale de l'Asie centrale est-elle radicalement bouleversée par les attentats du 11 septembre 2001 ? Avec cette tragédie, l'Asie centrale, qui était loin, se rapproche brutalement, le réseau al-Qaida étant accueilli par l'Afghanistan des talibans. L'enjeu : stabiliser une région qui a servi de base arrière à un groupe terroriste capable de frapper n'importe où dans le monde.

Le 11 septembre 2001 confirme que l'Asie centrale est un redoutable piège pour toute puissance voulant maintenir l'ordre. Les Britanniques au XIXᵉ siècle puis les Soviétiques dans les années 1980 en ont fait l'amère expérience. L'avenir de l'Asie centrale demeure obscur. À l'ouest, le Caucase est toujours déchiré (en particulier,

Tchétchénie). À l'est, l'ensemble Afghanistan-Pakistan peut-il trouver un équilibre ? L'Afghanistan, après vingt ans de guerre, peut-il apaiser les rivalités tribales, avec la mise en place d'un gouvernement transitoire par les Nations unies ? Le Pakistan, créé en 1947 pour rassembler les musulmans de l'empire des Indes, reste un État artificiel, prompt à chercher une unité insaisissable dans la fuite en avant : acquisition de l'arme atomique, exploitation de l'abcès du Cachemire. Ainsi, du Caucase au sous-continent indien, s'enchaînent toutes sortes de conflits. La Russie, ex-puissance coloniale, tente encore de faire la police dans certaines zones (Caucase, Kazakhstan, Tadjikistan) où vivent toujours une vingtaine de millions de Russes. Les États issus de la décomposition de l'URSS s'efforcent d'acquérir une identité nationale mais, fragiles, ébranlés par l'effervescence islamiste, ils sont gouvernés par des régimes autoritaires et corrompus. Dans ces conditions, l'Asie centrale redevient une zone-enjeu, appelant des interventions extérieures. Ainsi, à la suite des attentats du 11 septembre 2001, l'engagement militaire des États-Unis, avec l'accord de la Russie de Vladimir Poutine, qui reconnaît que cette région n'est plus sa propriété exclusive.

L'Asie centrale est un refuge parmi d'autres pour les semeurs de trouble – provenant tout particulièrement de la Corne de l'Afrique ou d'Afrique centrale... Mais, pour des puissances extérieures (États-Unis, Russie...), s'engager durablement dans cette région, c'est être moins libre pour intervenir ailleurs. Or l'une des forces majeures du terrorisme est son don d'ubiquité : ne jamais être là où il est censé être. ■

Les hydrocarbures n'auront pas suffi à sauver le rouble

Nombre de roubles pour 1 dollar

La crise de 1998 n'a pas été compensée, malgré le poids des hydrocarbures (45 % des exportations)

Taux de change base 100 en 1992

Peuplement de la Russie et de l'ex-URSS

« …1991 : de la dissolution de l'URSS résulte l'éclatement d'un agglomérat de peuples… »

L A RUSSIE, même sous sa forme soviétique (1917-1991), est un empire, un agglomérat de populations tenu et dirigé par un peuple impérial, les Russes, étendant leur domination, à partir de Moscou ou de Saint-Pétersbourg, vers l'ouest, le sud et l'est. L'Empire est révolu. L'URSS s'est dissoute en 1991, réalisant ainsi la dernière des décolonisations. Le peuple russe est soumis à des conditions de vie difficiles, dégradant sa démographie. La Russie doit se réinventer en État moderne, accepter d'enterrer ses rêves messianiques. Elle doit, si elle veut se développer, renoncer à sa conviction d'être une terre à part. En même temps, elle doit établir un équilibre pacifique avec sa périphérie récemment émancipée. Or, du Caucase au Tadjikistan, cette périphérie, prise entre chrétienté et islam, Slaves et turcophones, a beaucoup de mal à émerger des violences de son histoire.

INDO-EUROPÉENS
Groupe slave
- Russes
- Ukrainiens

Groupe germanique
- Allemands

Groupe iranien
- Ossètes

CAUCASIENS
- Caucasiens du Daguestan
- Ingouches
- Kabardes
- Tcherkesses
- Tchétchènes

ALTAÏQUES
Groupe turc
- Tatars
- Tchouvaches
- Bachkirs
- Iakoutes
- Nogaïs et Koumyks
- Balkars
- Karatchaïs

Groupe mongol
- Bouriates
- Kalmouks

OURALIENS
- Mordves
- Oudmourtes
- Maris
- Komis
- Caréliens

Proportion de Russes dans les États hors Russie
(en % de Russes, en 1989)
- moins de 10 %
- de 10 à 20 %
- de 20 à 40 %
- de 40 à 60 %
- de 60 à 80 %

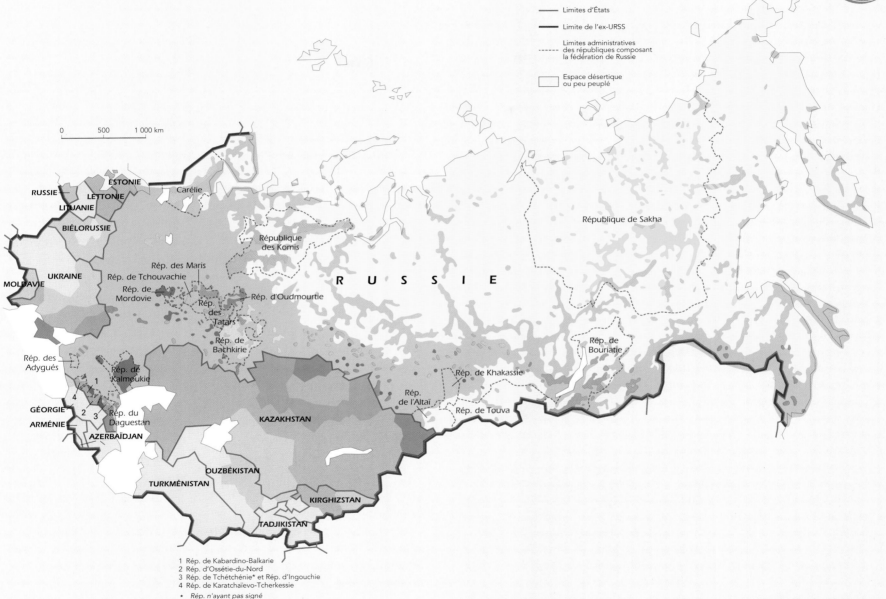

Limites d'États

Limite de l'ex-URSS

Limites administratives
des républiques composant
la fédération de Russie

Espace désertique
ou peu peuplé

0   500   1 000 km

ESTONIE
RUSSIE
LETTONIE
LITUANIE
BIÉLORUSSIE
Carélie

République
des Komis

République de Sakha

UKRAINE
MOLDAVIE

Rép. des Maris
Rép. de Tchouvachie
Rép. de
Mordovie
Rép. d'Oudmourtie
Rép.
des
Tatars*
Rép. de
Bachkirie

R U S S I E

Rép. des
Adygués
Rép. de
Kalmoukie
Rép. de
Bouriatie

Rép. de Khakassie
Rép.
de l'Altaï
Rép. de Touva

GÉORGIE
ARMÉNIE
4
2   3
1
Rép. du
Daguestan
AZERBAÏDJAN

KAZAKHSTAN

OUZBÉKISTAN
TURKMÉNISTAN
KIRGHIZSTAN
TADJIKISTAN

1 Rép. de Kabardino-Balkarie
2 Rép. d'Ossétie-du-Nord
3 Rép. de Tchétchénie* et Rép. d'Ingouchie
4 Rép. de Karatchaïevo-Tcherkessie
* Rép. n'ayant pas signé
le traité de la Fédération

Peuplement de la Russie et de l'ex-URSS

« …la Russie ou comment se réinventer en État moderne… »

LA RUSSIE depuis longtemps est un empire. Les tsars, à partir de la Moscovie, étendent méthodiquement leur domaine. Alors que les États européens (Portugal, Espagne, Pays-Bas, France, Angleterre…) bâtissent leur empire colonial au-delà des mers, la Russie l'édifie dans la continuité de son territoire continental (17 millions de km², 30 fois la France).

Tenir et développer cet espace, telle est l'obsession des tsars tant orthodoxes que communistes. Le système s'est construit sur quatre piliers : fermeture au monde extérieur, dénoncé comme un lieu de corruption et d'exploitation ; quadrillage du territoire par la police et les camps d'internement ; idéologie messianique, faisant de la Russie une terre à part, la troisième Rome, puis la patrie du socialisme ; enfin, développement économique à marche forcée, par le fouet et la déportation organisée. À trois reprises, l'effort démesuré finit mal. À l'aube du XVIIIe siècle, celui qui reste salué comme le plus grand des tsars, Pierre le Grand, prétend faire de la Russie une grande nation européenne mais, pour atteindre ce but, il remplit l'administration russe

d'Allemands et asservit les paysans. À la fin du XIXe siècle, la Russie s'ouvre à nouveau, s'industrialise à grande allure, mais c'est la catastrophe : humiliante défaite face au Japon contribuant à la révolution de 1905, blocage des réformes, Première Guerre mondiale, chute du tsarisme en 1917. Lénine puis surtout Staline et Khrouchtchev reprennent l'ambition de Pierre le Grand : il s'agit cette fois-ci de dépasser les États-Unis. Des années 1930 aux années 1960, l'URSS est la nouvelle terre promise. À partir des années 1970, l'échec se dessine : la machine industrielle n'avance plus, la gabegie et la corruption pénètrent tous les rouages de la société et du pouvoir, le rêve communiste se momifie. L'expansion afghane s'avère un tombeau. De perestroïka en glasnost, l'échec passé semble insurmontable. En décembre 1991, l'URSS meurt dans une indifférence générale.

L'Empire est révolu. L'éclatement de l'Union soviétique est irréversible. Les pays baltes s'accrochent à l'Europe. Le Caucase s'entre-déchire, l'armée russe étale sa brutalité en Tchétchénie. L'Asie centrale accomplit une décolonisation, les républiques dessinées par Staline se transforment laborieusement en États-nations. Restent la Biélorussie et l'Ukraine, États pour le moment ratés, hésitant entre l'est et l'ouest. Surtout le peuple impérial, les Russes, est fatigué et malade, comme le montrent les chiffres de la natalité et de la mortalité, comparables à ceux de pays en développement.

La Russie doit se réinventer en État moderne. Des pas non négligeables sont faits : privatisation de l'économie, implantation de la démocratie, accroissement considérable de l'autonomie des entités fédérées. Vladimir Poutine, l'actuel président de la Fédération, semble conscient de la nécessité de tourner la page du passé mystico-impérial. Mais les obstacles demeurent énormes : insuffisance des cadres juridiques et des mécanismes juridictionnels ; poids de la caste militaire, dépitée de sa dépréciation ; inégalités considérables entre les deux capitales (Moscou, Saint-Pétersbourg) et des provinces misérables, ravagées par l'héritage communiste (usines gigantesques et inutilisables, pollutions multiples...) ; mafias pillant les richesses naturelles et profitant de trafics divers

(armes, drogue...). Par ailleurs la Russie est dotée d'un cadeau empoisonné : des réserves pétrolières importantes, qui font d'elle l'un des grands exportateurs de l'or noir. Or, la plupart des États qui bénéficient de cet atout, de l'Iran à l'Algérie, du Mexique à l'Arabie Saoudite, ont raté leur développement et parfois même ont sombré.

En outre, il y a l'incertaine périphérie. La Russie de Boris Eltsine met sur pied la Communauté des États indépendants (CEI), pour maintenir des liens entre les anciennes républiques de l'URSS. La CEI n'a jamais acquis de substance.

Les attentats du 11 septembre 2001 amènent l'Asie centrale au centre de la scène internationale. Avec, en Afghanistan, la complicité entre le régime des talibans et le mouvement terroriste al-Qaida, l'Asie centrale devient le théâtre majeur de l'affrontement entre un ordre interétatique (États-Unis, Russie, Pakistan, Inde, Chine...) et l'effervescence islamiste. L'Asie centrale était l'arrière-cour de la Russie. Elle devient un enjeu complexe, où se heurtent et se combinent divers intérêts : bandes locales, États de la zone,

puissances voisines, anxieuses de toute contamination chez elles (Russie, Chine, Inde, Pakistan), enfin États-Unis. La Russie n'est plus le gendarme exclusif de cette partie du monde.

La Russie ne peut plus continuer son chemin solitaire et se rapproche de

l'Organisation mondiale du commerce (OMC), étape essentielle vers l'insertion d'un État dans les flux internationaux. Cette ouverture massive, inévitable de l'espace russe est, pour ce pays, une révolution ou une mutation. L'ours russe aura encore quelques convulsions ! ■

Le pays le plus vaste et le plus dépressif du monde

La « chute finale »

■ La sous-natalité
La fécondité a chuté de moitié depuis la fin des années 1980. Elle est aujourd'hui l'une des plus basses du monde. Avec 1,2 enfant par femme, le renouvellement des générations est loin d'être assuré.

■ La surmortalité
Le recours à des procédés industriels très polluants et dotés de systèmes de sécurité peu fiables entraîne des accidents répertoriés et des surmortalités non répertoriées. L'espérance de vie des femmes stagne depuis vingt ans à 73 ans.

■ La surmortalité masculine
L'espérance de vie des hommes est inférieure de 12 ans à celle des femmes, et régresse depuis vingt ans, de 63 à 61 ans. Premier motif : la consommation d'alcool, avec ses effets directs (maladies), et ses effets indirects (noyades, accidents de la route). Enfin, le taux d'homicides est trois fois supérieur à celui des États-Unis, et le taux de suicide est le plus élevé de la planète.

Source : GF Dumont, Les populations du monde, A. Colin, 2001.

L'Océanie, le cinquième continent, est radicalement différente des quatre autres (Europe, Asie, Afrique, Amérique). Ceux-ci constituent des masses terrestres ; l'Océanie est d'abord une immensité maritime, quasiment vide avec, quelque part dans cet infini, un pays-continent, l'Australie. L'Océanie est loin. Elle est explorée par les navigateurs dans la seconde moitié du XVIIIe siècle.

Les chocs du monde atteignent assourdis l'Océanie. Durant la Deuxième Guerre mondiale, elle est tout de même touchée ou plutôt effleurée par les combats ; l'Australie craint un bref moment d'être envahie par l'armée japonaise. Dans les années 1970, l'Océanie est la dernière région à se décoloniser. Alors naît une poignée de micro-États : Papouasie-Nouvelle-Guinée, Fidji, Tuvalu, Vanuatu, Kiribati, îles Marshall, Tonga, Nauru…, archipels ou atolls perdus dans l'océan, peu capables de s'assumer, voués à se trouver un ou des protecteurs.

L'Océanie a des velléités d'existence propre, par exemple en réclamant et en obtenant sa dénucléarisation – interdiction de tout déploiement et de tout essai d'armes nucléaires dans la zone – par le traité de Rarotonga. Au-delà de cette solidarité négative, l'Océanie ne saurait probablement que s'accrocher à la région dont elle est le moins distante, l'Asie maritime.

OCÉANIE

L'Océanie dans le monde

« …l'Australie, un pays-continent

au cœur d'une immensité maritime… »

L'OCÉANIE (0,3 % de la population mondiale) est une immensité maritime avec, quelque part en son sein, un pays-continent, l'Australie. Jusque dans les décennies suivant la Deuxième Guerre mondiale, l'Océanie reste accrochée à ses colonisateurs avec, principalement, les liens malgré tout très forts entre le Royaume-Uni et les deux dominions de peuplement britannique : l'Australie et la Nouvelle-Zélande… La carte montre la dissolution des rapports coloniaux ou néocoloniaux. Lentement, progressivement, l'Océanie rejoint son « voisinage », surtout l'Asie maritime, à un moindre degré les États-Unis.

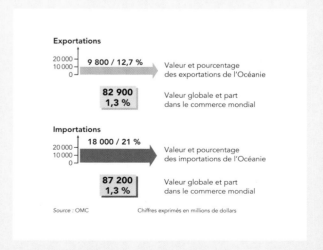

Exportations

20 000 —
10 000 —
0 —

9 800 / 12,7 % → Valeur et pourcentage des exportations de l'Océanie

82 900
1,3 % Valeur globale et part dans le commerce mondial

Importations

20 000 —
10 000 —
0 —

18 000 / 21 % → Valeur et pourcentage des importations de l'Océanie

87 200
1,3 % Valeur globale et part dans le commerce mondial

Source : OMC   Chiffres exprimés en millions de dollars

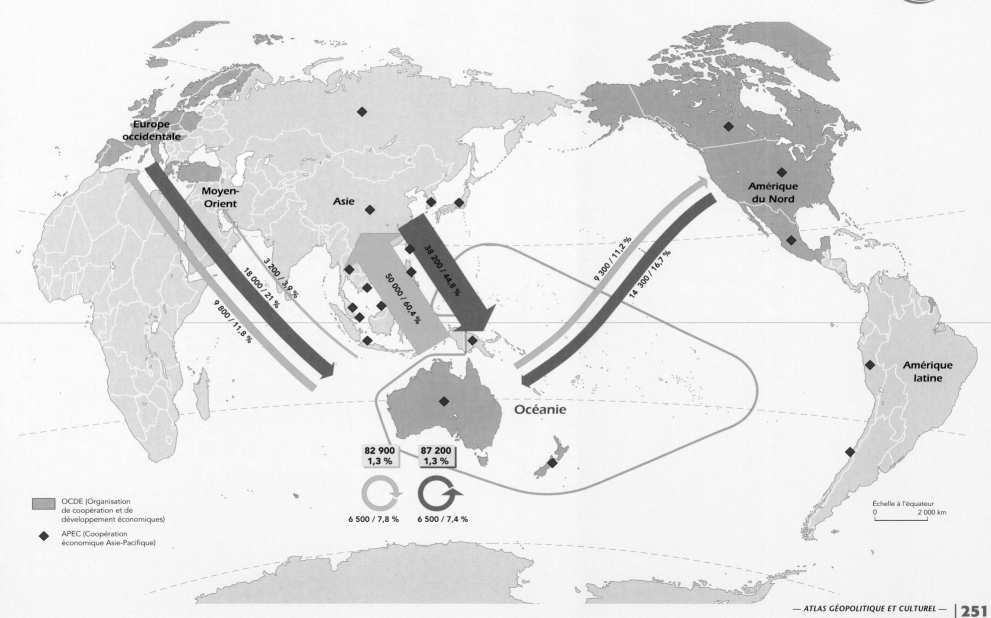

Europe occidentale

Moyen-Orient

Asie

Amérique du Nord

3 200 / 3,9 %

18 000 / 21 %

9 800 / 11,8 %

50 000 / 60,4 %

38 200 / 44,8 %

9 300 / 11,2 %

14 300 / 16,7 %

Amérique latine

Océanie

82 900
1,3 %

87 200
1,3 %

6 500 / 7,8 %

6 500 / 7,4 %

OCDE (Organisation de coopération et de développement économiques)

APEC (Coopération économique Asie-Pacifique)

Échelle à l'équateur
0   2 000 km

L'Océanie dans le monde

« ...comment exister
sans être dérangé... »

L'OCÉANIE est à la fois éloignée et immense. Longtemps les navigateurs s'y perdent, cherchent en vain un continent inconnu et finissent par le découvrir à la fin du XVIIIᵉ siècle (en 1770, prise de possession de l'Australie orientale par le capitaine britannique James Cook). Un espace si éloigné, si vide se prête aux expériences extrêmes, aux utopies : d'un côté, Tahiti, perçu comme un paradis terrestre où l'innocence d'avant le péché aurait survécu ; de l'autre côté, l'Australie, initialement pénitencier où les voleurs, les criminels doivent connaître la rédemption. Pour les puissances européennes, puis pour les États-Unis, il est important de contrôler ce quasi-vide pour que d'autres ne s'en emparent pas. L'Océanie est colonisée, essentiellement par le Royaume-Uni.

À l'issue de la Deuxième Guerre mondiale, l'océan Pacifique devenant, après l'écrasement du Japon, une mer américaine, les États-Unis étendent leur protection vers l'Océanie, avec leur tutelle stratégique sur les îles Marshall et l'ANZUS (1951), accord de défense avec l'Australie et la Nouvelle-Zélande.

L'Océanie est loin des terres habitées, mais elle n'est pas hors du monde. À son tour, à partir des années 1970, elle est atteinte par la vague de décolonisation, d'émancipation. Divers archipels accèdent à l'indépendance et constituent des micro-États. Mais comment exister, lorsqu'on est loin de tout et que l'on ne pèse guère dans le jeu mondial ? En exigeant d'être maître chez soi, en s'opposant aux utilisations extérieures. C'est, en 1985, le traité de Rarotonga, dénucléarisant le Pacifique-Sud (interdiction de tout déploiement, de tout essai de moyens nucléaires dans la région). Les grandes puissances extérieures – Russie, Chine, États-Unis, Royaume-Uni, France – se rallient à cette exigence. En 1995, la France, avec la vive désapprobation de la zone, procède à ses ultimes essais nucléaires en Polynésie-Française et démantèle son Centre d'expérimentation du Pacifique (CEP).

L'Océanie restera loin. Mais l'Australie, le colosse de la zone (7 700 000 km² – soit quatorze fois la France –, 19 millions d'habitants), n'a-t-elle pas vocation à en être la puissance fédératrice, organisant une réelle zone du Pacifique-Sud ? L'Australie, immensité quasi-

ment vide (du fait, notamment, de son climat largement désertique), est une nation craintive, à la fois apeurée par un déferlement des masses asiatiques du Nord, et anxieuse des demandes de réparation des Aborigènes. Elle sait qu'elle doit s'ancrer dans le Pacifique, mais elle ne veut pas être dérangée. En 2001, le Premier ministre sortant, John Howard, triomphe aux élections parlementaires, parce qu'il a refoulé quelques centaines de demandeurs d'asile.

L'Océanie est pour longtemps encore un cul-de-sac, exportant des minerais, accueillant quelques touristes. L'histoire pitoyable de l'atoll de Nauru (12 000 habitants, dont 4 000 étrangers) résume l'extrême difficulté d'être de l'Océanie. Cet atoll perdu dans le Pacifique-Sud subit, depuis la fin du XIXe siècle, tous les fléaux de la modernité : microbes apportés par les colons allemands ; déportations par l'armée japonaise… Nauru a un bel atout : des phosphates, très efficaces pour fertiliser les sols. Dans les années 1970, Nauru devient très brièvement le pays au revenu par tête le plus élevé du monde. Alors les désastres s'enchaînent : la flore de l'îlot est ruinée par l'exploitation

industrielle ; les superbes revenus sont très vite gaspillés. Nauru sombre dans une grande misère et devient un camp d'internement pour les réfugiés refoulés par l'Australie.

L'Océanie n'est pas adaptée à la mondialisation. Mais peut-elle y échapper ? L'immensité vide de ce « continent » est tellement tentante, par exemple pour y entreposer des déchets ou même pour s'y cacher. La seule voie raisonnable et responsable serait de protéger cette Océanie – encore à peine déflorée – par un traité international qui la mettrait à l'abri de certaines utilisations. Mais les

hommes sont avides. Au-delà de l'Océanie se dessine le pôle Sud, presque intact, préservé de l'extérieur par son climat mais si riche en ces ressources dont nous ne sommes jamais rassasiés. Le pôle Sud est plus ou moins protégé par le traité de Wellington (2 juin 1988), complété par le protocole de Madrid (4 octobre 1991). Ces accords internationaux érigent l'Antarctique en « réserve naturelle consacrée à la paix et à la science ». Qu'adviendra-t-il si la technique rend possible l'exploitation économique de cette zone ? ■

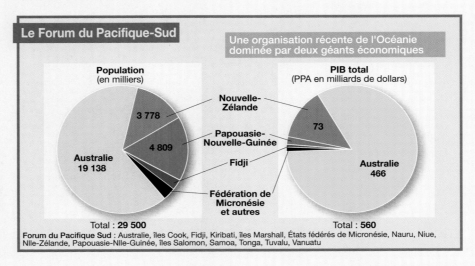

Le Forum du Pacifique-Sud

Une organisation récente de l'Océanie dominée par deux géants économiques

Population (en milliers)

Nouvelle-Zélande 3 778

Australie 19 138

4 809

Papouasie-Nouvelle-Guinée

Fidji

Fédération de Micronésie et autres

Total : 29 500

PIB total (PPA en milliards de dollars)

73

Australie 466

Total : 560

Forum du Pacifique Sud : Australie, îles Cook, Fidji, Kiribati, îles Marshall, États fédérés de Micronésie, Nauru, Niue, Nlle-Zélande, Papouasie-Nlle-Guinée, îles Salomon, Samoa, Tonga, Tuvalu, Vanuatu

ÉCLAIRAGES
SUR L'AUTOMNE 2001

Les deux récents conflits – Afghanistan (2001-2002), Irak (2003) – dont la lutte contre le terrorisme est à l'origine, et qui ouvrent le XXIe siècle, présentent des caractéristiques nouvelles. Ils obligent à redéfinir plusieurs composantes de la guerre : l'ennemi, l'agresseur, les motifs de déclenchement.

L'hyperterrorisme appartient à plusieurs registres jusqu'ici séparés. Il n'est pas guerrier au sens classique – il n'engage pas un État – et il reste pris dans la logique du terrorisme : chantage des faibles sur les forts, assumant le décalage entre la victime et le responsable, assumant la disproportion entre la violence absolue des moyens et les objectifs concrets. Mais s'il n'est pas « classiquement » guerrier, il en a les conséquences : le nombre de victimes d'une seule journée d'action terroriste peut dépasser de loin le bilan d'une journée de bataille militaire contemporaine. Enfin, il est « belligène » par les réactions qu'il induit : la lutte contre l'hyperterrorisme est elle-même guerrière.

La lutte guerrière contre l'hyperterrorisme dissout une vérité d'Histoire. En 2003, une démocratie prend l'initiative de la guerre – contre l'Irak. L'attaque dirigée par les États-Unis est menée malgré l'avis de la majorité des pays qui composent l'Assemblée générale de l'ONU, et malgré l'avis de la majorité de son Conseil de sécurité. La guerre change

TROISIÈME
PARTIE

Turbulences
et
permanences

Éclairages sur l'automne 2001

« ...une modification profonde des règles du jeu mondial ?... »

alors de statut, en se déplaçant géographiquement : à la campagne afghane de réaction initiale à l'hyperterrorisme succède une guerre d'anticipation contre Bagdad (l'anglais *pre-emptive* signifie « préventif »). Une démocratie, pour la première fois dans l'histoire, se sent fondée à attaquer la première, loin des règles posées par la communauté internationale depuis la signature de la paix de Westphalie en 1648 et reprises au lendemain de la Deuxième Guerre mondiale.

C'est dire que les attentats dont sont victimes les États-Unis sur leur territoire le 11 septembre 2001 modifient en profondeur les règles du jeu mondial, en particulier le rôle de Washington en ce début de nouveau millénaire.

Flash-back. Les événements de l'automne 2001 appellent une mise en perspective et une analyse : au-delà du choc symbolique et émotionnel engendré par les images des attentats du 11 septembre, les tendances géopolitiques mondiales à long terme sont paradoxalement peu modifiées, mais accélérées, ou rendues plus visibles. « Le monde s'unifie, c'est-à-dire qu'il s'américanise » : la formule date de 1917.

Depuis les débuts de l'époque contemporaine, le leadership mondial passe de capitale en capitale, d'État à État. Tour à tour, Paris au début du « long » XIXe siècle, Londres jusqu'à la « Grande » Guerre, puis Washington et Moscou, durant le « court » XXe siècle, contrôlent tout ou partie des affaires du monde. Mais ce pivot des relations internationales n'exclut pas l'existence d'un concert des nations, à l'image des Congrès internationaux réunis tout au long du XIXe siècle, puis des sommets nombreux des chefs d'État et de gouvernement. La fin de la guerre froide entre 1989 et 1991 remet en cause les fondements mêmes de l'ordre international : pour la première fois dans l'histoire de la planète, un seul axe, « l'hyperpuissance » américaine devient l'arbitre de tous les défis qui se posent. L'effondrement du complexe soviétique, l'incomplétude des puissances chinoise et indienne, les faiblesses de l'Union européenne, en particulier, dans les domaines diplomatiques et surtout militaires, profitent à Washington.

Pour les décideurs américains, l'ensemble des zones terrestres et maritimes de la planète ne présente pas le même intérêt : autour du continent américain, de l'Alaska à la Terre de Feu, s'égrènent des alliés dont la liste tient autant à l'histoire – le Royaume-Uni par exemple –, qu'à la guerre froide et qui sont les pays situés sur la ligne du *containment*. Ces pays qui abritent en général des troupes ou des moyens logistiques indispensables au déploiement des forces américaines d'action rapide, doivent assurer la stabilité ou le contrôle de régions indispensables au fonctionnement de l'économie libérale occidentale. Elles ont depuis la fin de la guerre froide une autre fonction, celle de s'opposer aux prétentions des « États voyous », l'Irak, l'Iran, la Corée-du-Nord, le Soudan, la Libye… qui refusent de se plier aux règles de l'ordre mondial et qui ont l'ambition de maîtriser des armes de destruction massive, nucléaire, chimique et bactériologique. Ces pays « hors-la-loi » profitent des conflits sur les marges de l'ex-Empire russe, dans les Balkans, au Moyen-Orient, car toute guerre entretient des relations dialectiques avec une économie illégale, parfois de type mafieux.

Cette troisième partie de l'atlas replace le rapport de forces (et surtout de faiblesses) actuel dans une perspective historique. C'est l'objet des deux premiers chapitres consacrés à la dynamique des acteurs majeurs et à la présentation des puissances moyennes. Ainsi, le rapport évolutif entre centre et périphérie(s) apparaîtra plus nettement. Le dernier chapitre a pour ambition de mettre en valeur les représentations qui sont au cœur de la géopolitique, discipline dont les théories fleurissent plutôt en période d'anomie ou de nouvelle donne des cartes internationales.

Les attentats terroristes du 11 septembre 2001, meurtriers et spectaculaires, ne sont pas des actes de guerre, du moins au sens précis et juridique du mot guerre. Ils révèlent l'irruption d'acteurs non étatiques, masqués et mal identifiés, sur la scène politique internationale, mais ils dépassent les moyens et les nuisances de ce qu'on appelait jusqu'alors terrorisme. Le combat de l'islamisme radical se projette comme vecteur d'une utopie – la grandeur retrouvée de la communauté musulmane. Cette aspiration ne s'appuie pas sur une base populaire large et organisée, mais elle se nourrit depuis plus d'un siècle – de l'Égypte au Pakistan – des difficultés d'émancipation propres aux sociétés colonisées par l'Occident, et majoritairement décolonisées dans le contexte de la guerre froide ainsi que des oscillations dans les jeux de pouvoir planétaires : la souveraineté nationale de pays dont les frontières avaient été dessinées par l'Occident (la quasi-totalité des pays du Moyen-Orient) s'est acquise aussi en s'aidant de l'ennemi de l'Occident. Si l'on veut tenter d'y voir clair aujourd'hui, il faut remonter à la fin du XIXe siècle. Les frontières de l'Afghanistan, épicentre du séisme de l'automne 2001, sont dessinées en 1893 pour ménager un État tampon entre deux des principales puissances impérialistes du moment, la Grande-Bretagne – qui entend protéger les Indes – et la Russie – laquelle entendait poursuivre son mouvement d'expansion continentale vers le sud. Les frontières de l'Irak, épicentre de trois guerres en trois décennies, sont tracées en 1920 par les Britanniques sur les décombres de l'Empire ottoman, et taillées, dans un pays riche de cinq mille ans d'histoire, ménageant notamment l'accès à une ressource que l'on devinait précieuse : le pétrole.

Ce recul d'un siècle au moins est nécessaire pour bien saisir les turbulences actuelles.

À l'échelle de l'histoire, les vastes empires capables de se maintenir plus de quelques siècles furent rares. Et jusqu'à une époque récente, ils ne furent jamais concurrents les uns des autres : un siècle avant notre ère, l'Empire romain et l'Empire chinois coexistent sans se connaître ; l'Empire chinois, à son apogée au XVIIIe siècle, ne menace pas les colonisations espagnole ou portugaise.

L'Empire mongol des années 1200 à 1400 est le plus grand empire continental de l'histoire, et disparaît sans laisser de trace. L'Empire ottoman – autour d'une mer – dura six siècles, avant de s'effondrer en quelques décennies.

L'espace planétaire commence à se mondialiser avec l'invention de l'imprimerie, les grandes découvertes de l'Europe, à partir de la fin du XVe siècle et du XVIe siècle, et la généralisation des cartes.

Avec le dernier quart du XIXe siècle et l'âge de l'impérialisme, les logiques de prédation des puissances se heurtent plus violemment. L'expansion vise tous les continents, bien au-delà des aires d'origine de chaque peuple. Dans les années 1880, l'empire tsariste se heurte à l'empire britannique en Afghanistan. Au même moment, l'Allemagne cherche à s'installer en Afrique au détriment des puissances coloniales anglaise et française. En 1898, l'Espagne cède Cuba, l'île de Christophe Colomb, aux États-Unis expansionnistes et impérialistes.

L'ÉDIFICATION D'UN ESPACE PLANÉTAIRE

L'édification
d'un espace planétaire

« ...la dynamique des acteurs
majeurs de ce monde... »

Les vagues successives d'industrialisation affectent les stratégies militaires : le nombre d'hommes engagés dans les conflits devient moins significatif que les budgets, la maîtrise technique et industrielle. Déjà perceptible au XIXe siècle, le rôle majeur de la puissance économique s'intensifie encore au XXe, modifiant la hiérarchie des nations. Les guerres mondiales, affaiblissant le vieux continent, accélèrent le processus de décolonisation des années 1940-1950, d'abord en Asie, puis à partir de 1960 en Afrique : les anciennes grandes puissances européennes régressent au rang d'acteurs intermédiaires, loin derrière les deux « supergrands ».

Pendant toute la guerre froide, la mobilisation des laboratoires scientifiques de pointe au service de la dissuasion nucléaire, jusqu'à ce que le journalisme américain baptisa *star war* la « guerre des étoiles », contribue à supprimer les conflits directs entre les deux Grands ; mais elle n'évite pas les conflits, menés avec des armes classiques. Au total, les conflits dits de « basse intensité » durant la deuxième moitié du siècle font 13 millions de morts.

La course aux armements est coûteuse et les budgets militaires pèsent sur les équilibres économiques mondiaux. La « douce négligence » (*benign neglect*) des États-Unis en fait des débiteurs nets de la planète dès la fin des années 1970, et l'Union soviétique implose sous la contrainte ; à l'inverse, les vaincus de 1945, le Japon et l'Allemagne, démilitarisés, connaissent un processus de rattrapage accéléré.

Axiome géopolitique : la prospérité d'un peuple n'est rien sans la sécurité. Sécurité des approvisionnements en matières premières, en eau, en énergie. Mais en amont, sécurité militaire : à la fois protection du territoire contre toute intrusion ennemie et protection des territoires étrangers stratégiquement utiles au pays.

« Pour l'Amérique, le principal enjeu est l'Eurasie », écrit en 1997

Zbigniew Brzezinski, le conseiller en matière de sécurité qui a inspiré les trois derniers présidents américains. L'idée de l'Europe comme simple cap du continent asiatique (Paul Valéry) se retrouve ici. Aujourd'hui, le budget de la défense américain frôle les 400 milliards de dollars : il dépasse le cumul des sept pays les plus riches après les États-Unis. L'OTAN, dirigée de fait par les États-Unis, s'élargit depuis 1997 et grignote le glacis stratégique édifié en 1945 à l'est de l'ancienne périphérie soviétique.

L'Asie, centre de gravité démographique du globe, s'organise autour du triangle Russie-Chine-Inde, et du Japon. Les liens commerciaux se resserrent entre la Russie, disposant de ses immenses ressources en pétrole et gaz, et la Chine (plus le Japon) ; la Chine est devenue le premier client de l'industrie militaire russe, depuis 1992 ; en contrepartie, elle propose ses produits de consommation courante à des prix adaptés au marché intérieur russe.

Plus que jamais, l'Eurasie reste le théâtre des enjeux militaro-économiques mondiaux. Le pétrole et le gaz du Caucase et de l'Asie centrale sont un enjeu économique majeur, puisque là se trouvent les deuxièmes réserves mondiales après celles du golfe Arabique. Cette ruée vers l'or noir se déroule dans un espace politique instable, à la frange de plusieurs zones d'influence : les frontières religieuses, politiques, économiques et culturelles se chevauchent, et aggravent les facteurs de risques. C'est dans ce contexte que l'ancienne stratégie américaine d'endiguement de l'« ours » russe, qui était défensive, semble faire place à une stratégie de refoulement, plus offensive et de mondialisation de ses intérêts géo-stratégiques (*enlargement*). Cependant, la porosité entre les affaires intérieures nord-américaines et celles du monde augmente ; la formule inversée *think local, act global* signale l'effet croissant de la politique intérieure sur la diplomatie.

Les équilibres ne sont pas stabilisés entre les « faucons » et les « colombes », entre les réalistes et les idéalistes, entre les wilsoniens (Woodrow Wilson, promoteur d'une utopie pacifiste, d'un droit des peuples à l'autodétermination, et créateur de la SDN à la sortie de la Première Guerre mondiale, est le seul président à avoir laissé son nom à une théorie) et les tenants d'une nouvelle « théorie des dominos » appliquée au Moyen-Orient. La décision d'attaquer l'Irak en 2003 tient moins aux armes de destruction massive du pays qu'aux évolutions des rapports de force internes au champ politique des États-Unis. Elle reflète – en creux – la faiblesse d'impact des autres acteurs de la géopolitique mondiale.

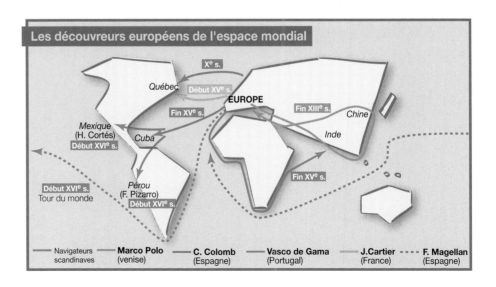

Les découvreurs européens de l'espace mondial

L'expansionnisme réussi des États-Unis

« …en un siècle, les treize colonies britanniques deviennent un continent… »

COMMENT LA PREMIÈRE PUISSANCE MONDIALE actuelle s'est-elle constituée ? Comment treize colonies britanniques situées sur la côte est de l'Amérique du Nord ont-elles, en moins de deux siècles, donné naissance au principal centre de décision du monde ? Dans un premier temps – après l'indépendance de 1776 –, l'extension est terrestre : une poussée d'un siècle vers l'ouest du continent, jusqu'au Pacifique.

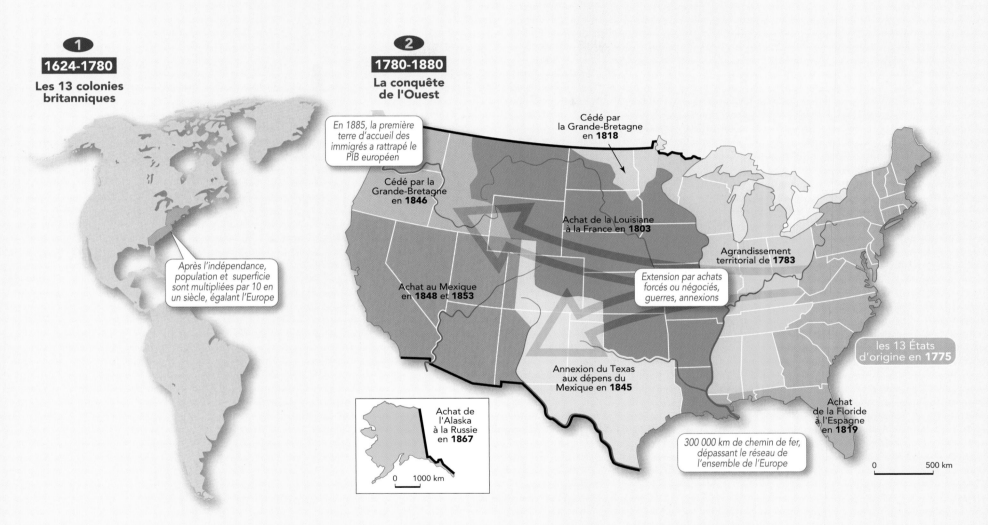

1

1624-1780

Les 13 colonies britanniques

Après l'indépendance, population et superficie sont multipliées par 10 en un siècle, égalant l'Europe

2

1780-1880

La conquête de l'Ouest

En 1885, la première terre d'accueil des immigrés a rattrapé le PIB européen

Cédé par la Grande-Bretagne en **1818**

Cédé par la Grande-Bretagne en **1846**

Achat de la Louisiane à la France en **1803**

Agrandissement territorial de **1783**

Achat au Mexique en **1848** et **1853**

Extension par achats forcés ou négociés, guerres, annexions

les 13 États d'origine en **1775**

Annexion du Texas aux dépens du Mexique en **1845**

Achat de la Floride à l'Espagne en **1819**

Achat de l'Alaska à la Russie en **1867**

0   1000 km

300 000 km de chemin de fer, dépassant le réseau de l'ensemble de l'Europe

0   500 km

L'expansionnisme réussi des États-Unis

« ...vers la maîtrise des quatre éléments – terre, mer, air, espace... »

L A DEUXIÈME PHASE – à partir de 1890 et la fermeture officielle de la « frontière » – est maritime : d'une part extension de souveraineté jusqu'au milieu du Pacifique (Hawaii), d'autre part domination-influence sur la zone Caraïbe et sur l'extrême ouest de l'océan Pacifique. Enfin – à partir de la Première Guerre mondiale –, les États-Unis, reconnus comme la première puissance économique et militaire du monde, élargissent leur domination aux domaines culturels, scientifiques et technologiques grâce à la « fuite des cerveaux », ceux des savants, ingénieurs, créateurs, artistes, entrepreneurs venus d'Europe. L'hégémonie gagne en extension et en profondeur, malgré l'absence d'extension territoriale de la souveraineté.

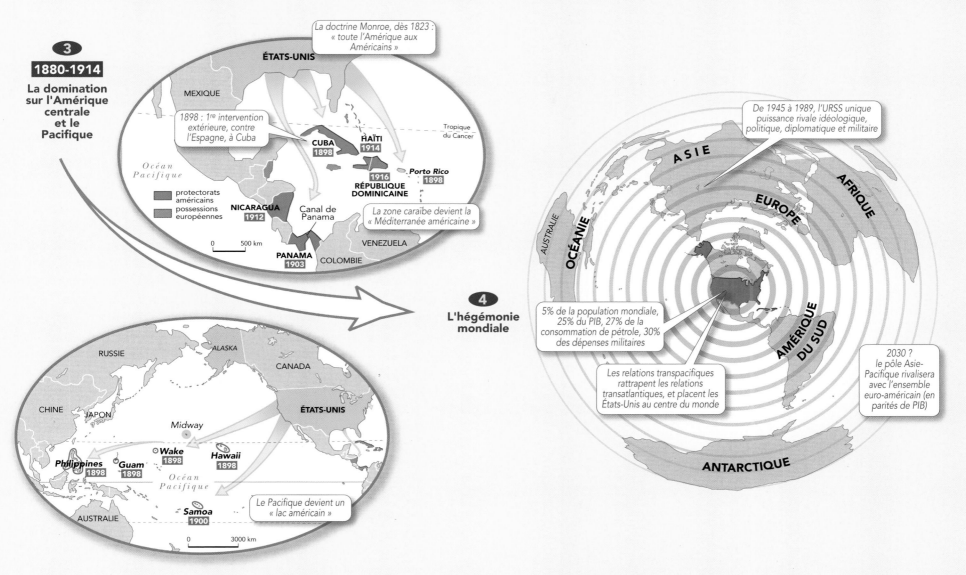

3

1880-1914

La domination sur l'Amérique centrale et le Pacifique

ÉTATS-UNIS

MEXIQUE

La doctrine Monroe, dès 1823 : « toute l'Amérique aux Américains »

1898 : 1re intervention extérieure, contre l'Espagne, à Cuba

Tropique du Cancer

Océan Pacifique

CUBA
1898

HAÏTI
1914

1916
RÉPUBLIQUE DOMINICAINE

Porto Rico
1898

■ protectorats américains
■ possessions européennes

NICARAGUA
1912

Canal de Panama

La zone caraïbe devient la « Méditerranée américaine »

0   500 km

PANAMA
1903

COLOMBIE

VENEZUELA

4

L'hégémonie mondiale

RUSSIE

ALASKA

CANADA

CHINE

JAPON

ÉTATS-UNIS

Midway

Wake
1898

Hawaii
1898

Philippines
1898

Guam
1898

Océan Pacifique

Le Pacifique devient un « lac américain »

Samoa
1900

AUSTRALIE

0   3000 km

De 1945 à 1989, l'URSS unique puissance rivale idéologique, politique, diplomatique et militaire

ASIE

EUROPE

AFRIQUE

AUSTRALIE

OCÉANIE

AMÉRIQUE DU SUD

5% de la population mondiale, 25% du PIB, 27% de la consommation de pétrole, 30% des dépenses militaires

Les relations transpacifiques rattrapent les relations transatlantiques, et placent les États-Unis au centre du monde

2030 ? le pôle Asie-Pacifique rivalisera avec l'ensemble euro-américain (en parités de PIB)

ANTARCTIQUE

L'expansionnisme réussi des États-Unis

« ...une extension territoriale, économique et humaine sur une île-continent... »

La conquête de l'Amérique du Nord 1780-1890

Pendant la première phase de création du pays, les frontières de la côte est ont été repoussées vers la côte ouest jusqu'aux limites extrêmes du continent nord-américain. La Californie, principal État de la côte pacifique, rejoint la Fédération en 1850, et Seattle, à l'extrême nord-ouest, en 1889.

Les moteurs de cette phase de conquête sont de nature géographique, économique et humaine : l'expansion territoriale multiplie par dix la surface initiale en cent ans (la superficie actuelle des États-Unis dépasse celle de l'Europe) tandis que l'accueil d'immigrés augmente de vingt fois la population initiale (en un siècle et demi, les flux auront représenté un apport de 55 millions de personnes. Le capital, la force, la négociation, la ruse et la chance constituent les leviers de la réussite des États-Unis, dans leur poussée d'un siècle vers l'ouest. Le Dakota du Nord (britannique), la Louisiane (française), la Floride (espagnole), puis l'Alaska (russe), sont achetés ; la frontière canadienne est âprement négociée avec la couronne britannique ; le Mexique doit céder les territoires du Sud-Ouest à la suite d'une guerre ; la Californie, terre pauvre peuplée d'Indiens, est acquise en 1848, quelques mois avant que l'on y découvre de l'or. Le chemin de fer, mais aussi la trahison et la violence sont mobilisés pour la conquête des territoires indiens. L'extermination quasi absolue des peuples autochtones n'a d'autres motifs qu'économiques : ce « choc de civilisations » est déjà chargé des motifs idéologiques les plus « américains » – pour user d'un adjectif en partie usurpé ; la course à l'or et à l'argent comme mobile de l'action, dans un contexte de libéralisme capitaliste nécessite des territoires ouverts à la circulation marchande.

L'afflux d'immigrés européens, mais aussi asiatiques, accompagne l'expansion territoriale et déplace progressivement vers l'Ouest le centre de gravité démographique du pays. Les territoires ajoutés se peuplent grâce à l'installation massive des nouveaux arrivés ; en 1900, la population atteint 93 millions d'habitants, soit 10 fois celle des années

1780 (elle a quasiment rattrapé l'Europe sans la Russie).

Fidèle à sa « destinée manifeste», les États-Unis d'Amérique, première terre d'accueil des immigrés de la planète, a une mission universelle : faire partager un ensemble de valeurs rassemblées dès les textes fondateurs de la nation – démocratie politique, liberté économique, éthique religieuse. La foi dans les vertus du libéralisme le plus pur se conjugue avec une foi religieuse inspirée par les tout premiers immigrants, souvent des puritains – chassés de leurs pays pour des raisons religieuses ou politiques. La décennie 1855-1865 montre que la volonté d'étendre ces principes d'abord au continent puis au monde n'exclut pas le recours aux arguments militaires : la guerre de Sécession marque la victoire des valeurs anti-esclavagistes du Nord yankee ; l'ouverture du Japon aux échanges économiques avec les États-Unis est obtenue par la pression des armes durant la décennie 1850. Cette époque a été admirablement étudiée et commentée par Tocqueville, dans *De la démocratie en Amérique*.

Le contrôle de l'Amérique centrale, latine et du Pacifique 1860-1914

Le pays devient un géant économique, surpassant à leur insu les pays européens dès les décennies 1880-1890. Il se dote du plus grand réseau de chemins de fer mondial (300 000 km en 1900, contre 50 000 en Russie, pourtant plus grande et plus peuplée). Mais il n'est pas encore reconnu comme un géant politique ou militaire. Significativement, aucun pays n'élève au rang de diplomate son représentant à Washington avant ces années-là.

La deuxième phase combine l'extension de l'aire de souveraineté et l'essor de l'aire d'influence. Sur les eaux du Pacifique, l'influence (directe) est poussée jusqu'à l'extrême ouest de l'océan. En 1898, les États-Unis lancent à Cuba, contre l'Espagne, leur première intervention militaire extérieure, au nom des droits de l'homme (bafoués par l'administration coloniale espagnole, lors d'une crise de l'économie sucrière), qui est une campagne victorieuse. La zone caraïbe devient une Méditerranée américaine, les États-Unis, intervenant

près de vingt fois au total, au cours du XXe siècle (à Saint-Domingue, à Grenade, au Nicaragua, au Salvador, au Guatemala, et jusqu'au Chili et au Brésil...). Nouvelle forme d'impérialisme ?

Les États-Unis sont devenus une île-continent. L'île est protégée par deux océans, une mer intérieure, et par l'Alaska au nord, parsemée de bases militaires assurant une profondeur stratégique en cas de conflit. Le pays exerce une domination militaire (le *big stick*, le « gros bâton » manié par le président Theodore Roosevelt) et économique (voir le financement du canal de Panamá, dans un pays créé de toutes pièces et placé sous contrôle). Cette influence n'a jamais été remise en cause, sauf à Cuba.

Par la guerre de 1898, les Philippines sont aussi arrachées à la domination espagnole. L'archipel, situé à 1000 km des côtes chinoises, constitue un point d'appui militaire essentiel vers le continent asiatique. Sur la route, l'île de Guam, située en Micronésie, est

annexée par la même occasion (quelques décennies plus tard, elle sert de base militaire stratégique, abritant des sous-marins nucléaires). Enfin, situé à mi-chemin sur l'océan, Hawaii, avec son port militaire de Pearl Harbor, est aussi annexé.

De la république à l'« Empire américain » : le pouvoir hors du territoire

Paradoxe sans précédent historique : dans sa troisième phase, l'influence des États-Unis s'élargit à l'échelle du globe, sans extension de souveraineté politique ; la république est la matrice de l'« Empire américain ». Le pouvoir se libère du territoire et la planète devient « un village global » (M. McLuhan). Avec les avions, les missiles balistiques intercontinentaux dotés d'ogives nucléaires, les satellites de télécommunications et d'observation militaire, avec la diffusion et la généralisation de l'électronique, et, depuis une dizaine d'années, le « réseau des réseaux » Internet, les distances se réduisent, que ce soit par des effets économiques ou culturels, pacifiques ou militaires. La

L'expansionnisme réussi des États-Unis

« ...l'essor d'un pouvoir d'influence au-delà du territoire américain... »

domination qualifiée complaisamment de « douce » – *soft power* – de la première puissance dans (presque) tous ces domaines se développe sous une forme dès lors renouvelée. La sphère d'influence s'étend bien au-delà de l'aire de souveraineté politique, désormais fixée aux 51 États, bien au-delà de l'aire de domination ou de « protection » – en recul constant tout au long du siècle –, et même bien au-delà de ses bases militaires disséminées tout autour de l'Eurasie. Aucune autre nation ne réunit tous les facteurs de la puissance économique, politique, culturelle. Les États-Unis sont à la fois symbole et moteur de la convergence mondiale des normes d'organisation politiques (démocratie), sociologiques (urbanisation), économiques (libre entreprise capitaliste, salariat), culturelles (droits de la personne). L'idéalisme de la mission états-unienne peut s'allier à la puissance : l'engagement pour le libre-échange économique converge avec l'engagement pour la démocratie et les libertés individuelles. Tel est le credo américain depuis la présidence de Ronald Reagan. Symbole stratégique, la langue anglaise : pourtant situé loin

derrière le chinois, l'hindi et l'arabe par le nombre de locuteurs natifs, l'anglais (même déformé – cf. encadré p. 69) est le véhicule incontesté de la communication internationale, pour les affaires, le tourisme, la science et la guerre.

Contrepartie de cette puissance : de même que pendant la guerre froide, l'Amérique suscite des mouvements et des protestations « anti-impérialistes », de même dans l'après guerre froide, la globalisation, voulue par Washington, donne naissance dans les sociétés occidentales et non-occidentales à des mouvements « antimondialisation », qui même nommés « altermondialisation » sont d'inspiration anti-américaine. Ils gagnent en vigueur avec l'invasion de l'Irak. La journée du 15 février 2003, préparée depuis plusieurs mois par ces organisations, est l'occasion de la plus importante manifestation de l'histoire.

Car la guerre dirigée par les États-Unis – à la fois hyperpuissance et arbitre du monde – contre l'Irak marque une rupture dans l'Histoire des démocraties.

Premier défi à l'ordre international : l'« arbitre » s'engage, sans attendre d'être appelé par la communauté internationale, bien au contraire. Cet engagement n'est pas la réponse à une agression factuelle. Il résulte d'un jugement concernant un risque. Il est le fruit de la décision d'anticiper, face au danger présenté par la possibilité irakienne d'usage – ou de dissémination – d'armes de destruction massive.

Deuxième défi à l'ordre international : l'« arbitre » désigne l'ennemi. La décision de faire la guerre à l'Irak est un choix entre des ennemis potentiels, établi par les États-Unis en fonction de leurs critères propres, parmi ceux que le gouvernement de George W. Bush a inscrits au tableau de « l'axe du mal ». L'« arbitre » décide de prévenir le danger irakien avant celui que représente la Corée-du-Nord, pourtant plus belliqueuse (tirs de missiles sur la mer du Japon), plus dangereuse (probable détention de l'arme atomique), et plus dictatoriale (son peuple meurt de faim). Troisième défi : non seulement l'« arbitre » s'engage presque seul dans les affaires du monde, non seulement

il choisit seul les ennemis, mais en plus il met ses forces au service de son propre parti. L'« arbitre » n'est pas impartial. La longue tolérance à l'égard d'Israël, qui n'applique pas les résolutions de l'ONU, révèle, aux yeux du monde arabe notamment, le « deux poids, deux mesures » dans les jugements de l'«arbitre ».

La Société des Nations doit trouver un nouvel équilibre. Le potentiel militaire incomparable des États-Unis est bâti pour être sans équivalent (le travail de sape effectué contre le système européen de guidage par satellite Galileo, concurrent du GPS américain, l'illustre : mais l'hyperpuissance a un impact nouveau quand elle n'est pas mobilisée dans le cadre de la Société des Nations, ni en réponse à une agression, ni avec la même sévérité pour tous. ■

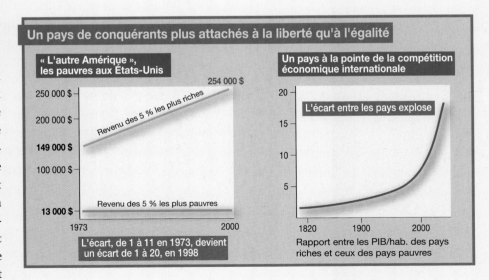

Un pays de conquérants plus attachés à la liberté qu'à l'égalité

« L'autre Amérique », les pauvres aux États-Unis

254 000 $
250 000 $
200 000 $
149 000 $
100 000 $
13 000 $

Revenu des 5 % les plus riches

Revenu des 5 % les plus pauvres

1973   2000

L'écart, de 1 à 11 en 1973, devient un écart de 1 à 20, en 1998

Un pays à la pointe de la compétition économique internationale

L'écart entre les pays explose

20
15
10
5

1820   1900   2000

Rapport entre les PIB/hab. des pays riches et ceux des pays pauvres

La Russie, quatre siècles de conquêtes non-abouties

« ...une puissance économique quasi nulle, un territoire immense quasi vide... »

BIEN QUE RÉDUITE PAR RAPPORT À L'EX-URSS, la Russie demeure l'État le plus étendu du monde, disposant d'énormes ressources potentielles naturelles, agricoles, minières et pétrolières (c'est le deuxième producteur pétrolier mondial, derrière l'Arabie Saoudite). Les cinq siècles d'une colossale expansion territoriale, obtenue au prix de guerres rarement interrompues, se soldent au début du XXIe siècle par un double constat d'échec. D'une part, la puissance économique est réduite à presque rien (le PNB russe correspond à celui de la région française Île-de-France). D'autre part, l'ambition territoriale des tsars et de leurs successeurs ne se réalise que sur des espaces quasi vides, au-delà de l'aire européenne initiale.

Au XVIIIe siècle, les paysans subissent un servage endurci quand, au même moment, les États-Unis rédigent leur Déclaration des droits de l'homme. Il faut attendre le milieu du siècle suivant pour voir le servage aboli, au sein d'un État resté cependant très policier, et abordant l'ère de l'industrialisation dans des conditions peu favorables.

Au XXe siècle, la Révolution communiste (1905, puis 1917), porteuse d'espoirs planétaires, se révèle une source de déceptions cruelles, avec la dérive stalinienne vers un régime totalitaire. Entre libéralisme et pseudo-socialisme, l'équilibre des puissances s'est aujourd'hui rompu. Stratégiquement, la Russie s'inscrit dans le triangle asiatique Russie-Chine-Inde dont les forces se complètent et s'opposent, et susceptible de constituer un pôle géopolitique majeur des prochaines décennies.

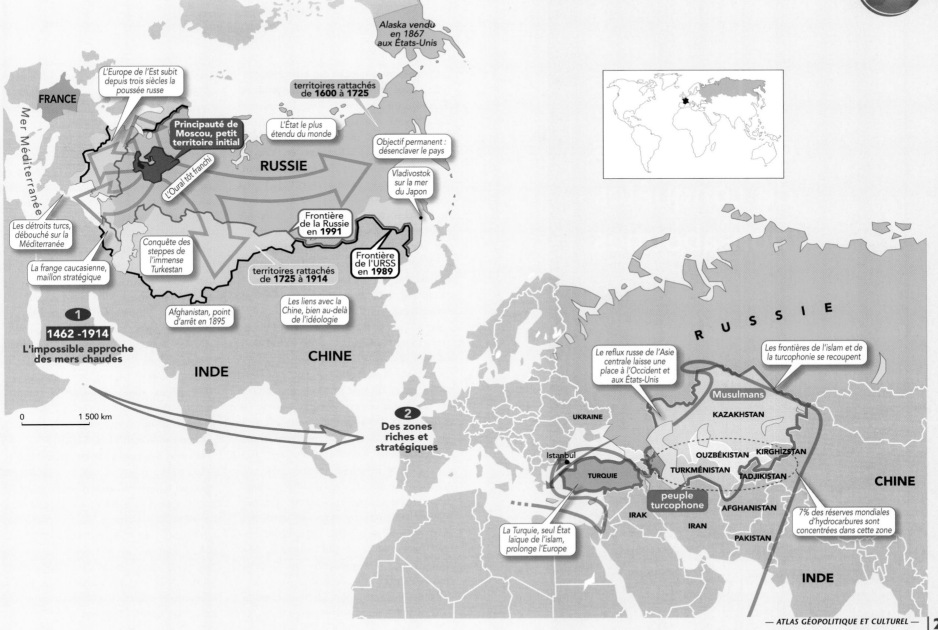

Alaska vendu
en 1867
aux États-Unis

FRANCE

Mer Méditerranée

L'Europe de l'Est subit
depuis trois siècles la
poussée russe

territoires rattachés
de **1600** à **1725**

**Principauté de
Moscou, petit
territoire initial**

L'État le plus
étendu du monde

Objectif permanent :
désenclaver le pays

L'Oural tôt franchi

RUSSIE

Vladivostok
sur la mer
du Japon

Les détroits turcs,
débouché sur la
Méditerranée

Conquête des
steppes de
l'immense
Turkestan

Frontière
de la Russie
en **1991**

Frontière
de l'URSS
en **1989**

La frange caucasienne,
maillon stratégique

territoires rattachés
de **1725** à **1914**

Afghanistan, point
d'arrêt en 1895

Les liens avec la
Chine, bien au-delà
de l'idéologie

①

1462 -1914

**L'impossible approche
des mers chaudes**

INDE

CHINE

0   1 500 km

②

**Des zones
riches et
stratégiques**

Le reflux russe de l'Asie
centrale laisse une
place à l'Occident et
aux États-Unis

R U S S I E

Les frontières de l'islam et de
la turcophonie se recoupent

Musulmans

KAZAKHSTAN

UKRAINE

Istanbul

OUZBÉKISTAN   **KIRGHIZSTAN**

TURQUIE

TURKMÉNISTAN   **TADJIKISTAN**

CHINE

peuple
turcophone

IRAK

AFGHANISTAN

7% des réserves mondiales
d'hydrocarbures sont
concentrées dans cette zone

IRAN

La Turquie, seul État
laïque de l'islam,
prolonge l'Europe

PAKISTAN

INDE

La Russie, quatre siècles de conquêtes non-abouties

La Russie n'est pas née immense. La principauté de Moscou se développe à partir du XIIIe siècle, petit morceau de territoire enclavé aux confins de l'Europe et de l'Asie. Comment a-t-elle acquis son rang moderne de pays-continent ? L'histoire de la Russie décrit une extension géographique sans équivalent, sous-tendue par la recherche toujours déçue d'un unique objectif stratégique : désenclaver le pays par des frontières maritimes, et, pour une part d'entre elles, sur des mers chaudes et ouvertes. Sans cesse au cours de cette période, Moscou hésite entre deux directions, vers l'ouest ou vers l'est.

L'impossible approche des mers chaudes

La Russie réussit très tôt à s'agrandir en direction du nord et de l'est. L'extension est d'abord orientée vers le nord, au XVe siècle, vers la mer Blanche – donnant dans la mer de Barents et l'océan Arctique. Une fois les limites nord atteintes, l'extension s'effectue vers l'orient. La barrière de l'Oural, à 1200 km à l'est de Moscou, constitue la limite orientale de l'Europe : elle est franchie à la fin du XVIe siècle pour aborder l'immense plaine de Sibérie. À partir de cette extension initiale, menée par le premier tsar (*czar = cæsar*) Ivan IV le Terrible, la traversée complète du continent asiatique se réalise ensuite en un demi-siècle ; l'empire de Russie, augmenté de plusieurs millions de kilomètres carrés, atteint l'aire Pacifique (la mer du Japon) et le détroit de Béring dès le milieu du XVIIe siècle. L'achèvement du transsibérien en 1916 parachève la conquête de l'Orient. La colonisation de ces territoires aux climats souvent arides et désertiques, voire subarctiques, fixe une ligne de frontières jamais remise en question depuis. Il en va différemment des territoires obtenus ensuite, puisque presque aucun de ces territoires n'est resté russe ou soviétique. Une exception notable : le nord de la Mandchourie, correspondant à la province de l'Amour (dont Vladivostok constitue la pointe extrême, face au Japon). La souveraineté russe atteint donc son extension maximale au XIXe siècle. S'ajoutant aux acquisitions du XVIIIe siècle – dues à Pierre le Grand puis à Catherine II – des territoires stratégiques ouvrent à la Russie à la fois une fenêtre sur la mer Baltique et une large façade sur l'Europe centrale, par les trois partages successifs de la Pologne, par les victoires sur la Suède – origine du pouvoir russe – et sur la France. Au sud, la domination s'élargit à l'ensemble du Kazakhstan et du Turkestan, sans jamais pouvoir vraiment approcher de l'océan Indien, pourtant visé. Au sud-ouest, la mer Noire forme une impasse, dont le débouché sur la Méditerranée ne fut quasiment jamais ouvert aux navires militaires russes. La liste des guerres, batailles, traités et ententes qui s'y appliquent indique l'importance qu'y attache la Russie depuis trois siècles. Sans succès. Rêve déçu, aussi, d'unifier le monde de l'orthodoxie autour d'un axe Constantinople-Moscou.

L'impossible maîtrise de l'Orient extrême, des tsars à Staline, 1600-1950

De Catherine II à Staline, la Russie cherche à jouer un rôle international de premier plan et à étendre son territoire. La périphérie russe, puis soviétique, représente tout à la fois un ensemble de zones tampons, protectrices, et de points d'appui pour des conquêtes. Mais, tsars ou présidents du Soviet suprême et secrétaires généraux du P.C., les conquérants échouent.

Au xixe siècle, les zones tampons conquises constituent un glacis protégeant le cœur du territoire russe : la Finlande, la Pologne, les territoires de l'Estonie, de la Lettonie et de la Lituanie, l'ensemble du Caucase (Géorgie, Azerbaïdjan, Arménie).

À l'ouest, l'Europe ne se laisse pas soumettre. Au sud l'extension est bloquée au-delà du Turkestan, après Tachkent. L'Empire britannique, appuyé sur l'Inde s'oppose aux ambitions hégémoniques russes : les frontières actuelles de l'Afghanistan résultent d'un compromis passé entre les deux empires en 1890, visant à délimiter une zone de non-agression entre les deux forces opposées. À la fin du siècle, la Russie doit composer avec les autres puissances européennes, et même s'allier à la France et à l'Angleterre contre l'Allemagne ; car son économie a fléchi, relativement à celles des autres puissances : première par le PNB en 1830, elle est dépassée par la Grande-Bretagne, par l'Allemagne, et quasiment rattrapée par la France, en 1890.

La révolution bolchevique, le régime socialiste qui en est né, apparaissent aujourd'hui comme une sorte de parenthèse à l'issue de laquelle non seulement les frontières du début du siècle ont été retrouvées mais même des limites antérieures. L'échec est patent dans tous les secteurs géographiques.

Échec au sud. Dans les années 1920, sur les territoires caucasiens et turkmènes acquis cinquante ans avant lui par les tsars Nicolas Ier et Alexandre II, Staline avait découpé les territoires, déplacé les peuples, redessiné les frontières, attisé les haines nationales : dès la fin de l'URSS, cette zone reprend son autonomie d'avant les deux tsars. Cette fin de l'URSS, l'échec de contrôle de l'Afghanistan dans les années 1980, près d'un demi-siècle après la mort de Staline, a contribué à son accélération.

Échec au sud-ouest. L'Ukraine, qui tient la mer Noire et la Crimée, devenue indépendante, est donc courtisée par les États-Unis et aspire à terme à entrer dans l'Union européenne.

Échec à l'ouest. Dans les années 1940, à la faveur de la Deuxième Guerre mondiale, l'URSS regagne en Europe centrale une partie des territoires acquis par Pierre le Grand et Catherine II tout au long du xviiie siècle, de l'Estonie à la Pologne, puis reperdus dans les années de guerre civile du début de la révolution de 1917-1921. Mais la fin de l'URSS gomme toutes ces acquisitions. Ce recul, conjugué avec la perte de l'Ukraine, rajeunit la Russie de plus de quatre siècles ; il signe le retour aux frontières occidentales du jeune État russe lors de l'avènement du tsar Ivan le Terrible, en 1533 : un État quasiment dépourvu des accès maritimes à la Baltique et à la mer Noire. Moscou s'était rêvée en troisième Rome, réunissant autour d'une solidarité prolétarienne l'ensemble des franges européennes de l'empire : de l'Estonie baltique, au nord, jusqu'à la Serbie balkanique, au sud, en passant par la Biélorussie, la Moldavie et l'Ukraine ; et l'objectif de maîtrise des détroits turcs, si ardemment recherchée, réunissait le réalisme militaire (l'accès à la Méditerranée) et l'utopie religieuse d'une unité entre l'ancienne Byzance (l'empire romain d'Orient) et la nouvelle.

Le défi russe est aujourd'hui de transformer les vieux liens impériaux – violents –, en un commerce apaisé. L'abcès caucasien – et particulièrement l'échec en Tchétchénie – est un premier symptôme de la difficulté à gagner ce défi. Un deuxième symptôme est le soutien apporté en 2003 par les « PECO » – pays d'Europe centrale et de l'Est – à l'initiative américaine contre l'Irak : non par bellicisme, mais par choix du protecteur le plus affirmé contre toute tentation de l'ancien « grand frère ».

D'élection en réélection, le président Poutine incarne les difficultés de l'ancien supergrand sur le chemin d'une démocratisation apaisée. ■

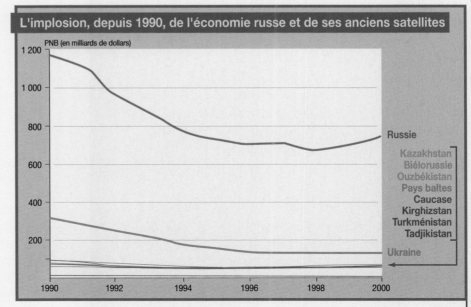

L'implosion, depuis 1990, de l'économie russe et de ses anciens satellites

PNB (en milliards de dollars)

Russie
Kazakhstan
Biélorussie
Ouzbékistan
Pays baltes
Caucase
Kirghizstan
Turkménistan
Tadjikistan
Ukraine

L'Empire britannique et son effacement

« ...le plus vaste empire de l'histoire... »

AVANT LES GRANDES DÉCOUVERTES, toute idée de mondialisation était impossible. En quelques décennies, du fait de l'Europe, la Terre est parcourue, reconnue, ou au moins ses bords maritimes. Le commerce déjà incite à la mobilité, malgré des risques peu imaginables aujourd'hui. Le commerce favorise aussi l'essor des techniques (de motricité, de repérage) : la Renaissance est bien plus qu'un mouvement artistique et culturel.

Le Portugal et l'Espagne ont eu un temps d'avance, au XVIe siècle. À leur suite se lancent Venise, Gênes, puis Amsterdam (New York s'appela d'abord la Nouvelle-Amsterdam, et on y parlait hollandais). Mais l'Angleterre supplante toutes ses rivales, y compris la France, affaiblie par la révocation de l'édit de Nantes (1685). Londres devient au XVIIIe siècle la capitale économique et politique du monde, symbolisée par la City et la Royal Navy. Comment le dernier pays à partir dans la course à l'expansion planétaire bâtit-il un tel empire, qui est, dans la période contemporaine, le plus grand en surface (près de 30 millions de km²), en population (environ 400 millions) et en extension (sur les cinq continents)?

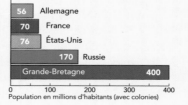

Population en millions d'habitants (avec colonies)

Allemagne 56
France 70
États-Unis 76
Russie 170
Grande-Bretagne 400

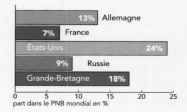

part dans le PNB mondial en %

Allemagne 13%
France 7%
États-Unis 24%
Russie 9%
Grande-Bretagne 18%

L'ÉDIFICATION D'UN ESPACE PLANÉTAIRE

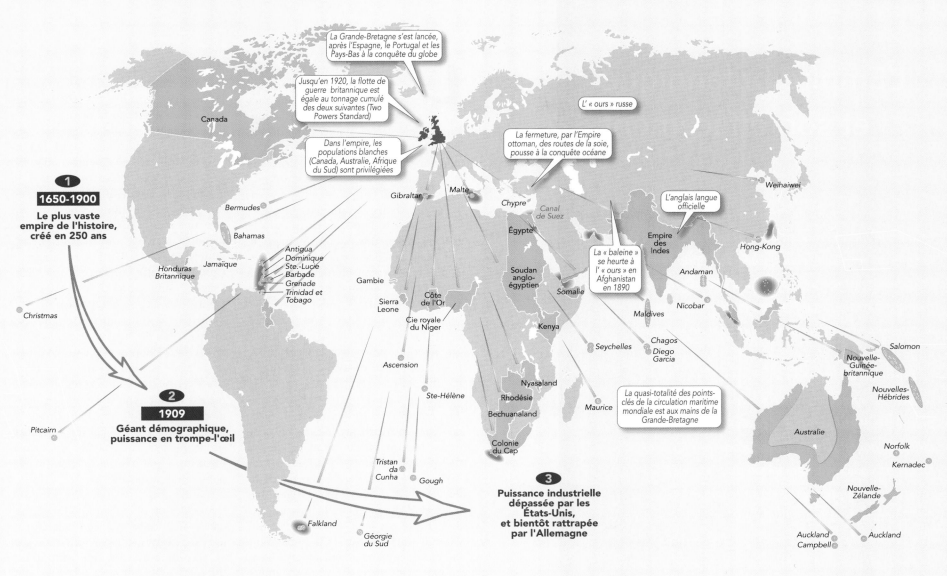

L'Empire britannique et son effacement

Le plus grand empire de l'histoire

Le monde méditerranéen et les routes orientales de la soie, au XVe siècle, sont fermés par l'Empire ottoman. L'expansionnisme européen doit s'orienter dans d'autres directions. Le Portugal organise en 1415 le contournement maritime progressif de l'Afrique, jusqu'au voyage, en 1498, de Vasco de Gama en Inde. La traversée de l'Atlantique, beaucoup plus risquée encore, est armée en 1492 par la couronne d'Espagne, puisque le Portugal préfère poursuivre la logique africaine qui lui réussit. Trois décennies plus tard, Magellan contourne l'Amérique du Sud, baptise l'océan « Pacifique », puis les « Philippines » (en hommage au futur Philippe II) et réalise le premier tour du monde pour le compte de l'Espagne. Le Portugal tente un rattrapage tardif, débouchant sur la ligne de partage du traité de Tordesillas en 1494.

Les perdants immédiats ? En premier lieu, les puissances italiennes ; Venise, Gênes, Florence, puissances restées à l'écart de ce nouveau courant au XVIe siècle entament leur déclin. En deuxième lieu, l'Afrique, exploitée pour la traite des Noirs. En troisième lieu, le monde musulman, contourné ; ses routes tombent en désuétude.

Les perdants à moyen terme ? L'Espagne et le Portugal, partis dans la mauvaise direction, pour conquérir le continent américain par le sud. Ils s'opposent et se gênent mutuellement dans leur politique expansionniste, tournée vers l'exploitation des ressources minières des nouvelles terres ; surtout, ils se heurtent aux jeunes États-Unis, qui refusent aux puissances européennes le droit de colonisation sur l'ensemble du continent. Proclamée en 1823, la « doctrine Monroe » – toute l'Amérique aux Américains – est un signe avant-coureur : avant même d'avoir fini leur expansion interne, les États-Unis marquent leur territoire d'influence. Le Brésil portugais devient indépendant au début du XIXe siècle, comme l'Argentine, le Pérou, l'Uruguay, etc. L'Amérique du Sud vit précocement la décolonisation. Cependant, la moitié de la population du continent sud-américain est luso-phone (avec un nombre de locuteurs quinze fois plus important qu'au Portugal) ; de même, il y a près de dix fois plus d'hispanophones en Amérique latine qu'en Espagne. Ce sont les seuls restes du traité de Tordesillas.

Le gagnant à moyen terme ? Le Royaume-Uni, qui tire la leçon de l'indépendance de ses colonies américaines. D'une part, il se tourne vers le contrôle maritime de la planète en dehors de l'Amérique, s'ouvrant un domaine d'une taille inégalée, et moins disputé. Maîtrise des nœuds stratégiques et des points de passage : Gibraltar, Malte, Suez, Le Cap, Aden, Ormuz, Singapour, Taiwan, les îles Spratly, les Malouines (Falkland), etc. Maintien d'une supériorité navale, selon la règle du *Two Powers Standard*, la Royal Navy s'imposant d'entretenir une flotte égale au tonnage des deux marines les plus importantes après elle (cette règle disparaît après la Première Guerre mondiale, au profit des États-Unis). La livre sterling exerce aussi son influence sur la planète, au-delà des limites de l'Empire – qui réunit le quart de la population mondiale.

D'autre part, l'Angleterre tire les leçons des motifs mêmes de l'indépendance américaine (un conflit créé par les exigences financières britanniques) et accorde très vite une autonomie interne aux dominions canadiens, australiens, néo-zélandais, ainsi qu'à l'Afrique du Sud – autant de régions à majorité ou forte minorité blanche. La force de l'Empire britannique réside dans la souplesse de « l'association ». À la différence de la France, principale concurrente qui vise l'intégration à la République, elle respecte les spécificités locales. Le Commonwealth, devenu une alliance morale plus que juridique, assure au-delà de la décolonisation une forte influence mondiale au Royaume-Uni. Le processus de décolonisation est un peu moins violent que pour la France – quoique, à long terme, les poudrières abandonnées par les Britanniques soient nombreuses.

Les effets pervers de la surexpansion impériale

C'est en Angleterre que les vagues d'industrialisation trouvent leur origine. Au XVIIIᵉ siècle, elle bénéficie d'un cumul de facteurs très favorables, qu'aucune autre nation ne réunit : créativité intellectuelle et technique (le Siècle des lumières n'est pas seulement philosophique), croissance démographique (liée à l'amélioration de l'alimentation et de l'hygiène), croissance de la production agricole (les *enclosures* et l'*open field*) libérant une main-d'œuvre paysanne pour les manufactures, maîtrise du commerce mondial et des approvisionnements en matières premières (le coton indien pour le textile

complète le charbon anglais pour la métallurgie). L'Angleterre prend un siècle d'avance sur ses concurrents et devient au XIXᵉ siècle la première puissance mondiale. À son apogée en 1872, elle concentre la moitié de la production mondiale de fonte et la moitié de la production de fils de coton. Industrie, banque, commerce : dans le contexte de libre-échange inégal (le commerce des riches est protégé par les armées et par les droits de douane asymétriques), le Royaume-Uni est à la fois le banquier et le policier de la planète.

Mais un effet de trompe-l'œil joue. À l'ère industrielle, il n'est plus certain que l'extension géographique de l'empire constitue le principal critère de la puissance. Si le Royaume-Uni tient le premier rang, c'est peut-être moins par la taille de son empire que par la masse de ses productions et par le rôle pivot de la livre sterling dans le système monétaire mondial, de 1815 à 1914. En fait, ses années de prééminence sont comptées, la hiérarchie des grandes puissances se modifiant : l'économie des États-Unis progresse au long du XIXᵉ siècle, et surpasse dès 1890 les concurrents européens (voir ci-dessus). Certaines régions de la Russie entrent dans l'âge proto-industriel avec une main-d'œuvre inadaptée, enfermée dans un État policier où la question du

servage grippe l'évolution économique ; la Prusse de Bismarck construit l'unité politique allemande et commence à rattraper son retard, très rapidement après 1870 ; la France se relève de l'aventure napoléonienne, et se modernise à partir du second Empire (1851-1870).

Au début du XXᵉ siècle, avant la Première Guerre mondiale, les États-Unis représentent déjà 30 % de la production industrielle mondiale (comme aujourd'hui), loin devant le Royaume-Uni (20 %) et l'Allemagne (15 %). La Russie, avec 5 %, est devancée par la France (7 %).

Un siècle plus tard, malgré l'émergence de nouveaux acteurs (asiatiques notamment), les États-Unis accroissent leur avance économique sur leurs concurrents traditionnels ; en termes de PNB, ils constituent 27 % de la planète, mais ils représentent désormais 4 fois l'Allemagne, 6 fois le Royaume-Uni – qui a fortement régressé et se retrouve au niveau de la France ; le PNB russe, stagnant sur près de cent ans, vaut la moitié du PNB espagnol. Un seul nouveau venu, le Japon, distancie l'Allemagne (le PIB japonais équivaut au double de celui de l'Allemagne, mais à la moitié de celui des États-Unis). La Chine n'apparaît pas encore significativement, puisque son produit équivaut à celui de l'Italie (deux fois moins que

l'Allemagne); mais ses potentialités, comme celles de l'Inde, sont immenses.

Il reste au Royaume-Uni le lien privilégié avec les États-Unis : lien d'une « mère » – grandeur et beauté passée de « la vieille Europe » – à la « fille », devenue la première puissance mondiale. Cette solidarité s'exprime jusque dans le domaine militaire. Mais la guerre faite à l'Irak, hors de tout mandat des Nations unies – au nom de la lutte contre les introuvables armes de destruction massive –, cristallise les oppositions politiques internes : entre les tenants d'un tropisme européen et les tenants du lien transatlantique. Elle retentit sur l'orientation du Royaume-Uni dans la construction européenne. ■

Le Royaume-Uni, le choix de l'Atlantique nord

▶ **Refus d'adhérer à la zone euro**
▶ **Solidarité militaire transatlantique**
▶ **Communauté de langue avec les États-Unis**
▶ **Comme les États-Unis, aire d'immigration transcontinentale**

mais

▶ **Adhésion (partielle à l'UE)**
▶ **La plus grande manifestation de l'histoire du pays : contre la guerre États-Unis - Irak (2003)**

Depuis cent cinquante ans, l'Allemagne et le Japon suivent des chemins parallèles. Surgis presque d'un coup des années 1860-1870, par l'unification de la première et l'ouverture du second au monde extérieur (s'agissant de cultures anciennes), l'une et l'autre se donnent alors des visées impérialistes ambitieuses : l'Allemagne veut dominer l'Europe continentale au moins, dans un combat qui s'amplifie de 1890 à 1945 ; sur la même période, le Japon entreprend de prendre le contrôle de ses voisins, y compris la Chine, et jusqu'au Pacifique sud. Deux échecs catastrophiques pour l'humanité, culminant avec les années de la Deuxième Guerre mondiale : à Auschwitz et à la destruction de grandes villes allemandes fait écho Hiroshima.

Deux redressements économiques vigoureux ensuite. Les deux pays sont en partie devenus – danger militaire en moins – ce qu'ils aspiraient à devenir : des puissances ayant une influence sur l'équilibre du monde.

La Chine et l'Inde, tous deux pays de haute culture, doivent d'abord se libérer des attitudes prédatrices des concurrents européens de l'Allemagne, notamment la Grande-Bretagne. Le XIXe siècle a été pour les deux nations un moment d'assujettissement qui a suivi des ères glorieuses, le XVIIIe siècle pour la Chine (sans parler des époques antérieures), le XVIIe pour l'Inde.

La libération, grâce aux mouvements nationalistes d'émancipation – Gandhi, Mao (accompagnés par Tito, Nasser, Sukarno) –, ne se manifeste qu'au XXe siècle. Le climat idéologique est marqué pour la Chine – communiste à partir de 1949. Pour l'Inde, la moindre influence de l'idéologie n'empêche pas les conflits extrémistes, entre ethnies, entre religions (conflits toutefois moins meurtriers que les années révolutionnaires de Chine). Les deux pays partagent les mêmes défis démographiques, les mêmes enjeux économiques : ils appartiennent tous deux au tiers-monde, mot créé pour eux par Alfred Sauvy, en 1952 par référence au tiers état français.

PUISSANCES
MOYENNES,
PÉRIPHÉRIES,
FUTURS CENTRES

L'Allemagne, en quête d'un rôle et d'une place

Les deux premières puissances économiques du monde après les États-Unis sont aujourd'hui le Japon et l'Allemagne. À eux trois, ces pays cumulent la moitié de la production de la planète.

Japon et Allemagne se ressemblent autant par leur destin récent que par leurs caractéristiques actuelles. Démilitarisés il y a cinquante ans, placés tous deux sous l'influence et l'autorité des États-Unis et sous le parapluie nucléaire américain, considérés comme zones tampons dans la stratégie d'endiguement anticommuniste que mènent les États-Unis, les deux pays se placent à la pointe de la compétition économique (maîtrise des secteurs traditionnels, banque, nouvelles technologies). Tous deux doivent résoudre la déflation démographique, qui se traduit par une population vieillissante (avec 1,3 enfant par femme, le renouvellement n'est pas assuré en RFA).

Tous deux sont aujourd'hui les pôles de leur zone géographique. Cependant, le Japon, depuis un siècle, est écartelé entre son appartenance géographique et culturelle à l'Asie et son appartenance économique et politique à l'Occident.

1

1850

L'Allemagne, une réalité plus géographique que politique

Bismarck crée la Confédération de l'Allemagne du Nord en 1866 sous la tutelle de la Prusse

Le territoire allemand est divisé en 39 États depuis 1815

Entre l'Autriche et la Prusse, la lutte pour dominer la confédération germanique dure jusqu'en 1866

En 1866, la défaite de Sadowa élimine l'Autriche de l'Union allemande

L'unité douanière précède l'unité politique, et le développement industriel constitue le premier levier de la puissance allemande

ROYAUME DE NORVÈGE
ROYAUME DE SUÈDE
ROYAUME DU DANEMARK
ROYAUME-UNI DE GRANDE-BRETAGNE ET D'IRLANDE
EMPIRE DE RUSSIE
ROYAUME DES PAYS-BAS
ROYAUME DE PRUSSE
SAXE
ROY. DE BELGIQUE
DUCHÉ DE LUXEMBOURG
ROY. DE BAVIÈRE
FRANCE
SUISSE
EMPIRE D'AUTRICHE
ROYAUME DU PORTUGAL
ROYAUME D'ESPAGNE
ÉTATS ITALIENS
EMPIRE OTTOMAN
GRÈCE

0   400 km

Turbulences
et
Permanences

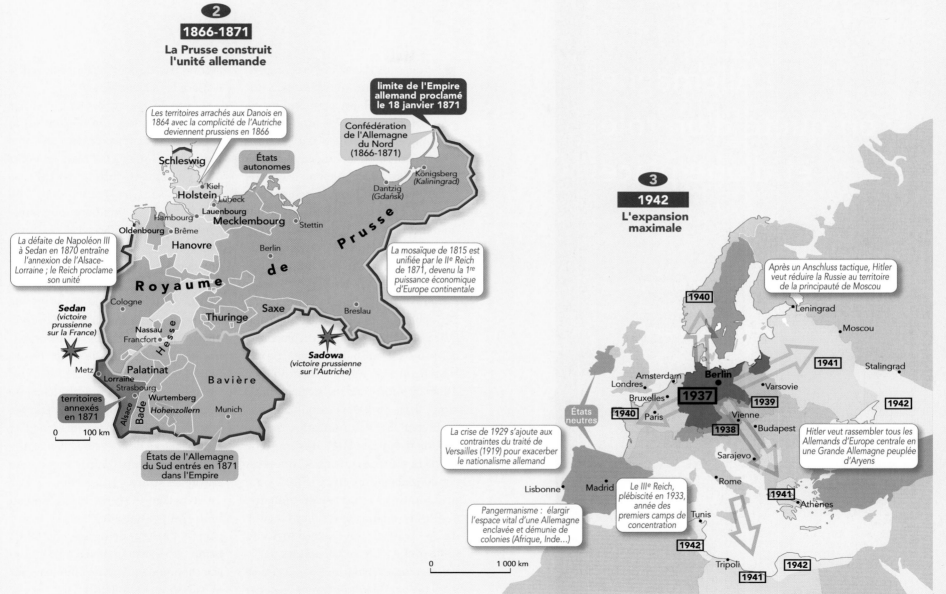

2

1866-1871

**La Prusse construit
l'unité allemande**

Les territoires arrachés aux Danois en
1864 avec la complicité de l'Autriche
deviennent prussiens en 1866

États
autonomes

Schleswig

limite de l'Empire
allemand proclamé
le 18 janvier 1871

Confédération
de l'Allemagne
du Nord
(1866-1871)

Königsberg
(Kaliningrad)

Dantzig
(Gdańsk)

• Kiel
Holstein • Lübeck
Lauenbourg

La défaite de Napoléon III
à Sedan en 1870 entraîne
l'annexion de l'Alsace-
Lorraine ; le Reich proclame
son unité

Hambourg •
Oldenbourg • Brême

Mecklembourg

Stettin •

P r u s s e

Hanovre

• Berlin

La mosaïque de 1815 est
unifiée par le IIe Reich
de 1871, devenu la 1re
puissance économique
d'Europe continentale

R o y a u m e   d e

Cologne •

Sedan
*(victoire
prussienne
sur la France)*

Thuringe

Saxe

Breslau •

Nassau •
Francfort •

H e s s e

Metz •
Lorraine
Strasbourg •
Palatinat

B a v i è r e

Sadowa
*(victoire prussienne
sur l'Autriche)*

territoires
annexés
en 1871

Alsace
Bade
Hohenzollern

Wurtemberg

Munich •

0   100 km

États de l'Allemagne
du Sud entrés en 1871
dans l'Empire

3

1942

**L'expansion
maximale**

Après un Anschluss tactique, Hitler
veut réduire la Russie au territoire
de la principauté de Moscou

1940

• Leningrad

• Moscou

1941

• Stalingrad

Amsterdam •
Londres •

Berlin
1937

• Varsovie

Bruxelles •

1939

1942

États
neutres

1940 • Paris

• Vienne

1938

• Budapest

La crise de 1929 s'ajoute aux
contraintes du traité de
Versailles (1919) pour exacerber
le nationalisme allemand

Hitler veut rassembler tous les
Allemands d'Europe centrale en
une Grande Allemagne peuplée
d'Aryens

Sarajevo •

Lisbonne •   Madrid •

• Rome

1941

Le IIIe Reich,
plébiscité en 1933,
année des
premiers camps de
concentration

• Athènes

Tunis •

Pangermanisme : élargir
l'espace vital d'une Allemagne
enclavée et démunie de
colonies (Afrique, Inde...)

1942

Tripoli •

1942

0   1 000 km

1941

L'Allemagne en quête d'un rôle et d'une place

« ...un pays à la pointe de la compétition économique, mais qui doit faire face au vieillissement de sa population... »

L'ÉCHEC DES HABSBOURG est complet, en 1648 ; les héritiers du Saint Empire romain germanique ne peuvent plus rêver de domination catholique universelle (Charles Quint est le premier souverain de l'histoire à pouvoir dire que le soleil ne se couche jamais sur son empire) : concluant une longue série de guerres étalées sur cent quarante ans et menées contre trop d'ennemis, les traités de Westphalie ne sont pas seulement coûteux pour les Habsbourg ; ils réduisent, morcèlent et ruinent l'Allemagne pour un siècle. Dépopulation, ruine financière et paralysie politique face aux particularismes des princes éparpillés. La dynastie des Hohenzollern tente de construire une Allemagne forte, au XIXe siècle, à partir d'un puzzle de 39 États, dont la Prusse est le chef de file. L'unification tardive de l'Allemagne, en 1871, ne l'empêche pas de rattraper en quelques années ses concurrents européens à la fois sur le plan industriel et sur le plan militaire. Ses atouts (qualité du système scolaire, de la main-d'œuvre, productivité industrielle ...) sont consolidés par le versement de réparations par la France vaincue, 5 milliards de francs or, et par la conquête de deux régions nouvelles, l'Alsace et la Lorraine .

Quand Bismarck devient Premier ministre, en 1862, son objectif est la grandeur de la Prusse : cinq ans plus tard, le territoire de la Prusse est enfin d'un seul tenant. Surtout, en 1871, sa victoire sur la France fait de l'Allemagne la première puissance continentale ; Guillaume Ier est proclamé empereur à Versailles. Pour la première fois l'État-« peuple » allemand existe : le IIe Reich remplace avantageusement dans les mémoires le Ier – le Saint Empire romain germanique, disparu lors des guerres napoléoniennes après s'être vidé de toute réalité politique pendant deux siècles. Avec 41 millions d'habitants, l'Allemagne devient le pays le plus peuplé d'Europe, derrière la Russie. La structure fédérale, centrée autour de la « Petite Allemagne » (l'Allemagne sans l'Autriche), inspire encore les structures actuelles.

L'Allemagne de la fin du siècle est au centre géopolitique de l'Europe : le partage de l'Afrique se décide en 1885 à Berlin ; le siège du mouvement sioniste international (qui milite pour le retour en Palestine) est à Berlin ...

Bismarck manœuvre pendant trente ans la diplomatie européenne, jusqu'à son retrait forcé en 1890, évincé par le nouvel empereur, Guillaume II. Le Kaiser (= César) veut agrandir et désenclaver l'espace allemand : sa politique mondiale, *Weltpolitik* et recherche d'une « place au soleil », inverse de celle de Bismarck, suscite des réflexes défensifs de la part de ses voisins : alliance franco-russe de 1893, Entente cordiale (franco-britannique) de 1904 jusqu'à la déclaration de guerre. Rêve d'expansion d'une grande puissance : à la veille de 1914, l'Allemagne est devenue la première puissance industrielle du continent et a largement dépassé la Grande-Bretagne. Mais le rêve devient cauchemar, sans véritable répit entre les deux guerres mondiales.

En 1938, après cinq ans de régime nazi, l'Anschluss reconstitue la « Grande Allemagne », union de l'Allemagne et de l'Autriche. En 1939, invasion de la Tchécoslovaquie, puis invasion de la Pologne : par le pacte germano-soviétique signé avec Staline, les deux dictateurs régnant sur les puissances centrales s'entendent pour dépecer leur voisin. En 1941, Hitler décide d'envahir l'URSS et de repousser au loin les populations slaves et juives (prélude à leur extermination).

Avec Hitler, l'alliance du pangermanisme et du racisme est poussée à un niveau inédit. Les conséquences sont extraordinairement coûteuses pour l'humanité : une nouvelle guerre mondiale et la Shoah ; elles sont aussi douloureuses pour l'Allemagne : douze millions d'Allemands installés en Europe centrale sont expulsés de leurs pays d'accueil, et l'Allemagne se trouve coupée en deux pour cinquante ans, avec la République démocratique allemande sous tutelle soviétique.

Le pangermanisme est devenu tabou, à une nuance près : l'engagement économique allemand sur d'anciens territoires perdus – la Silésie et la région de Königsberg (aujourd'hui Kaliningrad) en Prusse orientale – ne semble pas provoquer de fortes réactions d'hostilité.

L'Allemagne réunifiée et démocratisée sur le modèle de la République fédérale (RFA) retrouve pacifiquement une influence de haut rang sur la planète, à travers son leadership actuel sur l'Union européenne ; son poids démographique et économique lui a même permis en 2000 d'obtenir un droit de veto sur toute décision de la Communauté de 300 millions d'Européens.

La guerre d'Irak, à propos de laquelle le chancelier Schröder s'est fermement opposé à l'initiative des États-Unis – c'est même sur cette question qu'il gagne les élections de septembre 2002 –, pousse à une révision complète de la politique de défense allemande et à inverser la tendance à réduire les budgets militaires. Le défi : comment le couple franco-allemand, renforcé en 2003, peut-il, dans cette relance d'une Europe de la défense, s'associer le Royaume-Uni ? Car son gouvernement, par-delà les apparences très pro-atlantiques, participe activement à la dynamique européenne (ainsi en 2003, en confiant à la France la moitié du contrat de construction et d'équipement de ses deux porte-avions). ■

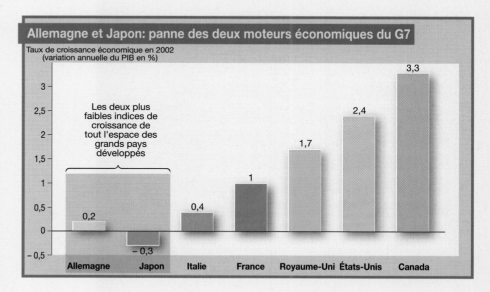

Allemagne et Japon: panne des deux moteurs économiques du G7

Taux de croissance économique en 2002 (variation annuelle du PIB en %)

Les deux plus faibles indices de croissance de tout l'espace des grands pays développés

Allemagne 0,2
Japon − 0,3
Italie 0,4
France 1
Royaume-Uni 1,7
États-Unis 2,4
Canada 3,3

Le Japon, des ambitions expansionnistes et impérialistes

Le Japon est un des États les plus anciens de la planète. Il abrite, sur un petit archipel (à peine plus grand que la péninsule italienne), une population très dense : 125 millions d'habitants, presque autant que la Russie, vingt fois plus étendue. Il est riche, et pourtant dépourvu de ressources naturelles, qu'il reçoit par bateau ; trois des dix plus grands ports mondiaux sont japonais. Il jouit d'une avance technologique et industrielle dans la course économique mondiale.

1868-1912
L'ère Meiji, un développement économique spectaculaire

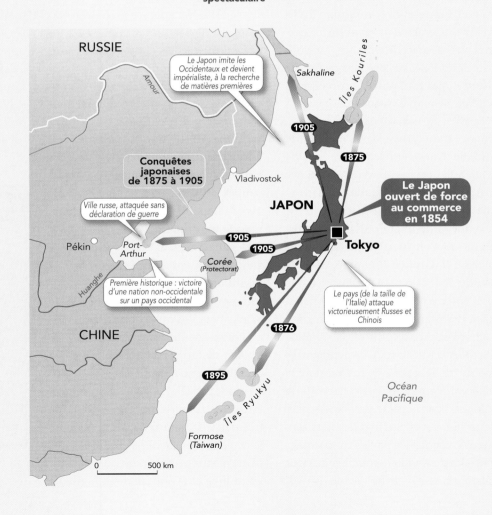

RUSSIE

Le Japon imite les Occidentaux et devient impérialiste, à la recherche de matières premières

Sakhaline

Îles Kouriles

Amour

1905

1875

Conquêtes japonaises de 1875 à 1905

Vladivostok

Ville russe, attaquée sans déclaration de guerre

JAPON

Le Japon ouvert de force au commerce en 1854

Pékin

Port-Arthur

1905

1905

Tokyo

Corée (Protectorat)

Huanghe

Première historique : victoire d'une nation non-occidentale sur un pays occidental

Le pays (de la taille de l'Italie) attaque victorieusement Russes et Chinois

CHINE

1876

Océan Pacifique

1895

Îles Ryukyu

0   500 km

Formose (Taiwan)

2

1938

Une décennie de conquêtes avant la Deuxième Guerre mondiale

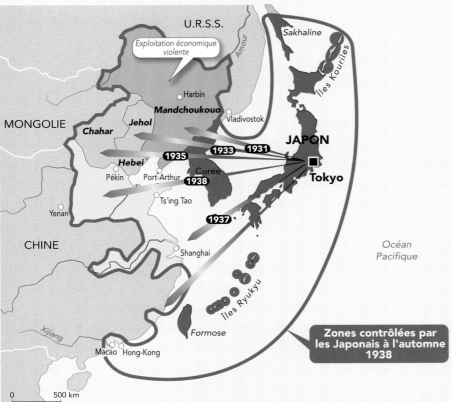

U.R.S.S.

Sakhaline

Exploitation économique violente

Amour

Harbin

Mandchoukouo

Vladivostok

Îles Kouriles

MONGOLIE

Jehol

Chahar

1935

1933

1931

JAPON

Hebei

Pékin

Port-Arthur

Corée

1938

Tokyo

Yenan

Ts'ing Tao

1937

CHINE

Shanghai

Océan Pacifique

Îles Ryukyu

Formose

Xijiang

Macao Hong-Kong

Zones contrôlées par les Japonais à l'automne 1938

0   500 km

3

1942

L'expansion maximale

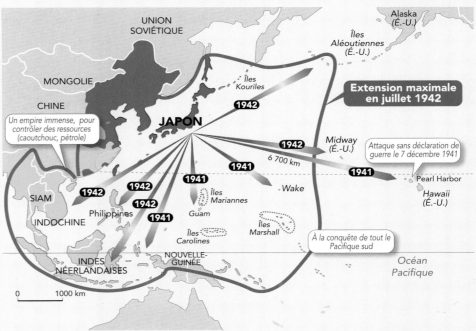

UNION SOVIÉTIQUE

Alaska (É.-U.)

Îles Aléoutiennes (É.-U.)

MONGOLIE

Îles Kouriles

Extension maximale en juillet 1942

CHINE

1942

Un empire immense, pour contrôler des ressources (caoutchouc, pétrole)

JAPON

1942

Midway (É.-U.)

Attaque sans déclaration de guerre le 7 décembre 1941

6 700 km

1941

1941

Pearl Harbor

1942

1942

1941

Wake

Hawaii (É.-U.)

SIAM

1942

Îles Mariannes

1941

Guam

INDOCHINE

Philippines

Îles Carolines

Îles Marshall

À la conquête de tout le Pacifique sud

INDES NÉERLANDAISES

NOUVELLE-GUINÉE

Océan Pacifique

0   1000 km

Le Japon, des ambitions expansionnistes et impérialistes

« ...le développement économique spectaculaire de la troisième puissance économique mondiale... »

L E JAPON est longtemps fermé aux influences extérieures. Il ne s'ouvre qu'avec le début de l'ère Meiji, en 1868 ; sous la violente pression expansionniste des Occidentaux, l'État féodal se réforme et décide d'adopter les techniques occidentales qui lui permettent d'être respecté en tant que puissance indépendante et d'éviter un dépeçage à la chinoise. Dans ce retournement, le Japon devient même un pays impérialiste, au début du XXᵉ siècle. Conquérant de la Corée et de la Mandchourie, il réussit à infliger aux Russes une défaite historique : 1904 marque dans l'histoire la première victoire d'un peuple « de couleur » sur un peuple « blanc » (l'attaque est menée sans déclaration de guerre préalable, ce qui est réitéré à Pearl Harbor). Le Japon est dès lors reconnu comme une puissance internationale, son influence progressant au long du siècle.

Aux lendemains de la Première Guerre mondiale, le Japon apparaît comme le « cinquième Grand », après cinquante ans d'ère Meiji. Le Japon alors imite l'Occident expansionniste, en conquérant Taiwan et surtout la Corée, ainsi que les îles de la Micronésie et les régions chinoises ajoutées après 1920. La Mandchourie est violemment colonisée (des armes bactériologiques sont probablemement utilisées) : rebaptisée Mandchoukouo en 1931, elle est exploitée pour ses ressources naturelles.

Aujourd'hui, après une période d'affirmation nationaliste d'expansionnisme et d'alliance avec l'Allemagne du IIIᵉ Reich (l'«Axe »), le Japon vaincu est un État sans véritable armée, longtemps contraint par les États-Unis à la démilitarisation : revanche de l'attaque sur Pearl Harbor qui, en décembre 1941, ouvrait l'offensive du Pacifique (en huit mois, les Japonais contrôlent plus de la moitié du Pacifique, ayant débarqué en Thaïlande, aux Philippines, à Singapour, à Bornéo, en Indonésie…).

L'alliance tactique du Japon, puissance moyenne, avec Hitler, Führer d'une autre puissance moyenne européenne, pour s'ouvrir le Pacifique et l'océan Indien s'achève en un deuxième désastre pour l'humanité et pour le Japon lui-même. Protégé par sa situation insulaire, le Japon n'a jamais été envahi, et quasiment jamais été un champ de bataille. Les bombardements nucléaires des 6 et 9 août 1945 sont une énorme exception dans l'histoire de l'humanité : le Japon est la seule nation à avoir subi la bombe atomique. 150 000 victimes en un instant. Mais on a pu noter que les bombardements des Alliés anglo-saxons sur l'Allemagne – notamment à Dresde – avaient fait, en février 1945, plus de victimes encore.

La capitulation en septembre 1945 entraîne tout d'abord la perte de territoires colonisés lors de l'éveil brutal de l'impérialisme nippon, un demi-siècle auparavant : la guerre russo-japonaise, première victoire d'un pays non-occidental sur un pays occidental, tournant dans l'histoire militaire.

À la fin du XXᵉ siècle, le Japon devient la troisième puissance économique du monde – derrière les États-Unis et la Chine (PIB évalués en parité de pouvoir d'achat) ; sa production équivaut à celle de l'Allemagne et de la France réunies, avec une population moindre. L'espérance de vie y est une des plus longues

du monde, le taux d'alphabétisation au plus haut, pour les femmes comme pour les hommes (quoique le taux d'activité féminin soit singulièrement en retard sur les autres pays développés).

La force du Japon tient à la cohésion de sa population. Les minorités ethniques représentent moins de 1 % de l'ensemble ; et, surtout, le modèle égalitariste garantit à une classe moyenne très majoritaire un traitement qui évite à tous à la fois l'extrême pauvreté et la richesse extrême. Le Japon tire profit des années de guerre froide : entre 1950 et 1953, la guerre de Corée rend évidente sa situation stratégique à l'égard des objectifs de *containment* (« endiguement ») des géants soviétique et chinois. À l'abri du parapluie américain, le Japon évite de dépenser des budgets militaires improductifs, et libère des forces pour l'investissement productif. Le Japon devient le banquier des États-Unis, endettés par l'effort militaire; la croissance nipponne tient là un de ses ressorts. Coïncidence, depuis bientôt dix ans – depuis la fin de la guerre froide –, depuis que la place du Japon sur l'échiquier mondial s'est

assurée et normalisée, sa croissance s'est fortement ralentie. Comment le Japon rebondira-t-il dans un monde où la Russie n'est plus une menace et où la Chine s'ouvre sur le plan économique ?

En marge de la guerre d'Irak – où le Japon s'est rangé discrètement dans le camp des États-Unis –, se pose la question d'amender la Constitution paci-

fiste : les démonstrations belliqueuses de la Corée-du-Nord en mer du Japon placent l'Archipel, depuis 2003, à portée des missiles balistiques ennemis, et poussent le pays à se doter d'un armement offensif, et non plus seulement défensif. D'ores et déjà, le Japon a lancé des satellites de surveillance indépendants du dispositif mis à disposition par les États-Unis. ■

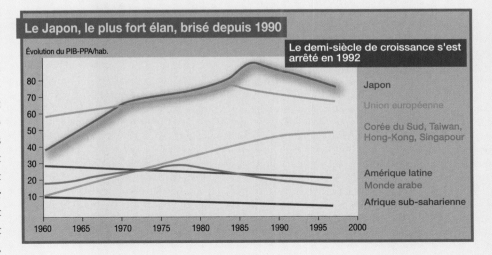

Le Japon, le plus fort élan, brisé depuis 1990

Évolution du PIB-PPA/hab.

Le demi-siècle de croissance s'est arrêté en 1992

Japon
Union européenne
Corée du Sud, Taiwan, Hong-Kong, Singapour

Amérique latine
Monde arabe
Afrique sub-saharienne

La Chine

*« ...un géant territorial,
démographique et militaire... »*

ENTRE UN PASSÉ IMMENSE et un avenir qui devrait l'être, la Chine et l'Inde vivent un présent hésitant depuis cinquante ans ; elles vivent le premier temps de la liberté, après l'assujettissement colonial explicite (pour l'Inde) ou masqué qui les pénalisa jusqu'au milieu du XXe siècle. Leur poids géopolitique ira croissant à plusieurs titres. Puissances démographiques : le milliard d'habitants de l'Inde doublera dans trente ans et dépassera la Chine ; puissances militaires : elles sont toutes deux dotées de l'arme atomique ; puissances agricoles : aux deux premiers rangs mondiaux des productions de blé et de riz, elles cumulent 30% de la production de l'un et plus de la moitié de l'autre. Enfin, ces deux pays seront bientôt des puissances économiques insérées dans le commerce mondial, leur fort taux de croissance de la dernière décennie en témoigne (environ 10 % par an).

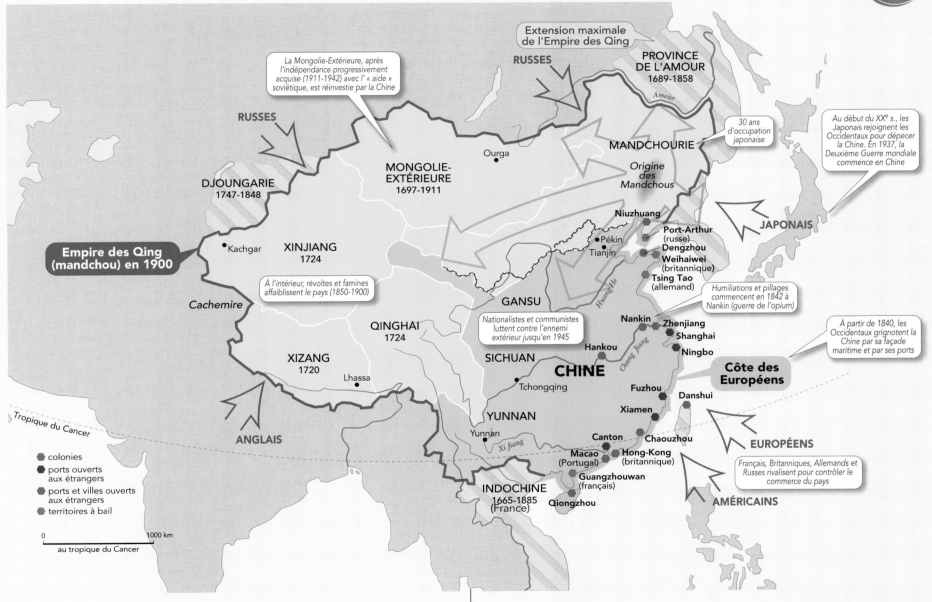

Extension maximale de l'Empire des Qing

La Mongolie-Extérieure, après l'indépendance progressivement acquise (1911-1942) avec l' « aide » soviétique, est réinvestie par la Chine

RUSSES

RUSSES

PROVINCE DE L'AMOUR 1689-1858

Amour

MANDCHOURIE

Origine des Mandchous

30 ans d'occupation japonaise

Au début du XXᵉ s., les Japonais rejoignent les Occidentaux pour dépecer la Chine. En 1937, la Deuxième Guerre mondiale commence en Chine

Ourga

DJOUNGARIE 1747-1848

MONGOLIE-EXTÉRIEURE 1697-1911

Niuzhuang

Port-Arthur (russe)

JAPONAIS

Empire des Qing (mandchou) en 1900

Kachgar

XINJIANG 1724

Pékin
Tianjin

Dengzhou

Weihaiwei (britannique)

Tsing Tao (allemand)

Cachemire

À l'intérieur, révoltes et famines affaiblissent le pays (1850-1900)

Huang He

Humiliations et pillages commencent en 1842 à Nankin (guerre de l'opium)

GANSU

QINGHAI 1724

Nankin

Zhenjiang

À partir de 1840, les Occidentaux grignotent la Chine par sa façade maritime et par ses ports

Nationalistes et communistes luttent contre l'ennemi extérieur jusqu'en 1945

Shanghai

Hankou

Chang Jiang

Ningbo

XIZANG 1720

SICHUAN

CHINE

Côte des Européens

Lhassa

Tchongqing

Fuzhou

Danshui

YUNNAN

Xiamen

Tropique du Cancer

ANGLAIS

Yunnan

Xi Jiang

Canton

Chaouzhou

EUROPÉENS

- ● colonies
- ● ports ouverts aux étrangers
- ● ports et villes ouverts aux étrangers
- ● territoires à bail

Macao (Portugal)

Hong-Kong (britannique)

Français, Britanniques, Allemands et Russes rivalisent pour contrôler le commerce du pays

Guangzhouwan (français)

INDOCHINE 1665-1885 (France)

Qiongzhou

AMÉRICAINS

0   1000 km

au tropique du Cancer

La Chine

*« ...son ouverture au monde,
une quête de puissance... »*

La Chine, le réveil de l'empire du Milieu

La Chine est depuis des siècles un géant territorial et démographique, depuis quarante ans un géant militaire et, désormais, un géant économique. Ce n'est pas seulement le deuxième pays du monde par la surface (près de 10 millions de km²). C'est aussi le premier par le nombre de ses habitants, en régression relative sur le long terme : le tiers de la population mondiale au XVIIIe siècle, avec 450 millions d'habitants, deux fois moins aujourd'hui avec 1,3 milliard. Enfin, elle rejoint en 1964 le « club » des pays détenteurs de l'arme nucléaire. Malgré le troisième PNB mondial (derrière les États-Unis et l'Europe, mais devant le Japon, si l'on calcule en parités de pouvoir d'achat), et malgré une croissance économique régulière et très forte, la Chine reste un pays sous-développé dont la population est très majoritairement pauvre.

La Chine se voit depuis l'Antiquité comme l'empire du Milieu : puissance continentale, elle a négligé depuis toujours ses frontières maritimes. Elle est l'héritière d'une civilisation considérable qui a profondément influencé ses voisins (Japon, Corée, Viêtnam) sans jamais chercher à les conquérir.

Pour comprendre sa position actuelle sur l'échiquier mondial, il faut remonter au XIXe siècle, qui est un moment de faiblesse intense après l'apogée du XVIIIe (la surface du pays atteint alors 12 millions de km², auxquels il faut ajouter les États vassaux de Corée, Thaïlande, Birmanie, Népal).

À partir du milieu du XIXe siècle, la Chine, agressée par l'Occident, fut l'objet d'un dépeçage en règle de la part de puissances européennes avides d'espace bien au-delà de leurs terres d'Afrique. La guerre de l'Opium de 1840-1842, provoquée par le Royaume-Uni, force l'ouverture de la Chine à l'Occident. Chacune pour son compte, parfois ensemble, les puissances étrangères grignotent le territoire : par une série de « traités inégaux », toutes obtiennent l'ouverture de ports avec des avantages exorbitants (une centaine de ports, y compris Shanghai, le plus important) ; toutes ensemble interviennent dans la révolte des Boxers, en 1900, suscitant un mouvement nationaliste, notion jusque-là inconnue en Chine. Dans les amputations territoriales, chacun a sa part, agrandie entre 1850 et la fin du siècle : au nord, les Russes contrôlent la province de l'Amour en 1858, puis le Xinjiang et la Mongolie ; à l'ouest, les Britanniques s'emparent du Tibet et de la Chine centrale ; au sud, les Français des provinces côtières du Yunnan et du Guangxi. Les Japonais, qui ont pris le Fujian (en face de Taiwan) et supprimé la tutelle de la Chine sur la Corée, se révèlent ensuite les plus dangereux des envahisseurs ; ils tentent de transformer la Chine en colonie à partir de 1937. Les Américains aident indirectement la Chine par leur politique d'ouverture commerciale, qui limite certains empiètements de souveraineté.

Par la lutte nationaliste de la première moitié du XXe siècle, la Chine retrouve sa souveraineté, notamment contre l'envahisseur japonais combattu de 1937 à 1945. La bombe atomique lancée sur Hiroshima en 1945 arrête ce processus d'appropriation ; la Chine, appartenant au camp des vainqueurs, peut trouver place dans le concert des grandes nations. Peu après, en 1949, la victoire revient aux communistes après trois décennies de luttes entre les deux grands mouvements nationalistes. La

république populaire de Chine est proclamée, s'appuyant au départ sur l'aide soviétique jusqu'au « Grand Bond en avant ». Staline tente de manipuler Mao et le pousse à intervenir dans la guerre de Corée en 1950, et la Chine est mise au ban de la communauté internationale pour vingt ans. La rupture avec l'Union soviétique, grande concurrente planétaire dans les pays du tiers-monde, correspond à une ouverture vers les États-Unis, au début des années 70 ; la Chine entre à l'ONU en 1971. La « décollectivisation » de l'économie commencée peu après la mort de Mao (1976) accompagne ce mouvement d'ouverture générale. La Chine, en voie d'apaisement, négocie le retour dans son giron de Macao (portugais) et de Hong-Kong (britannique). L'effondrement soviétique de 1990 rend la Chine moins stratégique dans les jeux de *containment* américains. Le recul mondial du communisme ne l'épargne pas et la société se trouve écartelée entre le système politique, dirigiste et figé d'un côté, et l'économie, de plus en plus dynamique et ouverte sur le monde « libéral ». Un premier signe en est l'adhésion à

l'OMC (Organisation mondiale du commerce) en 2002. La volonté d'organiser les Jeux olympiques de 2008, vitrine planétaire, souligne aussi l'effort d'image que ses dirigeants sont prêts à consentir. Dans ce contexte, comment sera traitée la « région autonome » du Tibet, petit territoire de tradition bouddhiste logé au cœur de l'Himalaya (2 millions d'habitants) annexé en

1951 et soumis depuis à une alternance de phases de répression et de sinisation ? Et surtout, comment récupérer Taiwan, symbole de réussite économique, et qui satisferait l'aspiration à l'unité et couronnerait la quête de puissance, au nom de laquelle la Chine est prête à bien des efforts, y compris à l'égard des États-Unis ? ∎

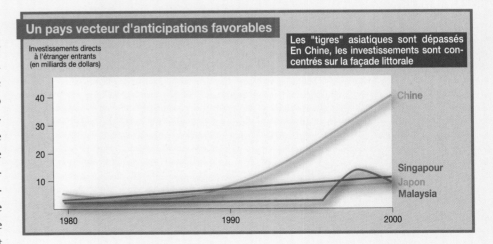

Un pays vecteur d'anticipations favorables

Les "tigres" asiatiques sont dépassés
En Chine, les investissements sont concentrés sur la façade littorale

Investissements directs
à l'étranger entrants
(en milliards de dollars)

40

30

20

10

1980   1990   2000

Chine

Singapour
Japon
Malaysia

L'Inde

*« ...de la colonisation
à la partition, un pays qui trouve
enfin ses frontières... »*

L'INDE se définit comme « la plus grande démocratie du monde ». Ce pays a la taille d'un sous-
continent (un sous-ensemble du continent
asiatique), faisant cohabiter des populations hétérogènes. Le jeune État contribue à placer le centre de
gravité démographique de la planète dans l'Asie du
Sud-Est : un habitant de la planète sur trois est chinois ou indien. Le milliard d'Indiens (la population a
triplé en 50 ans) se répartit sur un territoire trois fois
inférieur à celui de la Chine.

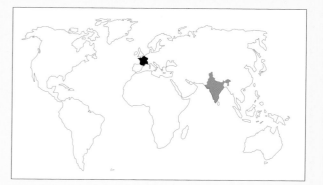

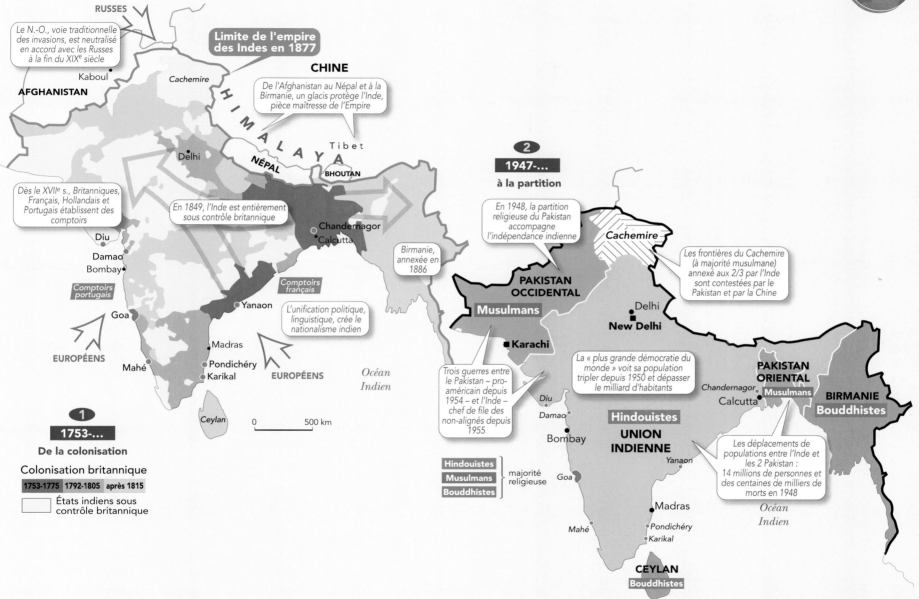

Turbulences et Permanences

RUSSES

Le N.-O., voie traditionnelle des invasions, est neutralisé en accord avec les Russes à la fin du XIXᵉ siècle

Kaboul

AFGHANISTAN

Cachemire

Limite de l'empire des Indes en 1877

CHINE

De l'Afghanistan au Népal et à la Birmanie, un glacis protège l'Inde, pièce maîtresse de l'Empire

H I M A L A Y A

Tibet

Delhi

NÉPAL

BHOUTAN

2

1947-...

à la partition

En 1948, la partition religieuse du Pakistan accompagne l'indépendance indienne

Dès le XVIIᵉ s., Britanniques, Français, Hollandais et Portugais établissent des comptoirs

En 1849, l'Inde est entièrement sous contrôle britannique

Chandernagor
Calcutta

Cachemire

Les frontières du Cachemire (à majorité musulmane) annexé aux 2/3 par l'Inde sont contestées par le Pakistan et par la Chine

Diu

Comptoirs portugais

Damao
Bombay

Birmanie, annexée en 1886

PAKISTAN OCCIDENTAL

Musulmans

Delhi

New Delhi

Yanaon

Comptoirs français

L'unification politique, linguistique, crée le nationalisme indien

Goa

EUROPÉENS

Mahé

Madras

Pondichéry
Karikal

EUROPÉENS

Océan Indien

■ **Karachi**

Trois guerres entre le Pakistan – pro-américain depuis 1954 – et l'Inde – chef de file des non-alignés depuis 1955

La « plus grande démocratie du monde » voit sa population tripler depuis 1950 et dépasser le milliard d'habitants

Diu

Damao

Hindouistes

UNION INDIENNE

Chandernagor
Calcutta

PAKISTAN ORIENTAL

Musulmans

BIRMANIE

Bouddhistes

Les déplacements de populations entre l'Inde et les 2 Pakistan : 14 millions de personnes et des centaines de milliers de morts en 1948

Yanaon

Bombay

Goa

1

1753-...

De la colonisation

Colonisation britannique

| 1753-1775 | 1792-1805 | après 1815 |

☐ États indiens sous contrôle britannique

Ceylan

0   500 km

Hindouistes

Musulmans ⎱ majorité religieuse

Bouddhistes

Madras

Pondichéry

Mahé

Karikal

Océan Indien

CEYLAN

Bouddhistes

L'Inde

« ...l'Union indienne, union de langues,
de religions et d'ethnies... »

L'émancipation d'une puissance régionale

La colonisation britannique qui dure un siècle et demi n'est qu'une parenthèse pour cette civilisation millénaire. Le pays passe, en quelques décennies, d'un rang de colonie au rang de puissance régionale ; il assume un rôle d'animation des non-alignés depuis la conférence de Bandung (1955) : refus du monde bipolaire où les faibles doivent choisir leur camp. La violence internationale se double ici d'une violence chronique interne au pays – très liée au conflit entre musulmans et hindous –, violence qui ne décroît pas.

L'Union indienne se constitue comme une association d'États. Elle est une union de langues : une quinzaine ont une existence officielle, aux côtés de l'hindi (25 % de locuteurs), principale langue indo-européenne, et de plusieurs langues dravidiennes, au sud. Elle est aussi une union de religions : à côté de l'hindouisme très majoritaire, l'islam compte 120 millions de fidèles (soit autant que l'ensemble du Maghreb) ; loin derrière, les 2 % de chrétiens et les 2 % de sikhs semblent peu nombreux, mais leur concentration géographique nuance l'apparente faiblesse numérique globale et l'importance socioéconomique des sikhs. Enfin, elle est une union d'ethnies. Toutes ces composantes tentent de se fondre dans une nation, qui ne se veut pas fédération.

L'Inde connaît une deuxième moitié de XXe siècle marquée par les conséquences de la proclamation de l'indépendance en 1947, obtenue après vingt ans d'association progressive au pouvoir britannique. Mais cette indépendance s'est acquise sur un territoire immédiatement amputé de l'État pakistanais.

La décolonisation de l'Inde menée par « le père de la nation », le mahatma Gandhi, aurait pu constituer un modèle, pour l'Afrique notamment. La création du Pakistan, sur une base religieuse (en tant qu'État musulman), provoque des massacres et jette 14 millions de réfugiés sur les routes. Cette partition assoit l'idée d'une nation musulmane homogène ; les hindous doivent quitter le nouveau pays. Puis l'est du Pakistan, séparé géographiquement de 1000 km, donne naissance au Bangladesh en 1971, traumatisme supplémentaire. Depuis, des conflits opposent régulièrement les deux pays. Le Cachemire, territoire himalayen partagé entre l'Inde, la Chine et le Pakistan, constitue le point de friction le plus constant, avec une recrudescence des affrontements depuis la fin des années 1990 ; cette mosaïque d'ethnies, de religions, de langues, est située sur une aire que chacune des trois puissances nucléaires d'Asie estime stratégique.

Dans toute l'Inde, des nationalismes ethniques et des fondamentalismes religieux nourrissent la violence de militants extrémistes : le mahatma Gandhi fut assassiné par un hindou en 1949, Indira Gandhi, la fille de Nehru, fut assassinée par deux sikhs en 1984, tandis que son fils Rajiv Gandhi fut assassiné, probablement par un tamoul en 1991. Même s'ils ne sont pas représentatifs, ces extrémismes ont une influence sur la vie politique intérieure.

À l'extérieur, le jeu d'alliances de l'Inde, puissance régionale, est en partie déterminé par ses voisins : le Pakistan est un allié des États-Unis depuis 1954, dans une stratégie antisoviétique (le *containment*, toujours); le Pakistan s'opposant à l'Inde, l'Inde a signé un traité d'amitié avec l'URSS en 1971. À l'axe Washington-Islamabad-Pékin s'oppose l'axe New Delhi-Moscou ; ici aussi, alliances tactiques plus que convergences profondes. L'effondrement soviétique produit toujours les mêmes effets : le Pakistan devient moins stratégique ; les États-Unis se rapprochent de l'Inde. Cependant les événements du 11 septembre 2001 ont permis à Islamabad de retrouver quelque utilité, concernant la difficile question afghane.

Du coup, l'opposition indo-pakistanaise est relancée ; les motifs de conflits – territoriaux, religieux, ethniques – se mélangent dans un contexte surarmé, par une diplomatie de bord de gouffre. Au temps des invectives succède celui de la surenchère atomique marqué par des campagnes de tirs réciproques en 1998 pour enfin aboutir à un état de guerre endémique dans le Cachemire. La vigueur de l'élan économique actuel apaisera-t-elle les crispations géopolitiques ? ■

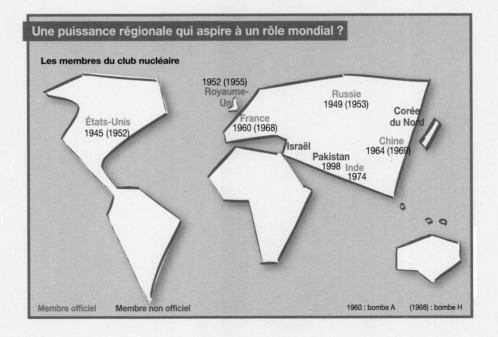

Une puissance régionale qui aspire à un rôle mondial ?

Les membres du club nucléaire

1952 (1955)
Royaume-Uni

Russie
1949 (1953)

Corée du Nord

États-Unis
1945 (1952)

France
1960 (1968)

Israël

Pakistan
1998

Chine
1964 (1969)

Inde
1974

Membre officiel   Membre non officiel   1960 : bombe A   (1968) : bombe H

L'Afrique, terre de conquête européenne

« ...une émancipation jusqu'alors inaccessible... »

L'EUROPÉOCENTRISME s'est exprimé très violemment en deux occasions : la conquête coloniale du continent africain au XIXe siècle, et la Première Guerre mondiale au début du XXe siècle.

Le continent africain cumule des handicaps naturels et climatiques et des handicaps politiques et géopolitiques. C'est la terre d'élection des « Parques surmortelles » (Alfred Sauvy) : guerres tribales ou autres, famines, pandémies et épidémies (le sida contribue à l'abaissement d'une espérance de vie déjà affaiblie par la dénutrition et la misère). La présence de ressources minières et pétrolières augmente encore les tensions au lieu de constituer l'occasion d'une émancipation progressive, comme celle qu'ont connue les pays arabes du nord du continent et sur la péninsule arabique.

LES GRANDS PRÉDATEURS

Français · Anglais · Anglais · Portugais · Anglais

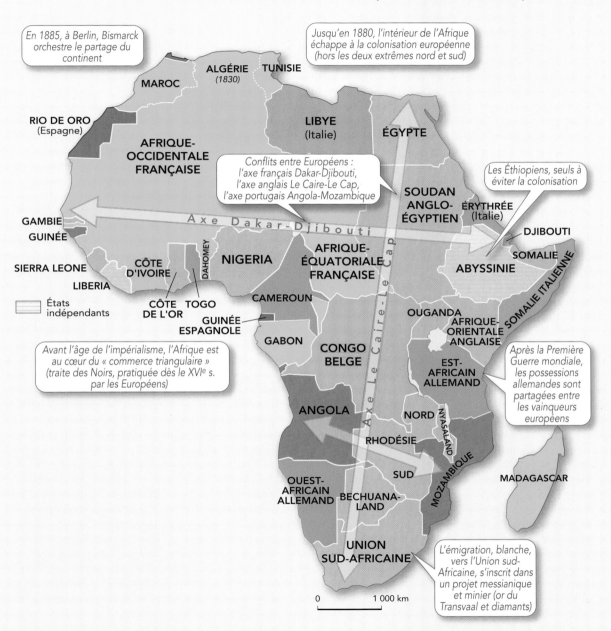

En 1885, à Berlin, Bismarck orchestre le partage du continent

Jusqu'en 1880, l'intérieur de l'Afrique échappe à la colonisation européenne (hors les deux extrêmes nord et sud)

MAROC

ALGÉRIE (1830)

TUNISIE

RIO DE ORO (Espagne)

LIBYE (Italie)

ÉGYPTE

AFRIQUE-OCCIDENTALE FRANÇAISE

Conflits entre Européens : l'axe français Dakar-Djibouti, l'axe anglais Le Caire-Le Cap, l'axe portugais Angola-Mozambique

SOUDAN ANGLO-ÉGYPTIEN

ÉRYTHRÉE (Italie)

Les Éthiopiens, seuls à éviter la colonisation

GAMBIE

GUINÉE

Axe Dakar-Djibouti

DJIBOUTI

SIERRA LEONE

CÔTE D'IVOIRE

DAHOMEY

NIGERIA

AFRIQUE-ÉQUATORIALE FRANÇAISE

SOMALIE

ABYSSINIE

SOMALIE ITALIENNE

LIBERIA

États indépendants

CÔTE DE L'OR

TOGO

CAMEROUN

GUINÉE ESPAGNOLE

Axe Le Caire-Le Cap

OUGANDA

AFRIQUE-ORIENTALE ANGLAISE

GABON

CONGO BELGE

EST-AFRICAIN ALLEMAND

Après la Première Guerre mondiale, les possessions allemandes sont partagées entre les vainqueurs européens

Avant l'âge de l'impérialisme, l'Afrique est au cœur du « commerce triangulaire » (traite des Noirs, pratiquée dès le XVIe s. par les Européens)

ANGOLA

NORD

NYASALAND

RHODÉSIE

SUD

MOZAMBIQUE

MADAGASCAR

OUEST-AFRICAIN ALLEMAND

BECHUANA-LAND

UNION SUD-AFRICAINE

L'émigration, blanche, vers l'Union sud-Africaine, s'inscrit dans un projet messianique et minier (or du Transvaal et diamants)

0   1 000 km

L'Afrique, terre de conquête européenne

« …de terrae incognitae à terres délaissées, un continent ravagé par des catastrophes humanitaires… »

AU XVIᵉ SIÈCLE, les terres africaines sont passées du statut de *terres inconnues (terrae incognitae)* à celui de terres à exploiter. La traite des esclaves est une première catastrophe humanitaire qui dure deux cents ans, jusqu'au début du XIXᵉ siècle, au profit de l'Europe : plus de 15 millions de déportés.

La deuxième catastrophe est celle de la colonisation en profondeur, qui commence brutalement dans les années 1870 : trente ans plus tard, la quasi-totalité du continent est sous tutelle européenne. Comment l'expliquer ? Tout d'abord par le contexte de rivalité économique entre nations européennes, touchées par la dépression des années postérieures à 1875 ; cette même dépression, dont les effets sont renforcés en Italie par la forte croissance démographique, alimente l'émigration aux États-Unis. Ensuite, la lutte des nationalismes français, allemand, anglais et italien trouve un exutoire en Afrique ; et depuis la défaite de 1871, Paris, mortifié par l'amputation de l'Alsace-Lorraine, reçoit un encouragement discret de Londres et même paradoxalement de Berlin, à s'installer en Afrique pour satisfaire un nationalisme blessé.

Les frontières sont négociées entre Européens, et tracées au crayon sur la carte sans tenir compte des peuples autochtones. Les territoires sont échangés comme au jeu : la carte politique de l'Afrique reflète les rapports de forces en Europe, dans une course des mercantilismes nationaux indifférents aux droits de l'homme. Le Royaume-Uni se taille la part du lion, à l'est du continent, sur l'axe Le Caire-Le Cap : au total, les deux tiers du continent sont intégrés à un empire mondial administré en souplesse. La France s'empare du quart nord-ouest, le long d'une diagonale Dakar-Djibouti. L'Allemagne obtient trois territoires, qu'elle perd à la fin de la Première Guerre mondiale. L'Italie s'empare de l'Érythrée, tandis que le Portugal conserve des reliquats issus de ses grandes explorations du XVIᵉ siècle. Seul le Congo, ancienne possession personnelle du roi des Belges, se voit reconnaître une relative autonomie, d'ailleurs fictive, lors du partage du continent que l'Europe organise à Berlin (1885).

La troisième catastrophe humanitaire est, au XXe siècle, un processus de décolonisation suivi d'une entrée tardive dans la guerre froide ; les superpuissances instrumentalisent une fois de plus le continent. Les États-Unis brandissent leur statut d'ancienne colonie libérée de la tutelle britannique pour se faire le chantre de la disparition des empires coloniaux : ils cherchent aussi à en profiter et à supplanter les anciennes puissances européennes. Les Soviétiques, anti-impérialistes de façade, cherchent à mobiliser les masses prolétariennes du tiers-monde sur toute la planète. L'ensemble des fronts ouverts durant la période de la guerre froide fait 13 millions de morts, dans des conflits qui sont tous situés dans le tiers-monde (africain et asiatique), et presque tous motivés par le contexte de la décolonisation. Ce qu'on appelle l'après-guerre n'est qu'un effet d'optique européocentré : l'après-guerre concerne seulement l'Occident. Et la fin de la guerre froide a réveillé d'autres logiques de conflits, tout aussi meurtriers, dans la quasi-indifférence internationale. Les chiffres de populations réfugiées ou déplacées ne baissent pas avec le temps, de la corne de l'Afrique

jusqu'à l'Angola en passant par la zone des grands lacs, et de la Sierra Leone au Liberia. Les pays, un temps magnifiés pour leur capacité à conduire des politiques de sortie du sous-développement – « miracle » algérien, ivoirien… – sont devenus des zones de guerre civile et de violence endémique.

L'Afrique est un enjeu européen du XVIe au XIXe siècle ; aujourd'hui l'Afrique n'est plus qu'une périphérie délaissée (elle ne pèse que 2 % des échanges mondiaux), et son métabolisme politique, culturel et économique, déréglé de l'extérieur, peine à retrouver un niveau d'équilibre. Enfin, les règles de l'écono-

mie mondialisée écartent l'Afrique des bénéfices de l'évolution technoscientifique, qu'il s'agisse de développement économique ou même de survie médicale : l'explosion du sida y demeure largement incontrôlée, dans des aires de destructuration du collectif (communauté, État). Et la résistance des pays du « Nord », qui rechignent à libéraliser l'accès à des médicaments moins coûteux (pour s'éviter le risque d'une concurrence en retour), ne facilite pas les solutions à cette pandémie, aux dimensions tout autant culturelles, sociales et économiques que démographiques. ■

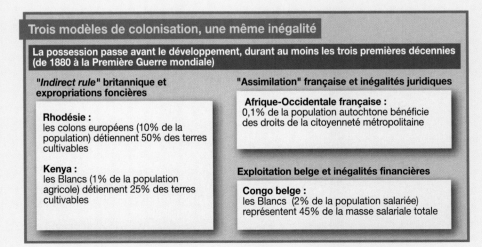

Trois modèles de colonisation, une même inégalité

La possession passe avant le développement, durant au moins les trois premières décennies (de 1880 à la Première Guerre mondiale)

"Indirect rule" britannique et expropriations foncières

Rhodésie : les colons européens (10% de la population) détiennent 50% des terres cultivables

Kenya : les Blancs (1% de la population agricole) détiennent 25% des terres cultivables

"Assimilation" française et inégalités juridiques

Afrique-Occidentale française : 0,1% de la population autochtone bénéficie des droits de la citoyenneté métropolitaine

Exploitation belge et inégalités financières

Congo belge : les Blancs (2% de la population salariée) représentent 45% de la masse salariale totale

L'Afghanistan, terre enclavée

« …un pays historiquement

pris en tenailles

entre les zones d'influence

russe et britannique… »

L'AFGHANISTAN, voie de passage millénaire, a connu tous les envahisseurs de l'histoire asiatique, d'Alexandre le Grand à Gengis Khan. Terre enclavée, l'Afghanistan est resté longtemps un pays arriéré. La vitesse d'évolution de cette société tribale à nombreuses composantes a entraîné, il y a plus de vingt ans, des conflits internes entre les activistes marxisants et les extrémistes musulmans. L'URSS souhaite sauvegarder le récent régime communiste et préserver de la contagion islamiste ses républiques musulmanes. Son intervention est un naufrage. Mais l'échec de ses vainqueurs dans la construction de la nation, et leur soutien au terrorisme, après les événements de septembre 2001, finissent par susciter l'intervention américaine de 2001, et leur fuite.

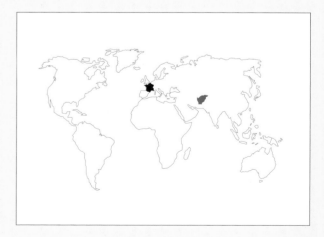

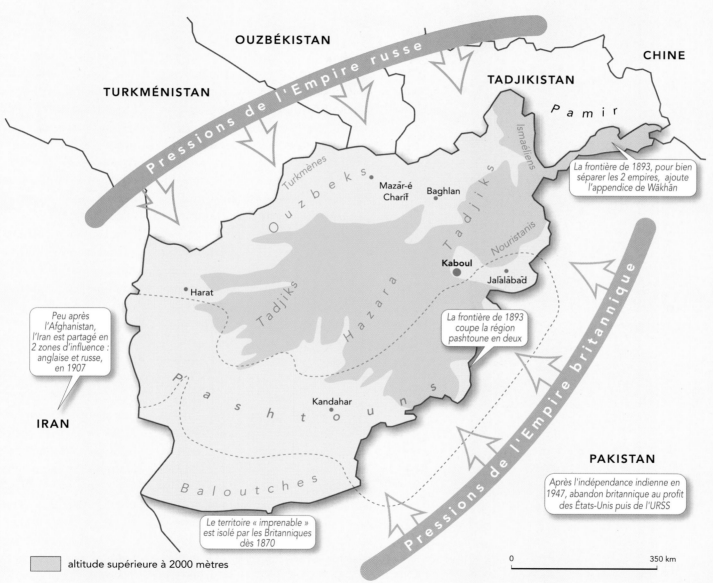

OUZBÉKISTAN

CHINE

TURKMÉNISTAN

TADJIKISTAN

Pamir

Pressions de l'Empire russe

La frontière de 1893, pour bien séparer les 2 empires, ajoute l'appendice de Wākhān

Turkmènes

Ismaëliens

Mazār-é Charif   Baghlan

Ouzbeks

Tadjiks

Nouristanis

Kaboul

Jalālābād

Peu après l'Afghanistan, l'Iran est partagé en 2 zones d'influence : anglaise et russe, en 1907

• Harat

Tadjiks

Hazara

La frontière de 1893 coupe la région pashtoune en deux

Pressions de l'Empire britannique

IRAN

Pashtouns

Kandahar

PAKISTAN

Après l'indépendance indienne en 1947, abandon britannique au profit des États-Unis puis de l'URSS

Baloutches

Le territoire « imprenable » est isolé par les Britanniques dès 1870

Pressions de l'Empire britannique

altitude supérieure à 2000 mètres

0   350 km

L'Afghanistan, terre enclavée

*Voici encore un pays
dont les frontières
ont été tracées de l'extérieur,
en 1890, par deux puissances
impérialistes.
En effet, ces frontières
résultent d'un compromis
entre l'Angleterre et la Russie,
pour neutraliser
cet important carrefour.*

KABOUL ET PESHAWAR constituent une passe très ancienne : elle appartient à un axe est-ouest – les routes de la soie et des épices – qui fait communiquer la Chine avec l'Inde, avec la Perse, avec le Moyen-Orient, avec l'Europe.

Kaboul est situé au point de rencontre des stratégies expansionnistes, antagonistes, du Royaume-Uni et de la Russie au XIX\ e\ siècle : entre « la baleine », puissance maritime, et « l'ours », géant continental. Pour des raisons tactiques, elles décident de ne pas s'affronter pour Kaboul : elles sont préoccupées par la montée en puissance, de l'Allemagne (qui vient de remplacer le chancelier Bismarck, opposé à la course aux colonies).

Dans ce « Grand Jeu », où les puissances européennes se concurrencent pour le contrôle de l'espace, le Royaume-Uni et la Russie ont de l'avance en Asie.

D'un côté, l'Empire britannique progresse en Asie en prenant appui sur l'empire des Indes. Le Royaume-Uni tient aussi à protéger sa principale colonie, et ses immenses ressources, depuis qu'elle arrache à sa rivale française ses comptoirs indiens en 1763. L'Angleterre a prévenu tout risque de retour français en étendant sa colonie à tout le territoire – processus finalisé en 1849 – et en encadrant les frontières terrestres par un glacis protecteur : alliance avec le Népal, annexion de la Birmanie ; mais les tentatives de contrôle de l'Afghanistan échouent en de mémorables défaites : les deux guerres coloniales de 1839-1842 et de 1878-1881.

De l'autre côté, l'Empire russe se presse aussi de conquérir l'Asie vers l'est et le sud. De plus, le tsar cherche un accès maritime à son immense territoire continental. Descente obstinée vers les mers chaudes. La Russie fait reculer l'Empire ottoman déjà vieillissant et contrôle le pourtour de la mer Noire, de la Bessarabie jusqu'au Caucase ; elle organise, au sud de la Sibérie, une colonisation de peuplement sur les steppes du Kazakhstan (1846) ; et elle ajoute à son territoire toute l'aire du Turkestan (que Staline découpera plus tard en cinq Républiques selon des frontières biscornues), autour de Boukhara et Tachkent, au sud de la mer d'Aral.

La configuration territoriale de l'État tampon vise à séparer l'empire tsariste et l'empire des Indes, expliquant ainsi la languette dépassant dans le massif du Pamir. Puis le pays est isolé de toute influence extérieure par les Britanniques. Car la Russie recule après 1904. La défaite face au Japon et la révolution ratée de 1905 mettant le tsar en position de faiblesse, l'Empire russe négocie : la Perse est divisée en zones d'influence russe au nord, anglaise au sud, les Anglais se gardant l'Afghanistan et lâchant le Tibet aux Chinois ; au point que, face à la *Weltpolitik* d'un Guillaume II de plus en plus agressif, la France, l'Angleterre et la Russie s'associent, formant ce qui devient la Triple-Entente dans l'enchaînement des crises menant à la Première Guerre mondiale.

L'Afghanistan ne retrouve son autonomie officielle qu'en 1921, au terme de la troisième guerre anglo-afghane. Les Britanniques continuent cependant à financer en sous-main les mollahs, freinant la modernisation du pays ; ils relâchent leur pression dès l'indépendance de l'Inde (1947). Dès lors, l'aide internationale afflue, sous une conduite partagée entre les États-Unis et l'URSS. Mais les États-Unis, au début des années 1970, délaissent le pays au profit de l'Iran, riche en pétrole. L'influence

de la coopération soviétique (les maigres élites se formant en URSS) débouche sur la proclamation de la première République, d'inspiration communiste. La concurrence entre les deux tendances marxistes qui se disputent le pouvoir pousse à une modernisation forcée ; alphabétisation des garçons et des filles, réformes agraires, réforme du douaire : l'ensemble déclenche une révolte populaire traditionaliste encadrée par des mouvements islamiques. L'ébranlement du gouvernement, ainsi que la crainte d'une contagion dans les républiques islamiques d'Asie centrale, pousse les Soviétiques à intervenir.

La période qui s'ouvre en 1979 est un mélange d'intervention de type colonial et de guerre civile opposant des régiments pro-communistes à des maquis islamiques. À Washington, l'intervention soviétique est interprétée comme une avancée vers les mers chaudes, dans le cadre des théories de Spykman (même si l'Inde se sent bien moins menacée par cette intervention que par l'hostilité du régime militaire nucléarisé de son voisin pakistanais). D'où la création-manipulation de forces de résistance islamistes – baptisées

freedom fighters « combattants de la liberté » – basées au Pakistan, financées par l'Arabie Saoudite, et équipées de matériel américain ultramoderne – missiles anti-aériens Stinger. Après le retrait unilatéral soviétique en 1989, les luttes pour le pouvoir débouchent sur l'instauration d'une république islamiste en 1992. Bientôt renversée par les jeux d'alliances intertribales fragilisés par les manipulations étrangères, elle fait place à un régime islamiste ultrarigoureux tenu par les talibans.

À la suite des attentats du 11 septembre 2001, menés par des extrémistes islamistes, la réaction militaire internationale conduite par les États-Unis chasse les talibans et instaure un régime composé de représentants de toutes les

tribus, sous l'égide de la communauté internationale.

Après vingt ans de guerre, une période de longue reconstruction s'ouvre, avec ses progrès et ses hésitations : relance de l'activité – dans une économie majoritairement agricole qui trouvait une part de son équilibre dans la culture du pavot ; relance de l'alphabétisation – dans un pays où les filles avaient été exclues ; greffe d'une communauté démocratique – dans un espace où les libertés fondamentales (de pensée, d'expression) n'étaient pas à l'abri des menaces armées des seigneurs de la guerre. Les attentats récurrents témoignent de la fragilité du nouvel État islamique (2003) et de sa Constitution – fruit de longs débats –, symbole de l'ordre nouveau voulu par Washington. ∎

Les défis cumulés de l'après-guerre

Espérance de vie	45 ans	Une des plus basses de la planète
Fécondité	6 enfants par femme	Une des plus hautes de la planète
Part de la population active agricole dans l'économie	85 %	Une des plus hautes de la planète, avec un retour de la culture du pavot (disparue sous les talibans)
Taux de scolarisation des enfants de 10 ans	50 %	La progression amorcée concerne les filles, libérées du confinement

L'écroulement de l'Empire ottoman

« ...une histoire largement conditionnée par sa situation de carrefour... »

DEPUIS SON APOGÉE sous Soliman le Magnifique au XVIe siècle, l'Empire ottoman recule, surtout à partir du XVIIIe siècle et devient le « vieil homme malade » de l'Europe. La crise s'accentue au XIXe siècle, jusqu'à la liquidation, consécutive à la Première Guerre mondiale.

L'empire contrôle deux carrefours géopolitiques : les Balkans, convoités d'un côté par les puissances occidentales et de l'autre par l'empire tsariste – pour les détroits Méditerranée-mer Noire ; le Moyen-Orient, qui attire de plus en plus le Royaume-Uni et la France à la fois pour des raisons historiques anciennes – intérêts religieux au Levant – et pour des motifs géostratégiques nouveaux – contrôle de la route des Indes depuis le percement du canal de Suez en 1869, rôle clé du pétrole.

Dès le XIXe siècle, les jeux de conquêtes des puissances européennes exploitent les nationalismes naissants, de la Grèce à l'Égypte. La crise spécifique aux Balkans dura de 1870 à 1914. Au Moyen-Orient, les perturbations se manifestèrent plus longtemps, jusqu'à l'indépendance des pays pétroliers, compliquée par l'apparition progressive de réserves d'hydrocarbures.

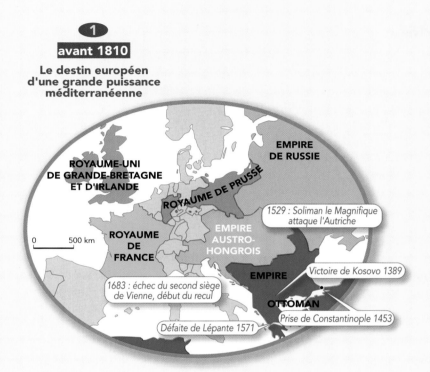

1 **avant 1810**

Le destin européen d'une grande puissance méditerranéenne

ROYAUME-UNI DE GRANDE-BRETAGNE ET D'IRLANDE

EMPIRE DE RUSSIE

ROYAUME DE PRUSSE

1529 : Soliman le Magnifique attaque l'Autriche

ROYAUME DE FRANCE

EMPIRE AUSTRO-HONGROIS

0   500 km

EMPIRE

Victoire de Kosovo 1389

1683 : échec du second siège de Vienne, début du recul

OTTOMAN

Prise de Constantinople 1453

Défaite de Lépante 1571

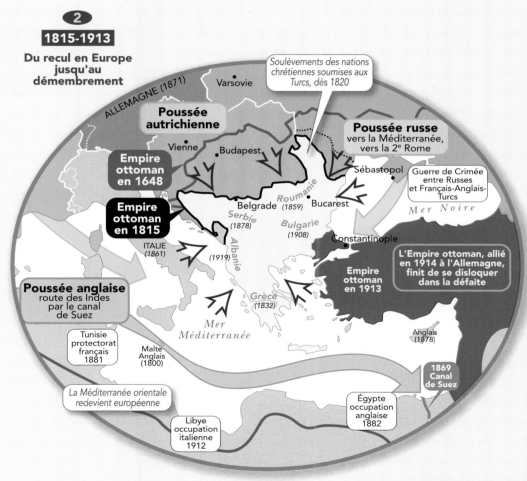

2 **1815-1913**

Du recul en Europe jusqu'au démembrement

Soulèvements des nations chrétiennes soumises aux Turcs, dès 1820

ALLEMAGNE (1871)   Varsovie

Poussée autrichienne

Poussée russe vers la Méditerranée, vers la 2e Rome

Vienne   Budapest

Empire ottoman en 1648

Sébastopol

Guerre de Crimée entre Russes et Français-Anglais-Turcs

Empire ottoman en 1815

Belgrade   Roumanie   Bucarest   *Mer Noire*

Serbie (1878)   *Bulgarie (1908)*

ITALIE (1861)   *Albanie (1919)*

Constantinople

Empire ottoman en 1913

L'Empire ottoman, allié en 1914 à l'Allemagne, finit de se disloquer dans la défaite

Poussée anglaise route des Indes par le canal de Suez

Grèce (1832)

Mer Méditerranée

Anglais (1878)

Tunisie protectorat français 1881

Malte Anglais (1800)

1869 Canal de Suez

La Méditerranée orientale redevient européenne

Égypte occupation anglaise 1882

Libye occupation italienne 1912

L'écroulement de l'Empire ottoman

« ...une peau de chagrin sous la pression expansionniste des Empires austro-hongrois et russe... »

LES BALKANS, POUDRIÈRE SÉCULAIRE. L'histoire des Balkans est largement conditionnée par sa situation de carrefour à l'extrémité sud de l'Europe et de l'Asie. Istanbul est la seule ville du monde à cheval sur deux continents ; Istanbul et le détroit des Dardanelles constituent aussi le point de passage ouvrant la Méditerranée à l'espace russe. Constantinople (Byzance) était la ville-capitale de l'orthodoxie ; Moscou s'en voulait l'héritière. Enfin, l'ampleur des trois systèmes montagneux qui rythment le paysage des Balkans ne favorise pas l'unification des particularismes – qui peuvent rester vivaces plus longtemps qu'ailleurs.

Depuis des siècles, les frontières naturelles, politiques, religieuses, culturelles fragmentent la région : déjà, la fin de l'Empire romain marquait la scission entre Rome et Byzance après le Ve siècle. Puis, à partir du XVe siècle, ce fut la progression de l'Empire ottoman – jusqu'aux portes de Vienne, dans sa plus grande extension européenne. Au total, les frictions s'accumulent entre catholiques et orthodoxes, entre orthodoxes et musulmans.

Le recul de l'Empire ottoman à la fin du XIXe siècle provoque une rupture de pente dans l'histoire. En cinquante ans, des territoires nationaux tentèrent de se dessiner. Mais le nombre de puissances européennes qui avaient des vues sur le carrefour ôta toute sérénité au processus.

L'Empire ottoman a pourtant voulu se moderniser une première fois, sur le modèle européen : l'enseignement et le droit sont laïcisés, une première Constitution est promulguée (la Turquie d'aujourd'hui est l'héritière de ce mouvement). Mais les revers militaires des années 1875-1881 lui arrachent de vastes territoires : Roumanie, Serbie, Monténégro accèdent à l'indépendance, la Bulgarie devient alors autonome, la Bosnie est reprise par l'Autriche-Hongrie, et d'autres territoires sont cédés à la Russie, à la Grèce.

L'Empire austro-hongrois et l'Empire russe agrandissent leurs propres territoires dès les années 1870. Récupération-manipulation de la montée des nationalismes – l'Europe se morcelant du nord au sud au XIXe siècle – qui touche aussi l'aire balkanique : les nouveaux pays servent de paravents aux grands empires. La Bulgarie : créée de toutes pièces par la Russie. La Roumanie : taillée conjointement par la Russie et la France, par ailleurs alliées contre l'Allemagne. Le Monténégro, parrainé par la France de Napoléon III, et l'Albanie par toutes les puissances européennes, puis surtout par l'Italie. Le recul de l'Empire ottoman s'accélérant, tous les pays balkaniques s'unissent contre la Turquie afin de la repousser, plus loin et plus vite : première guerre balkanique, en 1912. Un an plus tard, la Bulgarie relance une deuxième guerre, cette fois contre tous ses précédents alliés, afin de récupérer une part plus importante du premier butin. La défaite est cuisante et la pousse à s'allier aux puissances centrales durant la Première Guerre mondiale (dont le prétexte est l'attentat de Sarajevo en 1914), dans l'espoir de regagner du territoire. La fin de la guerre est encore plus douloureuse pour les perdants, qui cherchent une revanche pendant la Deuxième Guerre mondiale. Le partage du monde de la conférence de Yalta fait passer les frontières entre zone d'influence soviétique et zone occidentale à travers les Balkans. La « tectonique des plaques » géopolitique y devient alors peu lisible. Du plus simple au plus compliqué : au nord, la Roumanie et la Bulgarie sont « socialistes », c'est-à-dire soviétisées, la Grèce est le pilier de l'OTAN sur son flanc sud, mais la Yougoslavie se voit reconnaître un statut particulier au sein de la zone

soviétique (elle est socialiste mais non-alignée), et l'Albanie oscille, d'abord pro-soviétique, puis pro-chinoise.

L'effondrement soviétique relance les questions nationales dans des termes datant d'avant la Première Guerre mondiale : l'influence russe reculant, c'est l'Europe qui avance jusqu'à la Turquie, en refractionnant l'entité yougoslave née de la Grande Guerre et maintenue autoritairement par Tito qui s'appuie sur la guerre froide pour exister dans et par le non-alignement. Dans la partie pauvre des territoires décomposés de l'ex-Yougoslavie et de l'Albanie, germent des mafias : les droits fondamentaux de l'homme et de la femme n'y sont plus respectés.

La normalisation en cours de l'aire balkanique laisse percevoir une nouvelle zone instable, située plus à l'est, du Caucase à l'Asie centrale. Un axe Iran-Russie s'oppose à l'axe Turquie-États-Unis, et structure les oppositions locales. Située sur le premier axe, l'Arménie chrétienne : alliée de la Russie contre l'Azerbaïdjan, lui-même islamique et allié aux États-Unis. Située sur le deuxième axe, la Tchétchénie : alliée de fait des États-Unis contre la Russie. Quant à l'actualité récente en Asie centrale, la réislamisation des ex-répu-

bliques d'URSS – soutenue par l'Arabie Saoudite et son allié américain – participe à la stratégie de refoulement utilisée contre la Russie.

Enfin, la guerre faite à l'Irak fragilise les équilibrages en cours du pays bicontinental, la Turquie, tiraillée entre les pressions financières de son allié américain, son tropisme européen et les pressions islamiques et islamistes. ■

La deuxième mort de l'Empire ottoman

1908 Alliance germano-ottomane : le projet de chemin de fer de Berlin-Bagdad, devenu Constantinople-Bagdad, est financé par un consortium détenteur des droits d'exploitation des ressources du sol de part et d'autre de la voie (1908, première découverte de pétrole au Moyen-Orient : en Perse) ; les Allemands sont majoritaires dans le consortium

1912 Le sultan laisse l'homme d'affaires arménien C. Goulbenkian, découvreur des richesses pétrolières de la Mésopotamie, créer la Turkish Petroleum Company (TPC). La guerre modifie l'équilibre entre Allemagne et Royaume-Uni. En 1920 l'exploration est élargie à tout l'Irak à peine créé. La part allemande dans la TPC est redistribuée entre les intérêts anglo-franco-américains. Le Royaume-Uni, majoritaire, en détient la moitié ; la France récupère les 25% de la part allemande ; les États-Unis ont le reste

1923 Mort officielle de l'Empire ottoman, désormais réduit à la seule Turquie républicaine de Mustafa Kemal (1924 : abolition du califat)

1928 Les États-Unis, minoritaires dans le consortium, font élargir encore l'espace de coopération, un an après la découverte du premier gisement irakien (Kirkük, 1927). Les anciennes frontières de l'Empire ottoman renaissent, le nouvel empire économique pétrolier est dirigé par les Britanniques : les participants du consortium, rebaptisé Irak Petroleum Company (IPC), s'engagent à exploiter ensemble toute ressource découverte à l'intérieur de la « ligne rouge » incluant l'Irak et la pénisule arabique

1940 La guerre modifie encore les équilibres. Un géologue américain pressent les réserves de l'Arabie Saoudite ; deux sociétés pétrolières indépendantes découvrent des gisements colossaux, mais les investissements les obligent à se tourner vers les majors, liées par l'accord IPC : les engagements, devenus une entrave, seront défaits. En 1945 : rencontre entre Roosevelt et Ibn Séoud, pour un contrat de cinquante ans - défense du régime contre pétrole

1948 Après négociations et procès, les compagnies américaines réussissent à défaire l'accord de l'IPC, et deviennent majoritaires dans l'exploitation pétrolière du Golfe

Le Moyen-Orient, des frontières tracées de l'extérieur

« …un carrefour culturel :

lien entre deux continents,

creuset de religions,

point de rencontre

entre les mondes perse,

turc et arabe… »

PLUS ENCORE que dans les Balkans, les frontières des pays de cette région proche de la Méditerranée orientale ont été tracées par les coups de crayon de puissances extérieures qui se partageaient les territoires des anciens empires ottoman et persan.

L'espace appelé Moyen-Orient par les Européens s'agrandit au fil du XXᵉ siècle, non par des conquêtes mais par l'élargissement du champ des préoccupations occidentales. Le pétrole (les deux tiers des réserves mondiales sont réputés se trouver dans la zone) est à la source de cet élargissement.

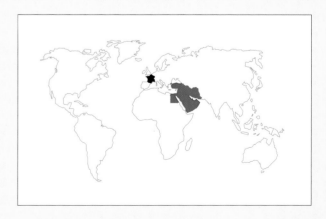

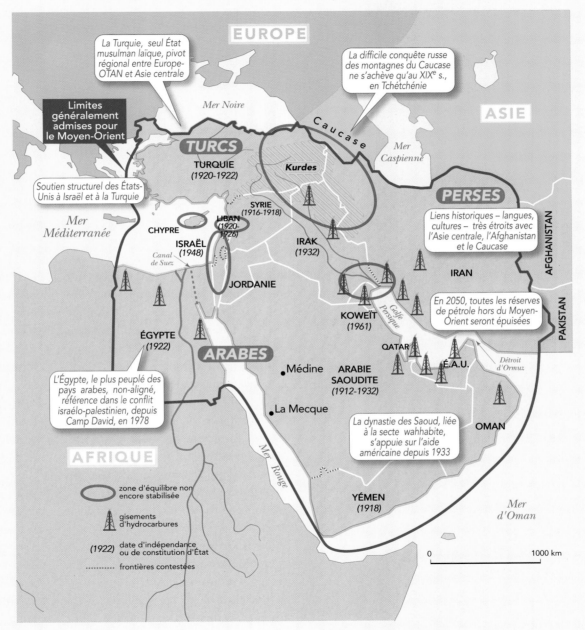

EUROPE

La Turquie, seul État musulman laïque, pivot régional entre Europe-OTAN et Asie centrale

La difficile conquête russe des montagnes du Caucase ne s'achève qu'au XIXᵉ s., en Tchétchénie

ASIE

Limites généralement admises pour le Moyen-Orient

Mer Noire

C a u c a s e

TURCS

TURQUIE
(1920-1922)

Kurdes

Mer Caspienne

PERSES

Soutien structurel des États-Unis à Israël et à la Turquie

Mer Méditerranée

SYRIE
(1916-1918)

LIBAN
(1920-1926)

CHYPRE

IRAK
(1932)

Liens historiques – langues, cultures – très étroits avec l'Asie centrale, l'Afghanistan et le Caucase

AFGHANISTAN

ISRAËL
(1948)

Canal de Suez

JORDANIE

IRAN

PAKISTAN

En 2050, toutes les réserves de pétrole hors du Moyen-Orient seront épuisées

KOWEÏT
(1961)

Golfe Persique

ÉGYPTE
(1922)

ARABES

QATAR

É.A.U.

Détroit d'Ormuz

• Médine

ARABIE
SAOUDITE
(1912-1932)

L'Égypte, le plus peuplé des pays arabes, non-aligné, référence dans le conflit israélo-palestinien, depuis Camp David, en 1978

• La Mecque

OMAN

La dynastie des Saoud, liée à la secte wahhabite, s'appuie sur l'aide américaine depuis 1933

AFRIQUE

Mer Rouge

YÉMEN
(1918)

Mer d'Oman

⬭ zone d'équilibre non encore stabilisée

🛢 gisements d'hydrocarbures

(1922) date d'indépendance ou de constitution d'État

.... frontières contestées

0   1000 km

Le Moyen-Orient, des frontières tracées de l'extérieur

« ...mais aussi un vaste carrefour géopolitique au cœur des enjeux énergétiques de la planète... »

Du Proche-Orient l'aire pertinente d'analyse de la question pétrolière est passée à l'ensemble qui englobe l'Irak et l'Iran, et désormais appelé « Moyen-Orient », suivant la terminologie anglo-saxonne, *Middle East*.

Avant d'être planétairement stratégique pour ses ressources pétrolières, cette zone est déjà importante, pour des raisons assez voisines de celles qu'on évoque à propos des Balkans : le Moyen-Orient est un carrefour à plusieurs dimensions. Lien entre deux continents, l'Afrique et l'Asie, isthme entre la Méditerranée et l'océan Indien, le canal de Suez est financé par les Européens. Creuset des trois religions monothéistes, aussi ; point de rencontre, enfin, entre le monde perse, le monde turc et le monde arabe – l'Égypte, l'Iran et la Turquie représentant les trois principaux États de la zone. Ils regroupent chacun environ 60 millions d'habitants, auxquels il faut ajouter les 20 millions de Kurdes et les 4 millions de Juifs.

Carrefour aussi de religions, elles-mêmes segmentées, et dont les représentants les plus importants sont les musulmans (230 millions) soit sunnites (les deux tiers), soit chiites (en Iran et Irak essentiellement) et les chrétiens (15 millions) soit orthodoxes (de la Turquie à la Syrie), soit coptes (en Égypte), soit maronites (600 000 au Liban).

Les Grandes Découvertes du XVIᵉ siècle tournent les énergies européennes vers les océans : l'Atlantique, le Pacifique et l'océan Indien. La Méditerranée et le débouché du Moyen-Orient perdent leur monopole stratégique, les routes commerciales vers l'Orient se brisent ; cela contribue à la longue éclipse qui affecte le Moyen-Orient de la fin du Moyen Âge au XIXᵉ siècle, en dehors des enjeux internes de l'islam.

Mais cet espace finit par apparaître pour ce qu'il est aussi : un vaste carrefour géopolitique à plusieurs étages. Le premier étage le place à la croisée des ambitions expansionnistes du Royaume-Uni en Asie et des volontés russes de s'ouvrir un accès sur les mers chaudes, via la Caspienne et le Caucase.

Le deuxième étage, apparu au tout début du XXᵉ siècle, le place au cœur des enjeux énergétiques de la planète : son pétrole est réclamé jusqu'au Japon. Vaste carrefour d'ambitions.

Après Napoléon III, initiateur de la mise en eau du canal de Suez en 1869, le Royaume-Uni s'engage en Égypte (un Arabe sur quatre est égyptien) et finit par la coloniser en 1882, en même temps que le reste de l'Afrique ; de même, les Britanniques veulent contrôler les rivages sud de l'Arabie, riverains de la route des Indes ; d'où la colonisation d'Aden en 1835 (le futur Yémen du Sud). Les empires ottoman et persan, vieillissants, offrent peu de résistance à la Russie, de 1830 à 1875. Après 1871, l'Allemagne commence à s'infiltrer dans le concert des impérialismes et s'appuie sur la Turquie pour peser contre la triple entente anglo-franco-russe. À partir de 1916, les Français obtiennent – par des négociations secrètes – en Syrie puis au Liban, les miettes non-pétrolières des Britanniques ; les mandats succèdent aux mandats. Les frontières sont dessinées sur le papier (les zones rouges pour les Anglais, bleues pour les Français, brunes sous administration internationale, vertes …), et sont remises en cause par chaque guerre mondiale. Mêmes causes et mêmes effets qu'en Afrique subsaharienne : il faut délimiter des zones d'influence pour départager les puissances prédatrices européennes. Mais l'Afrique, sans pétrole, est partagée d'un seul coup en 1885, alors que le Moyen-Orient, gorgé d'un pétrole dont les immenses réserves sont progressivement révélées, exige autant d'accords que de champs pétrolifères nouveaux, entre 1907 et 1945. Les États-Unis entrent dans le jeu, déverrouillant le monopole britannique en 1930 ; puis la maturation du nationalisme arabe et la dynamique de la décolonisation font sauter encore d'autres « protections ». Les enjeux financiers sont énormes, obligeant à fixer les frontières, lesquelles ne sont pas encore tracées partout avec précision (au sud de la péninsule arabique).

Pour les pétro-monarchies, la manne financière dans laquelle s'englue le pacte social depuis plus de cinquante ans – échange prospérité économique contre déficit démocratique – finit par se révéler contre-productive ; l'impossibilité de s'opposer suscite la violence, jusqu'aux excès terroristes (prises d'otages à La Mecque en 1979, attentats des années 1998 à 2001, du golfe Persique au Cachemire en passant par New York). La stratégie américaine des dominos, mise en œuvre par les concepteurs de la guerre d'Irak, trouve sa formule à partir des constats d'instabilité politique – et du caractère dangereux, à long terme, de cette instabilité et de ce déficit démocratique. Pire, les attentats du 11 septembre révèlent le rôle ambigu de l'Arabie Saoudite, protégée par Washington, mais qui finance les mouvements islamiques les plus violents. L'apaisement peut-il venir de la libération sociale (statut de la femme) et politique du pays (élections à l'échelon national) ? ∎

L'Arabie Saoudite, géant fragile

- ▶ Quasi-monopole des réserves mondiales de pétrole après 2050
- ▶ PIB/habitant élevé (7000 $, au 45ᵉ rang mondial)

mais

- ▶ Déficit de liberté (censure, accès limité aux T.V. et médias internationaux)
- ▶ Insuffisante promotion du savoir (57% des enfants n'atteignent pas le niveau du secondaire)
- ▶ Excès de chômage (estimation : près de 30 % de la population)
- ▶ Inégalités hommes-femmes (femmes : interdites de permis de conduire ou de passeport)

La surface de la planète Terre a-t-elle un centre ? Cette question, qui n'a guère de sens en géographie, en prend dès qu'elle est considérée en termes géoéconomiques ou géopolitiques. Sur ce plan, la question fut explicitement posée à partir du début du XXᵉ siècle. Après Ratzel, l'amiral Mahan, Mackinder, puis Spykman, ont tenté d'y répondre, avec les théories du *heartland* et du *rimland*.

En fait, tout cartographe apporte sa réponse implicite à la question du centre de la planète : représenter la quasi-sphère terrestre sous la forme d'une carte plate est impossible sans une double distorsion, dont seule la première a une solution. Les lois de la géométrie fournissent des règles de projection qui rendent compte de la distorsion des distances et des surfaces, et corrigent les effets de trompe-l'œil. Mais la deuxième distorsion, obligatoire, tient au centrage de toute carte en deux dimensions, qui vient se substituer à l'espace non centré d'une sphère. Ainsi, le planisphère que les Chinois connaissent est très différent de celui des Européens.

La question du centre et des grandes voies de circulation du globe éclaire les stratégies de puissance des États depuis le XVIᵉ siècle : extension continentale ou maîtrise des mers ? Dans leur stratégie d'extension territoriale, deux voies s'offraient aux États conquérants : faire le tour de la planète par les routes maritimes ou pousser les frontières sur la terre ferme. Les mers et océans recouvrent 70 % de la surface du globe et servent la première stratégie. Le plus grand empire de l'histoire moderne, l'Empire britannique, est ouvert par la Royal Navy. La deuxième stratégie s'appuie sur le fait que les terres émergées sont situées pour l'essentiel dans l'hémisphère nord ; et l'ensemble eurasiatique représente près de la moitié des terres émergées. L'Empire russe puis soviétique, le plus grand empire

REPRÉSENTER
LE MONDE AU
XXᵉ SIÈCLE

Représenter le monde au xxᵉ siècle

« ...le plus grand empire est-il terrestre ou maritime ?... »

continental de l'histoire moderne tient sa configuration de cette réalité. L'« ours » – qui vient des terres du nord – et la « baleine » – qui remonte de l'océan Indien – se rencontrent en Afghanistan, à la fin du xixᵉ siècle. Entre le plus grand empire terrestre et le plus grand empire maritime, le conflit est évité, par la création de l'État tampon afghan. Car à ce moment, surgit l'Allemagne, puissance nouvelle unifiant des terres autrement stratégiques. Le plus récent grand État continental dépasse la France, égale la Russie et s'apprête à rattraper le Royaume-Uni, sur le plan industriel ; surtout, la *Weltpolitik* affirmée de Guillaume II en fait un acteur qu'il faut surveiller. Il n'est plus temps, pour les Russes et les Britanniques, de distraire des forces en Asie centrale.

Bientôt, les jeux d'alliance montrent combien la théorie de « l'espace vital » trouve à se renforcer dans la représentation géopolitique.

Le xxᵉ siècle est le siècle d'une représentation graphique du monde tracée par des stratèges obsédés par les rapports de force qui structurent les reliefs géopolitiques. Un seul pays s'avérera capable de maîtriser à la fois la terre, l'eau, le ciel et le feu : les États-Unis.

La guerre d'Irak est-elle un conflit nord-sud, un « conflit de civilisations », un conflit pour le pétrole ? Comment comprendre la guerre d'Irak ? Il y faut un regard à la fois historique – un siècle de recul – et géographique – tantôt embrassant l'ensemble du Moyen-Orient, tantôt insistant sur les fractures internes au pays. Alors s'éclairent les enjeux – économiques, militaires, culturels –, les rapports de force, et leurs évolutions, pour une zone devenue stratégique il y a cent ans, et qui l'est restée pour d'autres raisons.

Le monde arabe cristallise les fractures mondiales. Il focalise les peurs « occidentales » : terrorisme et pénurie pétrolière. Le monde arabe souffre d'insuffisances culturelles et politiques qui handicapent son développement : liberté d'expression, émancipation des femmes, accès au savoir.

Paradoxe, la lutte contre le terrorisme depuis septembre 2001 rapproche le comportement du gouvernement des États-Unis de celui des gouvernements du monde arabe, servant de prétexte pour restreindre les libertés civiles et politiques. Mais aujourd'hui, il ne suffit pas de gagner une guerre. Il faut aussi gagner la paix. L'hyperterrorisme s'attaque aux alliés des État-Unis à coups d'attentats meurtriers.

À un niveau mondial, des luttes plus pacifiques quoique tout aussi stratégiques se mènent sur d'autres fronts : la science et la recherche. Les trois leaders pour l'effort de recherche et développement (Japon, Union européenne,

États-Unis) représentant près de 80 % de l'ensemble. L'argent, nerf de la guerre, est aussi le nerf de la recherche et celui, plus largement, de la vie économique en temps de paix. Le dollar reste le premier moyen de paiement dans les échanges internationaux. L'euro n'est pas maître de son destin : tant que les 25 pays composant l'Union européenne n'offriront pas une alternative réelle aux acheteurs de réserve internationaux, l'euro ne deviendra pas un vrai concurrent du dollar. Les États japonais et chinois continueront à acheter des dollars, en contrepartie de leurs excédents commerciaux. Le dollar reste ainsi la seule vraie monnaie de réserve à l'échelle des besoins mondiaux de réserves, et le taux de change de l'euro se déduit de celui du dollar.

Représenter le monde, c'est déjà induire l'action sur le monde : au-delà des enjeux pétroliers, financiers, monétaires qui préoccupent les 20 pays qui cumulent plus de 90 % de la richesse

mondiale, l'évolution de la pauvreté dans le monde est elle-même difficile à représenter. Le nombre de personnes vivant avec moins de 2 dollars par jour a légèrement progressé mais leur part relative dans la population mondiale a été divisée par deux pour tomber à moins de 20 %.

L'échec des négociations de l'OMC à

Cancún montre l'écart entre les déclarations de solidarité et les réalités. Les régions les plus pauvres de la planète ne réussissent pas à modifier les pratiques commerciales internationales. Une vache européenne reçoit plus de subventions (2 dollars par jour) qu'un être humain sur sept.

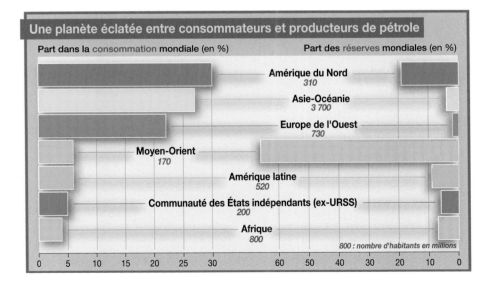

Une planète éclatée entre consommateurs et producteurs de pétrole

Part dans la consommation mondiale (en %) — Part des réserves mondiales (en %)

- Amérique du Nord — 310
- Asie-Océanie — 3 700
- Europe de l'Ouest — 730
- Moyen-Orient — 170
- Amérique latine — 520
- Communauté des États indépendants (ex-URSS) — 200
- Afrique — 800

800 : nombre d'habitants en millions

L'Eurasie, centre de gravité géopolitique du globe

« …le renversement de la perspective Nord-Sud habituelle fait percevoir la masse eurasiatique comme pivot des terres émergées… »

Une vision inhabituelle du monde, le nord en bas et le sud en haut, ou comment cerner le *heartland* « cœur du continent eurasiatique » de Mackinder et le *rimland* « les terres du bord » de Spykman. Dans cette perspective, l'Amérique apparaît comme une « île périphérique ».

Turbulences et Permanences

Mers et océans recouvrent 70% de la surface de la Terre

Australie

Océan Pacifique

Océan Indien

S — E — O — N

Afrique

Guerre du Viêtnam 1965-1975

LES AMÉRIQUES, PÉRIPHÉRIES DU MONDE

Amérique du Nord : « île périphérique », loin du cœur eurasiatique, puissante et vulnérable

Cuba 1962

Guerre de Corée 1950-1953

Guerres d'Afghanistan 1979-1989, 2001

Arabie Saoudite

Suez 1956

Océan Atlantique

Hawaii

Océan Atlantique

États-Unis : 5% de la population, mais le quart du PIB mondial

Japon

Frontière géoéconomique, riche en hydrocarbures : nouvel enjeu États-Unis/Russie/Japon

Corée du Sud

Iran

Irak

Rideau de fer

Même isolationniste, le pays est impliqué dans la conduite de la planète

Contentieux des Kouriles depuis 1905

Corée du Nord

Afghanistan

Caucase

Turquie

Caucase 1990-1994

France

« R I M L A N D »

OTAN

États baltes

L'Europe centrale, depuis 1990, échappe à la Russie

R U S S I E

« HEARTLAND »

1945-1990 : endiguement américain de la poussée soviétique

Heartland : cœur du continent eurasiatique, imprenable et menaçant de 1850 à 1940

stratégie du « containment », puis du « roll back »

Groenland

★ bases militaires américaines importantes

L'Eurasie, centre de gravité géopolitique du globe

« ...qui contrôle le cœur du monde commande à l'île du monde ; qui contrôle l'île du monde commande au monde... »

Terres centrales et terres du bord : *heartland* et *rimland*

Dès 1904, Halford Mackinder (1861-1947), amiral et géographe britannique, fait de l'ensemble des terres eurasiatiques le cœur du monde. Le *heartland* correspond à ce qui deviendra l'URSS, centre de l'île eurasiatique. « Qui contrôle le cœur du monde commande à l'île du monde ; qui contrôle l'île du monde commande au monde ». En 1943, Mackinder s'inquiétait : « Si l'Union soviétique sort de cette guerre en conquérant l'Allemagne, elle se classera comme la première puissance terrestre du globe. Elle sera en outre celle dont la position défensive sera stratégiquement la plus forte. Le *heartland* est la plus grande forteresse naturelle du monde ». La lutte du pangermanisme et du panslavisme au XXe siècle peut se lire à l'aide de cette représentation. L'Allemagne de Guillaume II et de Hitler, en 1914 comme en 1939, cher-che à s'étendre sur le continent et à conquérir l'Europe, autant vers l'Est slave que vers le Sud balkanique et vers l'Ouest. Yalta représente le compromis passé par l'URSS avec les États-Unis et la Grande-Bretagne qui cherchent à limiter l'extension de l'Empire soviétique, alors qu'elle tente de profiter de l'échec allemand.

Nicholas Spykman (1893-1943) estime que l'opposition entre l'Empire maritime britannique et l'Empire continental russe est bien modélisée par l'analyse de Mackinder pour le XIXe siècle. En revanche, les grands conflits du XXe siècle lui échappent en partie ; comment expliquer l'alliance entre la Grande-Bretagne et la Russie lors de la Première Guerre, ou le front commun entre États-Unis et Union soviétique lors de la Deuxième ? Pour Spykman, la stratégie doit moins porter sur la zone du *heartland* que sur celle du *rimland* (« les terres du bord »), espace intermédiaire-clé entre le *heartland*, cœur de continent, et les mers périphériques qui « fonctionne comme une vaste zone tampon de conflit entre les forces maritime et terrestre ». En Europe, la France et l'Allemagne font partie du *rimland*. Puis la partie continentale de la Turquie et de l'espace turcophone d'Asie centrale, prolongée par l'Asie des moussons, en un vaste croissant jusqu'à la Mandchourie. L'analyse de Spykman, mort en 1943, anticipe la géopolitique américaine de la deuxième moitié du XXe siècle : endiguement du *heartland* soviétique par une intervention militaire sur toute la frange du *rimland*. « Celui qui domine le *rimland* domine l'Eurasie ; celui qui domine l'Eurasie tient le destin du monde entre ses mains ».

Cette vision anglo-saxonne du centre du monde est fondamentalement stratégique. Il y en a d'autres (Spengler, Valéry …).

La stratégie américaine du *containment*

Idéologiquement, l'opinion publique des États-Unis serait volontiers isolationniste : pendant les deux conflits mondiaux, le pays attend d'être agressé pour entrer en guerre, en 1917 et en 1942. Mais le pays se trouve impliqué dans la conduite de la planète par son propre poids.

La sécurité des approvisionnements en pétrole, par exemple, a conduit les États-Unis à intervenir au Moyen-Orient dès 1935: la dynastie fondatrice de l'Arabie Saoudite lui doit tout.

À la fin de la Deuxième Guerre mondiale, les États-Unis assuraient la moitié du PIB du monde entier ; mais l'hégémonie économique n'empêcha pas l'insécurité idéologique. La lutte contre le communisme devint une

priorité, à l'intérieur du pays (maccarthysme) comme à l'extérieur (guerre froide), entraînant des excès qu'il fallut corriger.

La politique de *containment* (endiguement) de l'URSS visait à limiter l'extension du communisme. Pendant près d'un demi-siècle de guerre froide, jalonné d'interventions et de conflits chauds – Corée, Viêtnam, Afghanistan, Israël, Irak –, la suprématie américaine fut contestée de toutes parts. Sur le plan économique, le PNB de l'ensemble cumulé des concurrents européens et japonais rattrapa celui des États-Unis en 1970 ; le dollar s'effondra en 1971 et le système monétaire de Bretton Woods avec lui. Mais, tandis que les États-Unis faiblissaient, l'URSS s'enfonçait ; elle s'effondra en 1989. Le dessillement idéologique s'est ajouté aux coûts croissants de la course aux armements – prolifération nucléaire, puis révolution des techniques militaires.

La dernière décennie du XXe siècle confirme cependant que la lutte contre le communisme s'inscrit dans une stratégie plus globale visant à éviter l'émergence d'un concurrent sur le territoire eurasiatique. Sur l'échiquier mondial, l'Europe et le Japon (ainsi

que son voisin la Corée-du-Sud) doivent se comporter comme les premières têtes de pont des États-Unis en Eurasie. Entre ces deux aires extrêmes de l'immense arc que constitue le *rimland*, tous les moyens sont désormais utilisés pour refouler *(roll back)* l'ancien concurrent slave. Extension de l'Europe des Quinze vers les pays d'Europe de l'Est et vers la Turquie – unique pays à la fois musulman et laïque, allié de poids fortement

aidé. Extension de l'OTAN à l'Ukraine. Encouragement d'un axe Ankara-Tachkent unissant le Caucase nord à l'Asie centrale. Cette zone est doublement intéressante pour les États-Unis ; c'est un tampon formé par la Syrie, l'Irak et l'Iran et une zone dont le sous-sol est riche en hydrocarbures. À long terme, la Chine et l'Inde restent deux points d'interrogation pour les stratèges américains. ■

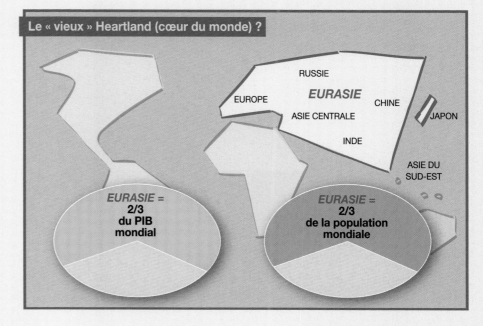

Le « vieux » Heartland (cœur du monde) ?

RUSSIE
EUROPE
EURASIE
CHINE
ASIE CENTRALE
JAPON
INDE
ASIE DU SUD-EST

EURASIE = 2/3 du PIB mondial

EURASIE = 2/3 de la population mondiale

L'échec
des monismes

*« ...l'échec des principes
explicatifs à prétention
universelle, dont le "choc
des civilisations"... »*

COMMENT EXPLIQUER les turbulences géopolitiques contemporaines ? Un principe général de long terme surplombe-t-il l'événement ? Y a-t-il une cohérence, ou même une permanence, cachée par l'actualité ?

Les principaux monismes – fondés sur un principe unique d'explication universelle – sont d'inspiration économique ; ils focalisent l'attention soit sur les inégalités dans l'accès aux ressources fondamentales (pénuries d'eau, pénuries d'hydrocarbures) soit sur les inégalités économiques Nord-Sud. Plus récemment est née aux États-Unis, après celle de la « fin de l'histoire », la thèse que le XXIe siècle serait celui du « choc des civilisations », le temps de la guerre froide s'étant achevé pour laisser place à un monde multipolaire.

Choc des monismes : ces principes simples se neutralisent dans leurs oppositions conceptuelles et, paradoxe, leurs convergences géographiques. Surtout, ils négligent le poids des dynamiques historiques, ambivalentes – telles les décolonisations et leur contexte, ou la globalisation des modes de vie.

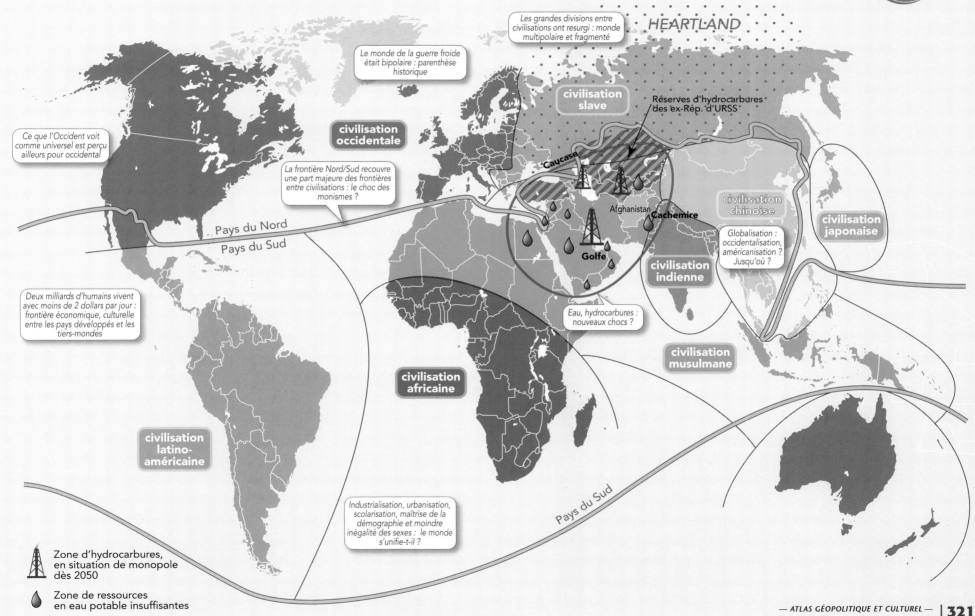

HEARTLAND

Les grandes divisions entre civilisations ont resurgi : monde multipolaire et fragmenté

Le monde de la guerre froide était bipolaire : parenthèse historique

civilisation slave

Réserves d'hydrocarbures des ex-Rép. d'URSS

Ce que l'Occident voit comme universel est perçu ailleurs pour occidental

civilisation occidentale

Caucase

La frontière Nord/Sud recouvre une part majeure des frontières entre civilisations : le choc des monismes ?

Afghanistan

Cachemire

civilisation chinoise

civilisation japonaise

Pays du Nord

Pays du Sud

Golfe

civilisation indienne

Globalisation : occidentalisation, américanisation ? Jusqu'où ?

Deux milliards d'humains vivent avec moins de 2 dollars par jour : frontière économique, culturelle entre les pays développés et les tiers-mondes

Eau, hydrocarbures : nouveaux chocs ?

civilisation musulmane

civilisation africaine

civilisation latino-américaine

Pays du Sud

Industrialisation, urbanisation, scolarisation, maîtrise de la démographie et moindre inégalité des sexes : le monde s'unifie-t-il ?

Zone d'hydrocarbures, en situation de monopole dès 2050

Zone de ressources en eau potable insuffisantes

L'échec des monismes

*« …tenter d'éclairer
les conflits du XXIe siècle,
c'est tenter de comprendre
le prisme des représentations
stratégiques du monde… »*

Le « tout pétrole », le « tout eau »

L'eau douce est une ressource vitale à la fois très abondante et très mal répartie. Les flux mondiaux sont évalués à environ 40 000 milliards de mètres cubes par an, couvrant 4 fois les besoins totaux (l'irrigation représente 70 % de la consommation, les besoins domestiques moins de 10 %). La pénurie touche trois zones situées sur la « diagonale de la sécheresse », partant de l'Afrique et traversant le Moyen-Orient pour atteindre le nord-est de la Chine.

Pourtant, l'eau ne constitue jamais l'enjeu unique dans l'histoire des conflits internationaux. Elle peut donner lieu à des accrochages frontaliers sporadiques, comme dans l'exploitation des rives du fleuve Sénégal, entre la Mauritanie et le Sénégal. Elle peut faire partie des enjeux de territoire : dans le conflit israélo-arabe (la situation la plus critique étant celle de la bande de Gaza) ; dans le conflit Iran-Irak pour la maîtrise du Chatt al-Arab. Elle peut entrer comme moyen de pression : ainsi, pendant la guerre du Golfe, entre la Turquie et l'Irak. En fait, les « guerres de l'eau » s'inscrivent dans des conflits géopolitiques plus larges, hors desquels le marché international de l'eau reprend ses droits ; les tensions entre les anciennes républiques soviétiques d'Asie centrale n'existent que depuis le tracé des frontières nationales entre le Kirghizstan, pays d'amont, et les pays d'aval.

Quant au pétrole, c'est la marchandise la plus échangée dans le monde ; les lieux de consommation sont en général éloignés des zones de production. Bien que la facture pétrolière représente moins de 1 % du PIB mondial, cette ressource a acquis un statut stratégique en quelques décennies, avec 40 % de la consommation d'énergie primaire. Sa consommation progresse, expliquée par les tendances longues de croissance démographique mondiale et de développement économique ; ainsi les quelque 2 milliards de Chinois et d'Indiens possèdent moins de 5 voitures pour 1000 habitants quand les pays industrialisés ont un ratio de 500 voitures pour 1000 habitants. Le marché automobile chinois a progressé de 80 % en 2003. L'utilisation du pétrole a tendance à se concentrer sur les usages où il est difficilement remplaçable (pétro-chimie et transports à moteurs thermiques), et sa consommation devrait progresser de 50 % d'ici à 2020. Or les réserves progressent, mais faiblement. D'après les scénarios les plus probables, elles seront épuisées avant la fin du XXIe siècle. Surtout, l'essentiel des réserves hors Moyen-Orient seront épuisées en 2040, justifiant l'expression de *oil-heartland* pour cette zone ; qui contrôlera le golfe Arabo-Persique aura la maîtrise d'un levier économique mondial. Les réserves prouvées de gaz, deuxième source d'énergie fossile, se trouvent en Asie centrale, dans les anciennes républiques soviétiques (40 % du globe). Avec le Moyen-Orient, ces deux aires, contiguës, cumulent des réserves précieuses pour l'avenir. Selon l'état du monde, elles seront sources de tensions ou, comme les réserves de la mer du Nord, sources de contrats commerciaux.

Le « choc des civilisations »

Dans un article publié en 1993, et développé dans un livre intitulé *Le Choc des civilisations,* Samuel Huntington, professeur à Harvard et ex-conseiller-expert du président Carter, remet en cause les analyses stratégiques traditionnelles – fondées sur les notions d'États et de territoires nationaux – au profit d'une analyse qui place les civilisations, surtout identifiées sous leurs aspects spirituels et religieux, au premier plan. Le XXIᵉ siècle rend caduques les luttes pour la puissance – qui opposaient des États-nations –, ainsi que les conflits idéologiques – opposant le libéralisme au communisme – ou les luttes des classes – opposant riches et pauvres : « les conflits les plus étendus, les

plus importants et les plus dangereux n'auront pas lieu entre classes sociales, entre riches et pauvres, entre groupes définis selon des critères économiques, mais entre peuples appartenant à différentes entités culturelles ». L'existence de civilisations avait déjà été décrite par les historiens, notamment par Arnold Toynbee et Fernand Braudel, mais leur statut est ici élevé au rang de principe explicatif majeur de l'histoire à venir. Depuis des siècles, dans une simplification extrême, huit civilisations se partagent le monde ; leurs oppositions domineront l'histoire. La thèse, qui se veut prédictive, de l'opposition entre l'Occident et l'Islam a semblé confirmée par les attentats du 11 septembre 2001.

Cependant, trois types de critiques s'opposent à ce monisme « civilisationnel ».

Si les civilisations sont des réalités fondamentales de l'histoire, comment expliquer leur soudaine émergence comme facteur explicatif premier ? Comment le XXᵉ siècle, après tant d'autres, a-t-il pu substituer d'autres causalités – idéologiques, nationalistes ? Comment les guerres mondiales, internes à une civilisation, ont-elles pu constituer le principal et le plus violent type de conflits ? Et pourquoi d'autres types de causalités n'apparaîtraient-ils pas ?

Une deuxième critique signale la perméabilité des frontières entre civilisations, voire leur homogénéisation. L'interpénétration mutuelle contribue à la naissance des conflits ultérieurs. Ainsi, l'islamisme radical ne trouve pas sa source au plus profond de tel désert isolé, il naît justement de la modernisation brutale de sociétés traditionnelles : urbanisation, alphabétisation féminine et baisse de la fécondité, allongement de la scolarité renversant les rapports entre la génération des pères et celle des fils, réduction de la différence d'âge entre mari et femme ; l'islamisme est porteur de « la protestation tiers-mondiste d'un monde musulman tenu encore dans un état de minorité permanente par les grandes puissances » (Olivier Roy).

La troisième critique signale l'éclatement de telle ou telle civilisation – islamique, africaine ou confucéenne, par exemple – en plusieurs composantes qui s'opposent entre elles et qui ne dédaignent pas les alliances avec des pays d'Occident, contre leurs consœurs. Trois alliés musulmans des États-Unis ont des régimes très contrastés : le rigorisme wahhabite de l'Arabie Saoudite, par ailleurs techniquement américanisée, l'État laïque de Turquie, le gouvernement militaire du Pakistan.

L'éclairage qu'apporte la prise en compte des facteurs de civilisation (religion, culture, langue, sentiment d'appartenance) est productif s'il n'est pas transformé en clé d'explication unique, s'il

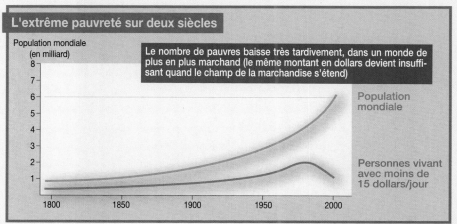

L'extrême pauvreté sur deux siècles

Population mondiale (en milliard)

Le nombre de pauvres baisse très tardivement, dans un monde de plus en plus marchand (le même montant en dollars devient insuffisant quand le champ de la marchandise s'étend)

Population mondiale

Personnes vivant avec moins de 15 dollars/jour

L'échec des monismes

« ...1916 : les puissances britanniques et françaises se partageaient les ruines de l'Empire ottoman... »

contribue objectivement à l'analyse des conflits. La guerre froide avait constitué pendant un demi-siècle une clé d'explication générale efficace, mais momentanée, des conflits dans le monde. Le début des années 1990 a créé un déficit : les conflits proliféraient ; une nouvelle explication universelle ne pouvait qu'être bien accueillie. On peut penser que son simplisme reflète la tentation d'une explication unilatérale et purement nord-américaine des contradictions de l'histoire.

Le déroulement de la guerre et de l'après-guerre en Irak depuis 2003 mobilise tout ensemble les différentes explications « universelles » – guerre pour le pétrole, choc des civilisations, conflit Nord-Sud – et explications attentives aux réalités régionales – rivalités entre sunnites, chiites et Kurdes (eux-mêmes sunnites), déploiement d'un activisme politique incluant les attentats-suicides du terrorisme et de l'hyperterrorisme : l'histoire et la géographie doivent être prises en compte pour démêler l'écheveau.

Pétrole, guerres et *nation building*
(« construction de nation »)

À la veille de la Première Guerre mondiale, l'Empire ottoman domine le Croissant fertile depuis quatre siècles. Depuis la fin du XIXᵉ siècle, Londres en

grignote les bordures, établissant des protectorats destinés à sécuriser les routes maritimes vers l'immense empire des Indes : l'Égypte et la mer Rouge jusqu'au détroit d'Oman ; le tour de la péninsule Arabique jusqu'à Bahreïn ; le Koweït, au fond du golfe Persique, acquis en 1899 (carte 1).

La Première Guerre mondiale est l'occasion d'en finir avec l'Empire ottoman, allié à l'Allemagne. Du Caire, les services britanniques poussent les Arabes à la révolte contre l'occupant turc, et le colonel Lawrence (Lawrence d'Arabie) promet un grand royaume au chérif Hussein, gardien traditionnel de La Mecque. Mais, en secret, les puissances britannique et française se partagent dès 1916 les territoires bientôt « libérés » du joug ottoman (accords Sykes-Picot, carte 2). Les cartes seront modifiées à la conférence de la paix de 1920 sous une double influence. Les principes d'auto-détermination des peuples promus par le président Woodrow Wilson infléchissent la teneur colonialiste des découpages (la France y perd la zone qu'elle s'était découpée sur l'est de la Turquie, après la victoire du modernisateur Mustafa Kemal). Et, surtout, les Britanniques inventent l'Irak en réunissant trois éléments hétérogènes pris dans l'ancien Empire ottoman.

La Mésopotamie – la zone rouge foncé des accords secrets – en forme le cœur ; elle est elle-même hétérogène, formée d'une région sunnite (Bagdad, la future capitale, traditionnellement alliée au pouvoir ottoman puis britannique, puis national) et une zone chiite au Sud (éternels exclus du pouvoir, ottoman puis britannique, puis national). Les Britanniques adjoignent, au nord de la Mésopotamie, la zone kurde initialement dévolue à la France dans les accords secrets Sykes-Picot de 1916 ; ils avaient obtenu dès 1911 des droits d'exploration pétrolière dans cette région (qui inclut Mossoul et Kirkūk, où les forages se révèlent positifs en 1927), et les Français la cèdent en contrepartie d'une participation au capital de la société de prospection de Kirkūk ; ils la cèdent parce que Clemenceau souhaite l'appui de Londres pour récupérer l'Alsace-Lorraine dans les négociations de paix à Versailles face aux Allemands (1919 ; pour la même raison, Clemenceau cède sur le statut de la Palestine – qui passe sous mandat britannique au lieu d'être confiée à un contrôle international). Enfin, les Britanniques complètent l'Irak en accrochant, à l'ouest de la Mésopotamie, la moitié de la zone « d'influence britannique » des accords secrets, qui jouxte la Syrie, d'influence française.

En 1918, l'objectif affiché par les Français et les Britanniques est « la libération complète et définitive des peuples si longtemps opprimés par les Turcs et l'établissement de gouvernements nationaux… » (traduit et cité par Pierre-Jean Luizard, *La Question irakienne*, Fayard, 2002). Mais le protectorat britannique impose, par-dessus l'opposition des chiites et des Kurdes, une monarchie constitutionnelle. Le roi Fayçal, fils du chérif Hussein (dont un autre fils sera installé par les Britanniques sur le trône de Jordanie) doit utiliser l'armée pour réprimer les révoltes essentiellement chiites. La république ne sera proclamée, en 1958, qu'après cinq coups d'État, dégageant le pays de la tutelle britannique.

En ces années 1920, les États-Unis sont une autorité morale et un recours par rapport à la puissance britannique. Échec dans le domaine politique : les chiites d'Irak font appel au président Wilson (en vain) ; ils demandent que soit reconnue une vraie indépendance pour leur pays, au lieu du violent protectorat britannique (Churchill est choqué par les moyens de répression des révoltes) ; ils espèrent aussi corriger l'ostracisme dont ils sont l'objet, au profit des sunnites, minoritaires mais associés au pouvoir britannique (les États-Unis, en signe d'impuissance, quittent la

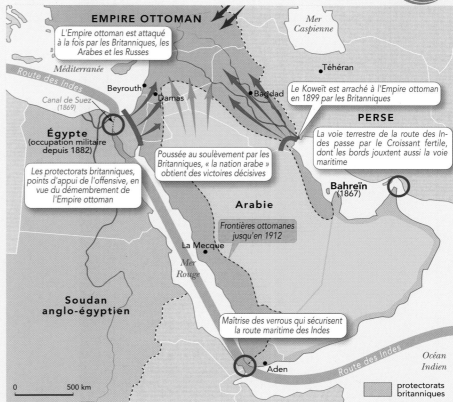

1915-1918 : à l'assaut du Croissant fertile

conférence de Paris de janvier 1919, où les Français et les Britanniques se partagent les dépouilles) ; échec aussi des États-Unis à la SDN – créée par Wilson –, où les Kurdes, refusant d'être incorporés à un État arabe, demandent en 1921 l'autonomie. Réussite dans le domaine économique : les États-Unis proposent des contrats pétroliers moins léonins à la jeune Arabie Saoudite (autonome dès 1932), et gagnent en influence.

Trente ans plus tard, la puissance britannique laisse la place aux États-Unis, nouvelle puissance, nouvel arbitre. La (vraie) première guerre du Golfe oppose l'Irak à l'Iran, de 1980 à 1988. L'Irak – courtisé et surarmé par les puissances française, britannique et surtout américaine, qui voient en lui le meilleur rempart contre l'Iran des ayatollahs – attaque et épuise l'adversaire, après avoir causé des millions de morts.

325

L'échec
des monismes

« …au Moyen-Orient,

pour tenter d'atteindre

le but – paix, démocratie –,

le dessin de la feuille de route

elle-même compte autant

que le but… »

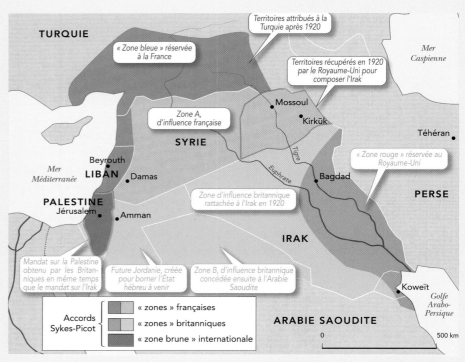

Territoires attribués à la Turquie après 1920

« Zone bleue » réservée à la France

Territoires récupérés en 1920 par le Royaume-Uni pour composer l'Irak

Zone A, d'influence française

« Zone rouge » réservée au Royaume-Uni

Zone d'influence britannique rattachée à l'Irak en 1920

Mandat sur la Palestine obtenu par les Britanniques en même temps que le mandat sur l'Irak

Future Jordanie, créée pour borner l'État hébreu à venir

Zone B, d'influence britannique concédée ensuite à l'Arabie Saoudite

TURQUIE · Mossoul · Kirkûk · Mer Caspienne · Téhéran · SYRIE · Beyrouth · LIBAN · Damas · Mer Méditerranée · PALESTINE · Jérusalem · Amman · Bagdad · PERSE · IRAK · Koweït · Golfe Arabo-Persique · ARABIE SAOUDITE · Tigre · Euphrate

Accords Sykes-Picot
- « zones » françaises
- « zones » britanniques
- « zone brune » internationale

0   500 km

Butins de guerre et marchandages

Puis, en 1990, Saddam Hussein réitère la tentative d'annexion menée, trente ans plus tôt, par la jeune république irakienne lors du passage du Koweït du statut de protectorat britannique à un régime d'autonomie (1961). L'invasion du Koweït par l'Irak de Saddam Hussein provoque la deuxième guerre du Golfe en août 1990 : 100 000 morts irakiens ; la coalition emmenée par les États-Unis et mandatée par le Conseil de sécurité de l'ONU envoie 450 000 soldats et libère le Koweït en février 1991. Les Kurdes – au nord – et les chiites – au sud – se soulèvent ; ceux-là, contraints de se réfugier dans les montagnes, sont sauvés par la communauté internationale (au nom du droit d'ingérence), et sont, depuis, protégés par une interdiction de survol au nord du 36e parallèle ; mais ceux-ci sont écrasés. Pour les stratèges de la Maison Blanche, un Irak affaibli aurait laissé sans contrepoids la république islamique iranienne faisant redouter que le pays implose et que deux de ses trois composantes – Kurdes au nord, chiites au sud – se détachent, détruisant les équilibres entre Arabes, Turcs et Iraniens autour du Croissant fertile.

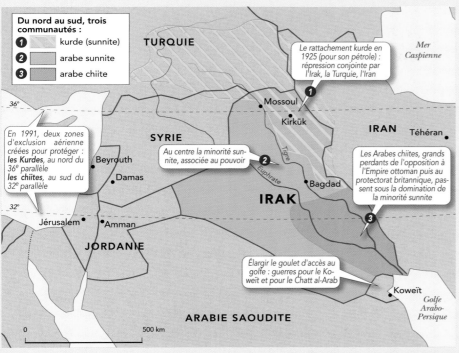

Du nord au sud, trois communautés :
- ① kurde (sunnite)
- ② arabe sunnite
- ③ arabe chiite

TURQUIE

Mer Caspienne

Le rattachement kurde en 1925 (pour son pétrole) : répression conjointe par l'Irak, la Turquie, l'Iran

En 1991, deux zones d'exclusion aérienne créées pour protéger : *les Kurdes*, au nord du 36ᵉ parallèle *les chiites*, au sud du 32ᵉ parallèle

Mossoul

Kirkūk

SYRIE

IRAN

Téhéran

Beyrouth

Au centre la minorité sunnite, associée au pouvoir

Damas

Les Arabes chiites, grands perdants de l'opposition à l'Empire ottoman puis au protectorat britannique, passent sous la domination de la minorité sunnite

Bagdad

IRAK

Jérusalem

Amman

JORDANIE

Élargir le goulet d'accès au golfe : guerres pour le Koweït et pour le Chatt al-Arab

Koweït

Golfe Arabo-Persique

ARABIE SAOUDITE

0   500 km

Les trois composantes de l'Irak

Imposer la démocratie ?

L'ampleur du choc subi au Moyen-Orient en 1990-1991 incite les États-Unis, gendarmes du monde, à faire progresser le règlement du conflit israélo-palestinien (débouchant sur les accords d'Oslo de 1993). Mais, pour les néo-conservateurs du parti républicain, appuyés sur le lobby militaro-industriel, la seule solution de ce conflit passe par la démocratisation de la zone. Il faut l'imposer, comme en Allemagne ou au Japon – par l'occupation pacifique après leur défaite. Il faut commencer par le renversement de Saddam Hussein. Le dictateur – admirateur de Staline – a détruit une économie prometteuse, mais surtout il est soupçonné de détenir encore le couple missiles/armes de destruction massive et se dit prêt à les utiliser – il l'a fait à deux reprises contre deux composantes majeures du pays (déversant des armes chimiques sur les Kurdes en 1989, sur les chiites en 1991) ; il a agressé deux voisins (usant, encore, contre l'Iran, d'armes chimiques) ; il torture, assassine, élimine les opposants. Au total, il est passible de jugement pour crimes contre l'humanité (mais quand l'Europe avait sou-haité déférer Saddam pour crimes de guerre, en 1991, la Maison Blanche avait bloqué, au nom de la *realpolitik* anti-iranienne). Enfin, pour les néo-conservateurs, la guerre d'Afghanistan qui a suivi les attentats du 11 septembre 2001 doit être menée jusqu'au bout : le nouveau message de la dissuasion (*pre-emptive war*) doit prévenir toute attaque terroriste. Plus largement, les États-Unis doivent rester la puissance militaire numéro un, loin devant toute autre. L'ordre du monde, dix ans après la fin de la guerre froide, autorise la compétition entre nations sur le terrain commercial, économique, mais pas sur le plan militaire. Le traumatisme des événements du 11 septembre 2001 ajoute une raison, s'il en était besoin, à la domination militaire que la Maison Blanche construit depuis longtemps.

Gagner la guerre d'Irak, mais pas seulement. Un mois de guerre, mais combien d'après-guerre ? Réparer les ponts, hôpitaux, centrales électriques, le potentiel pétrolier (les deuxièmes réserves mondiales), mais pas seulement. L'onde du choc militaire résonnera longtemps sur le pays – à reconstruire politiquement – et aussi sur chaque pays du Moyen-Orient.

Les enjeux de l'après-guerre se déploient en Irak, bien sûr – où la population, déjà épuisée par huit ans d'embargo, souffre de malnutrition et ne voit pas encore ses conditions de vie s'améliorer vraiment –, ils se déploient aussi, à portée de voix, pour Israël, clé de la réussite de l'après-guerre ? Et, un peu plus loin que la « théorie des dominos » ne le prévoit, quel après-guerre pour la Tchétchénie, soumise à une démocratisation de façade (référendum puis élection présidentielle en 2003) aussi peu représentative des choix populaires que l'Irak britannique de 1920 ? Comment va évoluer désormais la liste des pays que les États-Unis qualifient d'« États-voyous » ? Et si la paix passe aussi par le contrôle de la prolifération de l'arme nucléaire, l'année 2004 marque l'aboutissement de la lente mise au jour des réseaux qui depuis 30 ans alimentent le marché noir du nucléaire – du Pakistan à la Libye en passant par l'Iran et la Corée du Nord. Ceux-ci sauf la Corée du Nord se sont engagés à renoncer à leur pro-gramme de production de combustible nucléaire (Libye, Iran), ou, au moins, à plus de transparence (Pakistan). Enfin, quelle place pour les Européens – si divisés –, pour la Russie, pour la Chine, quel rôle assigné à l'ONU dans ce monde nouveau où aucun pays n'a seul la maîtrise de son destin économique, social, même s'il peut imaginer l'avoir dans le domaine militaire et défensif ? ■

Un monde en perte de sens

« ...la mondialisation de la géopolitique, la géopolitique de la mondialisation... »

Le destin d'un peuple, sa prospérité et sa sécurité se déterminent de plus en plus à l'échelle planétaire.

Les équilibres sociaux, économiques, monétaires, boursiers, ne s'établissent plus à l'échelle d'un pays. Flux migratoires (à motifs économiques ou politiques) ; luttes contre les pandémies (sida,...), luttes contre les trafics (en C.A. mondial, les drogues dépassent le pétrole), luttes contre les atteintes aux droits de l'homme, protection de l'environnement : tout cela se règle au niveau international. Le monde devient le niveau pertinent pour analyser les marges de manœuvre réelles d'une nation. Mais ce n'est pas un monde isotopique.

En termes économiques, le planisphère a un centre de gravité à trois points, la triade États-Unis-Europe-Japon : la moitié de la richesse mondiale est produite sur 1% de sa surface habitée, et près de 90 % des échanges économiques mondiaux sont libellés en dollars ou en monnaies européennes. Les États-Unis en constituent l'« hypercentre » : avec 5 % de la population mondiale, ils produisent le quart des richesses mondiales, consomment le quart du pétrole raffiné sur la planète et contribuent au quart de la pollution mondiale. En termes militaires, la concentration est plus forte encore (les États-Unis, le Royaume-Uni et la France tiennent à eux trois 90 % du commerce des armes). Au-delà des critères économiques et militaires, importent aussi le niveau de développement des systèmes de formation, de santé, l'espérance de vie – l'ensemble des éléments de l'indice de développement humain. Aucun critère n'est à lui seul suffisant pour définir le degré de maîtrise d'un peuple sur son présent. Très peu de nations cumulent un haut niveau d'ensemble sur ces critères.

Les États-Unis cherchent à éviter qu'une puissance concurrente émerge.

Russie, Inde, Chine, Japon, États-Unis : le nombre des grandes puissances pouvant peser sur un domaine-clé, à court ou moyen terme, est réduit. Aucun pays d'Afrique, aucun pays d'Amérique du Sud – pas même le Brésil. Aucun pays européen – même l'Allemagne, et encore moins la France ou la Grande-Bretagne.

La première mondialisation, qui commence avec les grandes découvertes, fut européenne. Aujourd'hui, la construction de l'Europe – très élargie depuis « les Six » de 1958 – fait de l'ensemble des « Quinze » – bientôt « Vingt-Cinq » – le premier acteur économique mondial. L'Europe est le premier exportateur de marchandises de la planète, sa production représente un quart du PIB mondial, soit presque autant que celui des États-Unis et le double du Japon ; son marché intérieur est de 380 millions d'habitants. Mais le peuple européen n'existe pas, et l'intégration politique européenne est encore très faible. L'Europe, géant économique, reste un nain géopolitique. Aucune puissance dans l'histoire ne fut dépourvue de la puissance militaire ; or, il n'y a ni commandement militaire intégré, ni politique de défense commune ; et le budget cumulé baisse tendanciellement depuis dix ans, tandis que les États-Unis accroissent régulièrement leurs dépenses. En 2002, les États-Unis dépensent trois fois plus par habitant que les cinq premiers pays européens. Le fossé technologique se creuse, d'autant plus que les États-Unis freinent les transferts de technologie ; « l'interopérabilité » au sein même de l'OTAN se réduit. En cas de défi stratégique grave – du Kosovo au Moyen-Orient par exemple – les capacités européennes d'intervention directe ainsi que la capacité à peser sur les décisions américaines demeurent accessoires par rapport à celles des États-Unis.

La fin de la guerre froide et des grands affrontements idéologiques entre blocs a fait l'objet de deux interprétations nord-américaines, universitaires, qui sont symétriques et solidaires. D'un côté « la fin de l'Histoire » de F. Fukuyama (professeur américain d'origine japonaise) correspondrait à la victoire définitive de la démocratie débouchant sur un calme inédit dans l'histoire de l'humanité ; de l'autre le « choc des civilisations » de Samuel Huntington correspondrait à l'apparition d'irréductibles oppositions planétaires sur la base de l'identité « civilisationnelle » (culturelle) des peuples (langue, religion, culture). La réalité géopolitique se situe probablement entre ces deux extrêmes. La diffusion mondiale du modèle démocratique libéral – incluant les droits de l'homme, parfois exploités comme outil de lutte idéologique – accompagne un ensemble de profondes mutations sociales. Ces transformations, rapides à l'échelle de l'histoire, sont sources de tensions en provenance des aires les plus affectées. Les sociétés occidentales sont perçues comme puissances agressives – au moins dans les domaines économiques et culturels –, dans la mouvance des États-Unis, qui, eux, s'affichent militairement agressifs au nom de leur droit à se défendre préventivement contre les menaces extérieures, étatiques ou non. Aucune société – occidentale ou non – n'est à l'abri de mouvements de rejet face à l'inconnu et aux « dangers » que représente le saut dans la globalisation. Plus encore, les civilisations non-occidentales réagissent, parfois violemment, à l'occidentalisation, parfois violente, du monde : pénétration du marché et marchandisation de la consommation, salariat majoritaire, monétarisation des échanges et chômage, habitat massivement urbain, perte des solidarités rurales, alphabétisation et allongement des études, émancipation féminine, baisse de la fécondité et érosion des valeurs traditionnelles, omniprésence de la télévision.

TABLE DES CARTES

TURBULENCES ET PERMANENCES
Éclairages sur l'automne 2001

331

Photocomposition : Graphic Data - Paris
Imprimé en France par MAME Imprimeurs à Tours (n° 04062246)
N° d'éditeur : 10116665 - Dépôt légal : juillet 2004